Índice

HISTORIA UNIVERSAL

SIGLO XXI

Volumen 23

América Latina

III. De la independencia a la segunda guerra mundial

LOS AUTORES

Gustavo Beyhaut

Es profesor asociado en la Universidad de París III (Sorbonne), miembro del Consejo Directivo del Laboratorio 111 del CNRS (Centre National de la Recherche Scientifique, Francia), dedicado a problemas de América Latina, y dirige tesis de doctorado en el Institut des Hautes Études de l'Amérique latine de París. Ha sido antes profesor de las universidades de Montevideo, Buenos Aires, y del Litoral, de Santiago de Chile, en la École des Hautes Études en Sciences Sociales de París y en la Universidad de Toulouse.

Además de artículos en revistas especializadas, ha publicado: "Sociedad y cultura latinoamericana en la realidad internacional", Universidad de Montevideo, 1969; "Raíces contemporáneas de América latina", Eudeba, Buenos Aires, 1964 y 1972.

Hélène Beyhaut

Diplomada del Institut d'Études Politiques, París, ha sido investigadora en el CERI (Centre d'Étude des Relations Internationales, París), laboratorio asociado al CNRS. Es coautora del libro "Les partis politiques en Amérique du Sud", Colin, París, 1969; Penguin Books, 1973.

DISEÑO DE LA CUBIERTA

Julio Silva

Historia Universal
Siglo veintiuno

Volumen 23

AMÉRICA LATINA

III. De la independencia a la segunda guerra mundial

Gustavo y Hélène Beyhaut

siglo veintiuno editores, sa de cv
CERRO DEL AGUA 248, DELEGACIÓN COYOACÁN, 04310 MÉXICO, D.F.

siglo veintiuno de españa editores, sa
CALLE PLAZA 5, 28043 MADRID, ESPAÑA

primera edición en español, 1985
quinta edición en español, 1995

isbn 968-23-0009-6 (obra completa)
isbn 968-23-0951-4 (volúmen 23)

primera edición en alemán, 1965, revisada y puesta al día
por los autores para la edición española

título original: von der unabhangigkeit bis zur krise
der gegenwart

impreso y hecho en méxico/printed and made in mexico

Introducción

Este volumen intenta brindar una visión panorámica de los grandes cambios de la vida latinoamericana desde la independencia. Más que descripciones globales sobre los procesos ocurridos, se considerará aquí, preferentemente, un inventario de problemas fundamentales analizados por orden. Más que una clara ubicación cronológica de los hechos y una neta separación de las situaciones especiales de cada Estado, abordaremos un mundo algo incierto donde características atribuidas al siglo XIX sobreviven en el XX, o en el que un ejemplo de un cambio descrito inicialmente en Brasil puede continuar con la historia de lo que sucedió en Cuba o en cualquier otra parte. Esta imagen desordenada, con falta de sincronismo y muy poco respeto por las fronteras nacionales como elementos de separación válidos para las modificaciones más profundas, responde de un modo realista a lo que ha sido y es hoy América Latina.

La expansión europea y la colonización del mundo provocaron modificaciones de distinto orden en las regiones periféricas. Hubo casos de intensa afluencia de colonos europeos a territorios casi deshabitados (como Australia y Estados Unidos). En otras zonas, como en la India y otras partes de Asia, una pequeñísima minoría de colonos sometió a un mundo de colonizados sin integrarse a él. Se dan casos, asimismo, de lugares en que una afluencia considerable de colonos se inserta en regiones muy pobladas, dando lugar a la coexistencia de dos mundos diferentes separados por una muralla de prejuicios.

Al romperse los lazos de dependencia política con respecto a Europa, variarán los efectos según el área de que se trate. La emancipación norteamericana aparece claramente como un acto voluntario de los colonos de procedencia británica. En la independencia de la India, en cambio, son los colonizados quienes toman el poder. La prolongada lucha y la victoria final, en el caso de Argelia, son el resultado de la imposición a largo plazo de una mayoría colonizada sobre una aguerrida y resistente minoría de colonos. El caso de África del Sur, por el contrario, es fruto de una tentativa minoritaria de colonos que no quieren ceder posiciones ante los colonizados.

¿Cuál sería, en este esquema, el papel que le ha tocado desempeñar a América Latina? La conquista dejó una gran población indígena colonizada (a la que además se suman los esclavos traídos de África), pero a diferencia de otras regiones, probablemente América Latina sea la zona del mundo donde menos barreras se alzaron entre colonos y colonizados y donde se operó en mayor grado el mestizaje y la fusión de las razas y culturas. La ruptura de los lazos coloniales con respecto a España y Portugal apareció predominantemente como un movimiento de colonos, ya que la situación del indio y del negro tendió aún a deteriorarse después de obtenida la independencia y durante todo el siglo XIX. Un primer cambio en la situación se debe a que muchas veces en los frentes militares hubo que recurrir a los sectores más populares, en cuyas filas se contaban numerosos mestizos y elementos de las razas dominadas. Durante un tiempo América Latina padeció un verdadero complejo de inferioridad por su hibridismo étnico y cultural, en la medida en que procuraba europeizarse. Pero los tiempos cambian, y fenómenos acaecidos en otras partes del mundo ayudan a dar perspectiva suficiente como para alentar un estudio de la sociedad latinoamericana desde el punto de vista de fusión de razas y culturas. Es dentro de esta orientación que el autor optará por una explicación histórica que tendrá muy poco de ortodoxa.

Los estudios dedicados a América Latina han contribuido muchas veces a difundir una falsa idea de América Latina, llena de elementos literarios y desprovista de contenidos auténticos, que no pone atención a las diversidades regionales. Esto último no significa que no haya muchos elementos comunes a tener en cuenta, en función de los cuales América Latina aparece además como algo distinto a otras zonas del planeta. Entre esos elementos comunes deben considerarse los derivados de los orígenes coloniales que tanto modelaron las instituciones y la cultura, y el mantenimiento de una situación de dependencia respecto de los centros dinámicos mundiales en el período independiente. Ciertos cuadros generales de evolución y los elementos que la condicionan pueden ser estudiados en conjunto: se trata principalmente de antiguas colonias hispanas o portuguesas emancipadas, con una economía en la que el latifundio ha desempeñado un papel predominante y donde subsiste la tradición del empleo de mano de obra barata en condiciones que se asemejan a la servidumbre, donde se desarrolló una tendencia al monocultivo destinado a la exportación, merced a estímulos externos. Son, todos éstos, elementos de unificación y aglutinamiento; por lo mismo progresaremos mucho en la medida en que podamos seguir comparativamente su evolución.

Por el contrario, hay que tener en cuenta los elementos de diversidad: los orígenes coloniales hispánicos no son los mismos que los lusitanos o los de otras potencias, la influencia del indio no es la misma que la del africano y sus descendientes, la inmigración europea no favoreció por igual a todas las zonas; hay características singulares de regiones, tipos de cultivos, estructuras sociales, etc. Estos elementos de singularidad suelen incidir en la proliferación de microestudios, donde la minuciosidad y el rigorismo metodológico pueden resultar eficientes, pero en detrimento de la visión de conjunto.

Para apreciar con más nitidez las diferencias y semejanzas, se ha intentado la construcción de tipologías. Preocupado por establecer una clasificación que permita estudiar las instituciones políticas, Jacques Lambert,[1] por ejemplo, divide los países latinoamericanos en tres grupos principales, según predomine en ellos una estructura evolucionada de tipo nacional, una estructura social arcaica en pequeñas comunidades cerradas o una estructura social dualista. Otro serio intento en este sentido es el de Charles Wagley y Marvin Harris,[2] quienes centran su estudio en la existencia de subgrupos culturales, donde distinguen nueve tipos significativos. Para ellos, "subcultura" significa variación dentro de una tradición cultural más amplia, representativa del "estilo de vida de segmentos significativos dentro de la población latinoamericana" (indígena tribal, indígena moderna, campesina, de plantación ingenio, de plantación fábrica, urbana, de clase superior metropolitana, de clase media metropolitana y proletaria urbana).

Estos ensayos tipológicos y muchos otros más recientes y ambiciosos,[3] no son sino una muestra de lo que hoy es fruto de una profunda actividad de muchos especialistas. Algunos de ellos recalcan las diversidades de tipo cultural; otros emplean el creciente volumen de datos cuantitativos que van apareciendo en el estudio económico y social. Resulta claro que estas tipologías no son aún invulnerables ante un análisis minucioso; suele ocurrir que en su afán clasificador tiendan a proporcionar una apreciación estática y no dinámica de las sociedades que analizan, es decir, a utilizar los datos obtenidos en un determinado momento sin tener en cuenta los elementos cambiantes que les condicionan. Pero esto no invalida tales esfuerzos ni nos desdice en cuanto a la importancia de llegar a la comparación y a la síntesis solamente después de haber tenido en cuenta las peculiaridades regionales.

En la medida en que todo historiador se preocupa por estudiar los cambios profundos, debe mostrarse irrespetuoso con la antigua exigencia de precisión en las fechas. Particularmente en el caso de América Latina, donde lo característico es que estos cambios se vayan dando de manera mucho más nítida en ciertas regiones que en otras, donde sobreviven antiguas instituciones y costumbres. La existencia de zonas de cambio lento y zonas de cambio rápido no es tampoco una constante geográfica, porque se ha dado el caso de que, en virtud de determinados procesos económicos o políticos, una región supere de un salto el atraso en que se encontraba y progrese de tal manera que sus avances dificulten, esta vez por motivos opuestos, su inclusión en las características generales del período siguiente.

Para mayor comodidad de exposición, el estudio que sigue ha sido dividido en tres períodos principales.

El primero de ellos, "La independencia", cubrirá aproximadamente desde 1810 hasta 1825, aunque en realidad podría decirse que sigue algo más adelante. Su tema principal, desde luego, ha de ser el de las luchas contra la dependencia colonial y el de la victoria final.

El segundo período, que intitulamos "Europeización y expansión económica inducida", llega aproximadamente hasta principios del siglo XX; su término, empero, podría ser llevado a principios de la primera guerra mundial en relación con algunos cambios y aún más tarde para otros, con lo que volvemos a comprobar la necesidad de no ser rigurosos en la elección de fechas divisorias. La transformación económica en ese período empieza a mediados del siglo XIX y se intensifica después de 1870. La gran inmigración europea es notoria a partir del último tercio del siglo. Los fenómenos políticos responden más o menos a las características y límites del período elegido, no obstante lo cual excluimos intencionalmente la Revolución mexicana y gobiernos como los de Batlle en Uruguay o Irigoyen en Argentina, por ser más representativos de lo que ocurre en el período siguiente. En cuanto a la correspondencia geográfica de los cambios que preferentemente se considerará en esta parte, debe señalarse una vez más que ellos afectan muy diversamente a todas las regiones. Chile demuestra una temprana madurez de la institución estatal. Las llanuras del Río de la Plata y las tierras del café en Brasil experimentarán una inimaginada expansión económica y serán foco de atracción para millones de inmigrantes europeos que se dirigen hacia allí. La hegemonía británica constituye el centro que orienta el desarrollo mediante las operaciones comerciales y la inversión de capitales (aunque ya se noten avances norteamericanos en tierras del Caribe).

El tercer período, "El comienzo de la crisis", que llega a la segunda guerra mundial, incluye en sus inicios la Revolución mexicana y los progresos políticos de Argentina y Uruguay, pero las transformaciones más notorias arrancan de la primera guerra mundial y aún más claramente —en cuanto a los cambios de estructura— de la crisis de 1929. Las sociedades que primero alcanzan cierta estabilidad y desarrollo (Argentina, Uruguay), no serán después las que ofrezcan mayores índices de crecimiento económico (como México o Brasil). Entre los hechos fundamentales de este período, se cuentan la expansión del imperio y de las inversiones norteamericanas, el impacto general de la crisis de 1929-1934 y la creciente comprobación de que la europeización había dejado secuelas cuya corrección era tan necesaria como difícil.

No habrá buena historia contemporánea de América Latina si en ella no se logra unir realmente pasado y presente, mediante el aporte de explicaciones evolutivas como para contribuir a aclarar los problemas actuales.

Una última advertencia, hecha a riesgo de parecer redundante: no solamente ésta, sino todas las tentativas globales de explicar la historia latinoamericana estarán amenazadas por la asincronicidad de los cambios. Viajar es, entre otras cosas, en América Latina un modo de rescatar el pasado. En una recorrida actual se podrán encontrar restos de pueblos primitivos para los que poco o nada significó el contacto con el hombre blanco, mundos en correspondencia con lo que fue en algunas de sus características la sociedad colonial; en otros lados se evocará al siglo XIX y finalmente, en las grandes urbes modernas, se podrán apreciar múltiples manifestaciones que corresponden a los más recientes cambios de las sociedades industriales.

Primer período
La independencia

En algunas de sus características, este período supera los límites cronológicos (1810-1825) que le hemos fijado. En cierto modo, la independencia fue la culminación de un proceso de avances británicos —que se hace sentir imperiosamente desde comienzos del siglo XVIII— contra los imperios coloniales de España y Portugal. Las tentativas reformistas hispánicas obraron como elemento desencadenante de ciertas tensiones, al superar en sus proyectos de cambio los intereses de las aristocracias criollas, cuyo autonomismo y ansias de privilegio iban en constante aumento.

En lo que se relaciona con los límites finales, es sabido que en 1825 no terminó el proceso de interrupción de los lazos coloniales de todas las regiones, ni tampoco la aparición de nuevos estados por fragmentación de otros más amplios. En estos casos, las fechas deben ser extendidas hasta 1898 (independencia de Cuba) y 1903 (segregación de Panamá).

1. Las guerras de la independencia

Es difícil explicar las causas del movimiento emancipador si se le estudia en el reducido lapso de su duración y el de los años inmediatamente anteriores. Solamente puede entenderse con claridad si se le considera en relación con un proceso más amplio, de cambios profundos, iniciado con mucha antelación y que se prolongará más allá del período de lucha armada. Como ese proceso es un elemento fundamental para entender la declinación del colonialismo ibérico en América Latina, trataremos de enumerar algunas de sus principales características.

1) La afirmación de los intereses británicos en ultramar, robustecidos por las Actas de Navegación y una política inteligente, a tono con los progresos económicos de ese país. Con los saldos ampliamente favorables de su balanza comercial, aumentados a la vez por el comercio ilícito y el contrabando, Inglaterra se apropia buena parte de los metales preciosos extraídos en las colonias americanas de España y Portugal. Esto no satisface plenamente los crecientes apetitos británicos, amenazados además por los intentos realizados por los ministros reformistas peninsulares para reaccionar contra ese orden de cosas.

2) Los profundos cambios en la sociedad europea, caracterizados por el ascenso de los sectores burgueses y el desarrollo de una intensa actividad empresarial y competitiva dentro de las economías capitalistas en expansión. En ellas comienzan a actuar grandes compañías particularmente aptas para el comercio ultramarino. La organización de la producción prepara el clima favorable a las innovaciones técnicas.

3) Las consecuencias del desarrollo económico europeo en la periferia, donde las clases altas criollas, si bien no se ciñen al modelo de las burguesías industriales, comparten por lo menos el culto a la riqueza y una clara idea de las posibilidades de disfrute que ella otorga: han ido acrecentando su fortuna y desean más de lo que la tutela metropolitana está dispuesta a permitir.

4) Finalmente, los grandes cambios culturales determinados por la difusión del pensamiento ilustrado, ideología cuya expresión latinoamericana más militante la constituirán las logias y sociedades secretas, que proliferan a medida que las posibilidades de viajar o leer en abundancia evidencian la decadencia de ciertas instituciones a las que ahora cuestiona un nuevo sistema de valores.

La situación de las colonias hispánicas

Una y otra vez se alzaron voces en España contra las causas de su decadencia, denunciando los errores de la política económica seguida, el descuido de la producción, el auge de la ociosidad y los defectos del comercio colonial, a la luz de las ideas modernizadoras que circulaban por Europa.

El advenimiento de la dinastía borbónica en España, y en particular el reinado de Carlos III, inició un período de reformas desde el poder, al rodearse el soberano de colaboradores capacitados e iniciar una serie de cambios: enseñanza técnica, persecución de los vagos, fomento de la artesanía y de la producción agrícola. Pero el reformismo hispánico enfrentó los problemas del reino de un modo exageradamente legalista y superficial para ser verdaderamente efectivo. Desencadenó además el descontento entre las aristocracias criollas, pues al procurar una mejor administración y un poder más centralizado, contrariaba las tendencias autonomistas de esos sectores, que se veían excluidos de hecho de los altos puestos, pese a la inexistencia de disposiciones legales restrictivas.

En su discurso sobre "la educación popular de los artesanos y su fomento", Campomanes, ministro de Carlos III, sostuvo que la mejor manera de atacar el contrabando era quitar el incentivo de las grandes ganancias, haciendo concesiones y mejorando el comercio legal. No corresponde reiterar aquí las progresivas facilidades otorgadas al comercio colonial, sino indicar que no bastaron para impedir que las colonias estuviesen desconformes. Las reformas hechas desde la metrópoli afectaban además diversos intereses locales y aumentaban los deseos de romper definitivamente las barreras aduaneras que aislaban del resto del mundo a las colonias.

Índice de la falta de perspectivas acerca de los remedios

que debían adoptarse, es una ingenua Real Orden de Carlos III, de 1776, que pretende que el clero combata la creencia de que el contrabando es un delito pero no un pecado: "...Ha resuelto Su Majestad que en Su Real nombre requiera y exhorte yo el cristiano celo de V.S. para que por sí y por medio de sus vicarios, curas y predicadores se dediquen a desarraigar de la ignorancia de los pueblos esta falsa y detestable doctrina, haciendo entender a todos los fieles los estragos y ruinas a que exponen sus almas..." Esta actitud estaba condenada de antemano, ya que la difusión del contrabando no podía ser impedida por procedimientos de este género, sino que exigía soluciones radicales.

Los síntomas del resquebrajamiento del poder colonial son numerosos. La pugna de las clases altas criollas por el poder se manifiesta en múltiples resistencias a medidas administrativas y en actitudes autonomistas. Las incomodidades del monopolio y la progresiva tendencia suntuaria de los criollos se traducen en un incremento del contrabando. Se organizan círculos de estudio y sociedades secretas, donde, en un clima favorecido por la lectura de las obras de la Ilustración, prosperan planes escisionistas.

Esa maduración ideológica, sin embargo, todavía no está acompañada por un cambio de la realidad ni una coyuntura internacional favorable, que sólo aparecen a partir de 1808 por la acefalia de la corona española. Pero no debe dejar de considerarse los numerosos antecedentes de la ruptura final: movimientos como la rebelión de Coro, conspiraciones como la de Nariño y una creciente presión británica contra el monopolio español. De esta última, debe mencionarse como momento culminante el año 1806, cuando Miranda desembarca en el Caribe y el marino inglés Popham en el Río de la Plata. Ambos habían estado en contacto anteriormente en suelo británico; Miranda, aunque apoyándose en Inglaterra, tenía planes independentistas, que en ese momento no encontraron eco en tierra americana; Popham inició, sin autorización gubernamental al principio, una expedición franca de conquista, a la que siguió luego una segunda tentativa oficial. Había proyectado además enviar parte de sus fuerzas a desembarcar en Chile, pero todo fracasó ante la resistencia local y la dificultad del abastecimiento.

Paradójicamente, durante toda la primera etapa de la independencia de las colonias hispánicas (hasta 1814), Inglaterra estará comprometida por la alianza con España, que resiste a Napoleón. El emperador francés había invadido la península a fines de 1807, presionando después sobre la monarquía española hasta lograr las renuncias de Bayona y la proclamación de José Bonaparte como rey de España. Pero, en defensa de las instituciones tradicionales de la monarquía, surgió un vasto movimiento popular y liberal que dio origen al régimen de juntas, el cual se opondrá por las armas a la penetración francesa.

En una primera fase esta situación repercutirá en América, provocando la constitución de juntas fieles a España; para ello buscarán contacto y coordinación de esfuerzos. Las circunstancias locales fueron agrupando en dos bandos al autonomismo criollo y a los elementos más adictos al antiguo régimen. Mientras tanto, las escaramuzas se transformaron en conflicto bélico. La lucha militar fue el factor más importante de radicalización de las acciones. Porque la independencia no es el resultado de un movimiento que surja de acuerdo con un programa y con una definición ideológica neta, sino una respuesta que se va forjando en la acción. De ahí que la invasión francesa de la península haya sido en última instancia la causa de las luchas que llevan a la independencia, y ello por dos razones: primero al dar antecedentes hispánicos para un movimiento juntista y liberal americano, y luego por impedir momentáneamente el envío de tropas, dada la ocupación militar de España por los franceses.

Corresponde interrogarse por qué se cita a 1810 como fecha inicial de la revolución hispanoamericana, a pesar de que las primeras juntas se forman a partir de 1808. Ocurre que, en general, no obstante la agitación y algunos casos aislados, el juntismo de 1808 debe considerarse como una operación totalmente controlada por España. Las tentativas juntistas del capitán general Casas en Caracas, la Junta de Bogotá (convocada por iniciativa del virrey Amat) o la Junta de Montevideo (constituida en contra de la supuesta complicidad del virrey Liniers con los franceses), buscan (y casi siempre consiguen) una decisión final metropolitana que ratifique lo actuado. Hay en esto notoria diferencia con lo que sucede en 1810, ya que en España no existen, en esta fecha, instituciones capaces de inspirar deseo de reconocimiento por nadie: las tropas han sido derrotadas y de las juntas se ha pasado —en una discutible delegación de autoridad— a un Consejo de Regencia que sólo subsiste, en su refugio de la isla de León, gracias a la protección de la flota inglesa. En este momento no solamente no pueden venir tropas desde España, sino que se pierde la confianza de encontrar allí organismos decisorios para apelar, en última instancia, de la validez de las medidas asumidas en tierra americana.

A partir de ese instante las juntas, que surgen fundamentalmente en Quito, Buenos Aires, Bogotá y Santiago, se transforman en focos de movimientos autonomistas muy definidos y que terminan participando en un conflicto militar. Hay que distinguir entre las juntas de este tipo, simiente del futuro empuje emancipador, y movimientos más radicales desde su comienzo, como los de México y Caracas, que serán sometidos y sofocados.

Cronología de la guerra

Desde 1810 hasta la derrota española definitiva en la batalla de Ayacucho (1824), pueden señalarse diversas alternativas en la contienda; las iremos viendo por regiones, dentro de las tres áreas fundamentales de la lucha revolucionaria: México, las costas del Caribe y el Río de la Plata.

En México es Hidalgo, un culto sacerdote nacido en el país, quien en el "Grito de Dolores" (1810), llama a la rebelión armada contra los españoles. Declara abolida la esclavitud y promete a los indios la devolución de sus tierras. Pronto se ve al mando de más de ochenta mil hombres y captura la ciudad de Guanajuato. La falta de armas y de preparación militar de sus tropas, unida a la desconfianza que produce entre la aristocracia terrateniente la participación del indio en una verdadera guerra social, contribuye a su derrota. Hidalgo, con sus principales colaboradores, es ajusticiado en julio de 1811.

Otro sacerdote, Morelos, menos ilustrado pero dotado de mejores cualidades de estratega, volvió a encender el mismo año la revuelta en un amplio frente militar; llegó a organizar una administración regular y proclamó la independencia de México en 1813. Durante cuatro años fue la figura principal de la revolución, que mantuvo su tono indigenista y radical; proclamó la abolición de la esclavitud y la igualdad de todas las razas e hizo redactar una constitución —nunca aplicada— que establecía la República. Derrotado por Iturbide, militar al mando de las tropas realistas, es hecho prisionero y fusilado en 1815. Queda un único foco de resistencia, un grupo de guerrilleros comandados por Guerrero, lugarteniente de Morelos.

En 1810 también, se formó una junta en Caracas. Al poco tiempo de haber regresado de Inglaterra, Francisco Miranda se colocó al frente de los rebeldes y contribuyó a la proclamación de la independencia el año siguiente. Pero la concordia y el éxito militar fueron esquivos a los rebeldes venezolanos, quienes perdieron sus pertrechos con la captura de Puerto Cabello por los realistas, y la unión interna a raíz de una serie de rencillas y traiciones que culminaron con la entrega de Miranda a los españoles. Miranda muere en la prisión cuatro años después.

Desde entonces Simón Bolívar dirige los principales esfuerzos emancipadores en las costas del Caribe, en una serie de intentos inicialmente fallidos que, tras largas luchas, culminarán con el éxito final. Bolívar logró incorporar a su tropa a gran parte de las aguerridas milicias de los llaneros, que antes combatían del lado realista; consiguió apoyo económico y naval británico y soldados ingleses e irlandeses veteranos de las luchas contra Napoleón; aplicó el rigor de la "guerra a muerte" y demostró excepcional capacidad para el desplazamiento de sus ejércitos, por ejemplo en el cruce de los Andes (desde los llanos del Orinoco hasta las tierras de Nueva Granada). Tan audaz como arrogante, Bolívar consiguió unificar en torno a su persona las distintas fuerzas rebeldes; amigo de grandes proyectos, redacta constituciones y planea sus campañas militares sin tomarse descanso. Pero su éxito se debió en parte a la ayuda británica y al hecho de que, al estallar la rebelión liberal de Riego en 1820 en España, Morillo, el jefe de las tropas realistas en Venezuela, quedó sin respaldo y se vio obligado, poco después, a retornar a su país. A Bolívar le quedará expedito el camino para el ataque al último bastión realista, el Perú.

También en 1810 se inició la rebelión en el Río de la Plata. Comenzado el 25 de mayo en Buenos Aires, este movimiento irradió sobre las diversas regiones del virreinato, produciéndose la segregación del Paraguay y la lucha de las provincias contra las tentativas hegemónicas de Buenos Aires. Desvinculado de estas rencillas, el general José de San Martín proyecta el cruce de los Andes para liberar Chile y atacar a los españoles del Perú. A fines de 1816, luego de una cuidadosa preparación, cruza la cordillera con un ejército relativamente poderoso y bien pertrechado que liberta a Chile en 1817-1818. Gracias a la ayuda de lord Cochrane, marino y aventurero inglés, podrá embarcar a sus soldados en Chile y desembarcarlos en la costa peruana, lo que mueve al virrey español a abandonar Lima y refugiarse en las zonas montañosas (1821). Al año siguiente, en el mes de julio, se celebra la famosa entrevista de Guayaquil entre San Martín y Bolívar, de la que resulta la decisión del primero de retirarse y dejar el campo libre al libertador que bajaba desde el norte y parecía más ansioso por ser quien diese el golpe definitivo al poderío español en Sudamérica. Así resultará efectivamente, y Antonio José de Sucre, lugarteniente de Bolívar, gana en Ayacucho el último gran combate contra tropas españolas (1824).

Con la derrota definitiva de Napoleón en 1815, Inglaterra pudo desempeñar más libremente su papel en favor de los rebeldes. Por otra parte, desde la rebelión liberal de Riego, la política española en América había perdido pie. Una de sus consecuencias inesperadas fue acelerar la emancipación mexicana, como resultado de una coincidencia de intereses entre el alto clero y las aristocracias terratenientes. El general Iturbide, ex realista, consiguió entrar en tratos con el rebelde Guerrero, los cuales terminaron con el Plan de Iguala y la proclamación de la independencia, que Fernando VII se niega a aceptar, registrándose incluso un intento de desembarco español en 1829 (solamente en 1836 España reconocerá a la nueva República).

Poco a poco, realistas y rebeldes se pusieron de acuerdo sobre el Plan de Iguala, cuyas disposiciones generales recibieron el nombre de las Tres Garantías: México se convertiría en un reino independiente, gobernado por Fernando VII o por un miembro de alguna de las familias reinantes de Europa; mientras tanto, una Junta ejercería el poder y convocaría un congreso constituyente; la religión católica se mantendría como religión del Estado y la Iglesia conservaría todos sus privilegios; todos los habitantes de México serían iguales y la propiedad privada debería ser debidamente garantizada. Aunque las Cortes españolas se negaron a reconocer los hechos, ya era demasiado tarde para modificarlos.

La aplicación de las Tres Garantías del Plan creó un sinfín de problemas. En tiempos de Hidalgo y Morelos, México había iniciado las luchas dándoles un tono social y asegurándose una participación activa de los colonizados en ellas, pero llegó a la independencia sin que los privilegios de los colonos hayan sido tocados (ver Introducción, p. 1, 2°. §). La declarada igualdad de las razas era totalmente ilusoria. El poder había sido tomado por una coalición de grandes latifundistas del México central, el alto clero y algunos elementos de la burguesía urbana que supieron ganar apoyo suficiente entre los militares; los indígenas fueron mantenidos al margen de todo beneficio; las garantías a los privilegios de la Iglesia incluían la exención de impuestos, lo que disminuía los ingresos fiscales; el ejército se negaba a admitir la reducción de sueldos y efectivos. El déficit se hizo crónico, por el manejo arbitrario de los fondos; lo normal era la intervención constante del ejército y la proliferación de sublevaciones locales, favorecidas por las dificultades de comunicación. Con Agustín de Iturbide y su intento de fundar un imperio aparece por primera vez en el escenario político la toma del poder por un general latinoamericano ambicioso. Su rápida caída abrió un período de muchos años de luchas anárquicas, parcialmente cerrado por el advenimiento —bajo apariencias republicanas— de otro militar, Santa Anna, quien demostró mayor habilidad para perpetuarse en el poder.

La revolución emancipadora y las grandes potencias

El reconocimiento internacional de la independencia fue progresivo. Como hemos visto, desde la derrota de Napoleón, Inglaterra ya no se sentía obligada con España y ayudaba cada vez más a los rebeldes. Su política europea, opuesta a los planes de la Santa Alianza y particularmente a los de

España y Rusia, contribuyó no poco a esta colaboración con el movimiento independentista. Inglaterra provocó indirectamente, mediante las gestiones realizadas por un representante de Canning, la declaración de Monroe de 1823, que alineará a los Estados Unidos en la política contraria a la intervención de la Santa Alianza en América. En 1822 Estados Unidos reconoció a Colombia y a México, y luego a otros estados. Inglaterra siguió esta conducta y los nuevos países tuvieron así abiertas las vías del reconocimiento internacional.

La política inglesa. El ascenso de la posición internacional inglesa en América Latina es anterior a la emancipación latinoamericana. Ya desde la paz de Utrecht y el tratado de Methuen, Inglaterra había ido obteniendo las concesiones que su progreso económico le permitía imponer a los imperios hispano y lusitano. El monopolio de la trata de negros, la autorización de arribo de los navíos de permiso y otras facilidades otorgadas a su comercio, fortalecieron la política que surgió de su interés por los metales preciosos de las Indias, obtenidos al principio por los ataques de sus corsarios y un intenso contrabando. Poco a poco los comerciantes y políticos ingleses empezaron a apreciar los posibles beneficios de una apertura total del comercio de estas regiones y hasta de una eventual sucesión de los viejos amos. Desde la emancipación de las colonias inglesas de América del Norte hasta casi un siglo después, Inglaterra disfrutó de las ventajas de su desarrollo industrial que le permitió beneficiarse intensamente del libre cambio, sin prejuicio de emplear en ciertas ocasiones procedimientos más directos de intervención.

A su vez, la vida británica interesaba a los latinoamericanos. Desde fines del siglo XVIII, la evolución política inglesa había llamado la atención de visitantes y estudiosos de América Latina. Francisco Miranda había mantenido conversaciones con el ministro William Pitt, tratando de interesarle en la independencia de Hispanoamérica.En 1797 el estado de guerra contra España, consecuencia de la alianza que ésta mantenía con Francia, había alentado las esperanzas de muchos, mientras que Miranda y otros se transformaban en verdaderos agentes británicos. Al mismo tiempo, el desprestigio de la corte española bajo Carlos IV (1788-1808) echaba por tierra las ilusiones reformistas forjadas en la época de Carlos III.

Más audaces que los gobernantes, los marinos británicos atacaban de lleno el monopolio colonial.

En 1808 el cambio de la situación en España, al surgir un movimiento de resistencia contra los franceses, hizo más cautelosos a los británicos en su política hacia la América hispana, pues no querían perder sus nuevos aliados continentales. El traslado de la corte portuguesa a Río afirmó sus posiciones en el Brasil, al lograr aquí libertad de comercio y tarifas preferenciales para sus mercaderías, al mismo tiempo que su representante en esa capital, lord Strangford, pasaba a desempeñar un papel importante en la política regional.

Pero la conducta británica no podía ser completamente clara. En abril de 1811, Inglaterra propuso a las autoridades españolas en Cádiz la firma de un tratado comercial que abriese los puertos americanos a sus barcos, comprometiéndose a mediar ante los rebeldes, pero las Cortes rechazaron esa propuesta. Un año más tarde, los propios españoles solicitaron esa gestión mediadora ante los rebeldes del Caribe y el Río de la Plata, pero el gobierno de Su Majestad británica puso una condición: toda solución del conflicto debía ser obtenida por medios pacíficos y sin que España se asegurara de antemano ventajas secretas. Mientras tanto, desde Río, lord Strangford coadyuvaba en la contención de los primeros planes portugueses para extender hasta el Río de la Plata la frontera del imperio lusitano. La alianza con España no impidió la llegada de mercaderías británicas al mercado americano. Luego de la derrota de Napoleón, Inglaterra participó en el Congreso de Viena (1815), llevando reivindicaciones aparentemente moderadas: se hizo reconocer la posesión de Trinidad y de la Guayana al tiempo que obtuvo una declaración favorable a la libre navegación de los ríos que recorrieran territorios de más de un país, y otra contraria a la trata de los esclavos africanos. A partir de esa fecha, su política hacia el territorio americano se fue haciendo más definida; armas y recursos británicos vinieron progresivamente en apoyo de los insurrectos; capitales británicos, en forma de empréstitos, fueron afianzando a las nuevas potencias, con las que desde 1822 el gobierno inglés había decidido establecer relaciones consulares. Poco después, Gran Bretaña reconoció la independencia de Argentina, México y Colombia. En 1831 hizo lo mismo con Chile.

Los vaivenes de la política francesa. Al contrario de Inglaterra, Francia no desempeñó un papel muy importante en la lucha emancipadora de las colonias americanas. Por una parte, en el plano ideológico, a pesar del gran prestigio cultural de este país en los ambientes cultos de América Latina, donde los enciclopedistas habían encontrado atentos lectores y hasta traductores, la influencia de la Revolución francesa no logró cuajar sólidamente en las instituciones iberoamericanas, pese a las diversas (y frustradas) conspiraciones en ella inspiradas. Apenas si se puede mencionar como temprano fruto la revolución de Haití de 1804, única rebelión latinoamericana triunfante en cuyo origen hubo participación masiva de una raza sometida.

Por otra parte, los vaivenes de la política interior francesa en esta época repercutieron en una falta de continuidad respecto a la actitud asumida hacia América Latina. El advenimiento de Napoleón Bonaparte al poder fue marcado por el envío de agentes encargados de provocar agitaciones y crear un clima favorable al reconocimiento de José Bonaparte como rey de España; sin embargo, la revolución emancipadora había de surgir animada precisamente de un espíritu contrario, que combinaba al principio un ansia autonomista con un peculiar sentido de fidelidad a la corona española. Más tarde, con la caída del imperio napoleónico y el advenimiento de la Restauración, Francia se volcó a favor del absolutismo español (a cuya reimplantación en la península ibérica ayudó activamente) y en contra de las colonias rebeldes.

La actitud de Estados Unidos. Ya antes de la independencia de los Estados Unidos había comentado el duque de Sully:

"La Nueva Inglaterra es tal vez más temible que la antigua para las colonias de España. La población y la libertad de los ingleses americanos parecen anunciar de lejos la conquista de las más ricas regiones de América y el establecimiento de un nuevo imperio inglés, independiente del europeo."

Con la independencia, el comercio norteamericano se desarrolló notablemente. Para ese entonces los veleros de Boston y otros puertos norteamericanos recorrían las costas del Pacífico, ocupados en un intenso tráfico que entre otras cosas dio origen a un nuevo comercio triangular, al decir de Pierre Chaunu: el canje de harinas norteamericanas por pesos de plata españoles y de éstos por sedas del Extremo Oriente.

La guerra entre España e Inglaterra dio gran impulso al comercio norteamericano con el sur, hacia donde llevaba preferentemente harina y esclavos, y se aprovechó esta ocasión para abrir consulados en varios puertos de las posesiones españolas: Nueva Orleáns, La Habana, Santiago de Cuba y La Guaira. Más adelante, la alianza entre Inglaterra y España contra Bonaparte dividió a los estadunidenses. Mientras que los comerciantes del Norte prefirieron cuidar las buenas relaciones con los nuevos aliados para continuar siendo sus abastecedores, las regiones cerealeras se interesaron en una política de incremento de la exportación hacia América Latina. Un mensaje del presidente Madison del 5 de noviembre de 1811 provocó un acuerdo de las cámaras en Washington para "...mirar con amistoso interés el establecimiento de soberanías independientes en las provincias españolas en América...", y hasta decidir el establecimiento de relaciones cordiales con esas provincias una vez que hayan accedido a la condición de naciones.

La zona predilecta para la expansión del comercio norteamericano fue, desde luego, el Caribe. El tráfico se vio algo afectado por la reanudación del estado de guerra contra Inglaterra (de 1812 a 1814) y también, a medida que avanzaba el siglo XIX, por la creciente inadecuación de su marina de veleros frente al progreso de las grandes flotas europeas de vapores, principalmente británicas. La expansión interior absorbía por otra parte a los capitales y hombres de empresa disponibles, mientras que su desarrollo industrial aún incipiente no le permitía todavía entrar a competir en buenas condiciones.

No obstante lo anterior, los Estados Unidos mantuvieron cierto apoyo a las colonias en lucha, lo que se manifestó diversamente. Poinsett, enviado consular norteamericano, llegó a ser diligente consejero de Carrera en Chile. Las constituciones norteamericanas, divulgadas por el libro de Thomas Payne, se transformaron en herramientas valiosas en manos de los rebeldes. Hacia 1817, cuando pareció afirmarse la eventualidad de una próxima independencia hispanoamericana, el presidente de los Estados Unidos decidió enviar nuevas misiones hacia estos territorios. En 1822 reconocieron a México y Colombia, en 1823 a Chile y Argentina.

Aspectos sociopolíticos de la guerra

Durante el período revolucionario se pudo asistir al fracaso de los movimientos demasiado radicales y también de aquellos que partían de definiciones ideológicas muy concretas. Lo que realmente favoreció la continuidad de la acción y permitió que en ella se fueran definiendo intereses y tendencias fue la tenacidad de la puja militar y su polarización en facciones. La situación bélica supuso además una vasta conmoción espiritual y una intensa pugna económica que permitieron el desarrollo de solidaridades de grupo y coordinación de esfuerzos colectivos.

En primer término debe considerarse el papel de las ciudades y de las áreas rurales en la guerra. En las ciudades interesadas en la desaparición del monopolio se ablandan los lazos de unión con la metrópoli para dar paso a lo que llamaríamos tendencias de una revolución moderada: los intereses del comercio exigen ante todo la apertura de puertos, sin otras ulterioridades ni grandes cambios. Las ciudades que han cumplido un papel importante en la jerarquía colonial esperan continuar así y afianzarse aún más. Desde allí o en medio de sus posesiones, los terratenientes no tienen interés en ningún cambio de estructuras que les deje sin mano de obra o afecte sus privilegios.

Hay zonas agrarias particularmente aptas para la guerrilla. Las mesetas indígenas (primera rebelión mexicana, frustrada rebelión de Pumacahua en Cuzco y Arequipa) resultan favorables para la guerra social por las tensiones acumuladas y por la mayor aptitud del terreno para la participación de masas mal armadas, pero estas revoluciones sociales están condenadas a abortar porque conmueven los cimientos del sistema dominante. En cambio, las llanuras ganaderas son importantes focos para la prosecución de las luchas. Allí el medio fue más favorable al mestizaje, redujo algo las tensiones sociales y proporcionó los mejores elementos para el combate: caballos para asegurar desplazamientos y sostener las batallas, ganado (que se traslada en grandes cantidades con las tropas como seguro abastecimiento), jinetes ("gauchos", "llaneros") hábiles en el manejo de las armas y dotados de valor singular y gran sentido de iniciativa. Los cuchillos e implementos del trabajo rural se transforman en lanzas, arma temible si se tiene en cuenta la destreza de los jinetes, la escasa capacidad de fuego y el reducido alcance de los fusiles de la época. Este tipo de milicia no requiere respaldo bélico de consideración, es ágil y puede recorrer rápidamente grandes distancias. Integra las tropas de llaneros que decidieron la lucha a favor de Bolívar y las montoneras gauchas del Río de la Plata: dos núcleos de lo que ha dado en llamarse la "democracia inorgánica" y que tanto pesaron en el logro de la victoria final.

Durante la revolución se manifestaron dos formas de radicalismo: el de origen intelectual y el que se desprendía de la propia acción. Dentro del primero había influido la Revolución francesa y hasta podría hablarse de algunos revolucionarios verdaderamente defensores del Terror. Tal fue el caso de Mariano Moreno en Buenos Aires y el fundamento de algunas peculiaridades de su "Plan de operaciones", de evidente influencia jacobina. El otro radicalismo, en cambio, fue resultado de las luchas populares. Correspondió a quienes procuraban que la revolución llegara más allá de lo que deseaban comerciantes y terratenientes. Fue éste pura y simplemente un resultado de la lucha misma, ya que habían ido sumándose a ella otros sectores de población que de un modo u otro pesaban con sus propios intereses. En ciertos momentos ese radicalismo se caracterizó por las promesas a las razas sometidas, especialmente cuando se deseaba su colaboración bélica; o en concesiones en materia de participación en el botín y de otros beneficios, aunque a causa de ello se irritaran los sectores más poderosos. Las medidas más radicales de esta índole son las que se tomaron en México en la época de Hidalgo y de Morelos, y justamente por eso la revolución fracasó allí; en otros casos esa tendencia radicalizante se manifestó en empréstitos forzosos, confiscaciones de ganado, repartos de tierras (un ejemplo podría ser la llamada reforma agraria de Bolívar, que quería favorecer a los soldados pero en realidad fue aprovechada sólo por los oficiales de alta graduación; otro, el "Reglamento para el fomento de la campaña", más radical, que dicta Artigas en 1815).

No se ha destacado suficientemente la significación de la marina de guerra en el conflicto revolucionario. Al principio, en virtud de la alianza anglo-española contra Bonaparte y por hallarse los Estados Unidos demasiado empeñados en mantenerse como proveedores de España u ocupados en su guerra contra Inglaterra (1812-1814), los revolucionarios no contaron con apoyo suficiente de marinas amigas. En este período, la escuadra española dominó las comunicaciones. Poco a poco aparecieron marinos de origen norteamericano o inglés decididos a colaborar. Lord Cochrane actúa en Venezuela, luego en Chile y Perú, más tarde en Brasil. De la influencia británica han quedado numerosas huellas en las marinas de guerra chilena, argentina y brasileña.

Otro aspecto interesante es el de la formación de los ejércitos. La actividad militar y política adquirió el atractivo de transformarse en una verdadera carrera de honores que permitió el ascenso social pasando por encima de prejuicios de clase y de casta. Por eso, pese a la derrota de las tendencias radicalizantes, es inexacto decir que la revolución no tuvo consecuencias sociales, ya que, si bien no provocó grandes transformaciones de estructura, fue importante por la movilización social que creó al abrir posibilidades no previstas por los cuadros coloniales. Éste es uno de los motivos que hace que la guerra se prolongue tanto, e inclusive que con la terminación del conflicto se recurra a distintos pretextos para seguir la lucha militar a lo largo de las interminables guerras civiles del siglo XIX.

Consecuencias de la independencia

Entre los resultados más generales de la lucha independentista debe señalarse la abolición de la Inquisición, la supresión parcial del tributo indígena, las medidas restrictivas contra la esclavitud, la derogación —más de orden jurídico que social— de las normas de casta y el establecimiento de la libertad de comercio y de condiciones favorables al ingreso de inmigrantes.

Empero, estos cambios no afectaron profundamente la situación de las masas explotadas (y hasta llegaron a empeorarla en algunos casos). La revolución dejó intactos muchos privilegios sociales que evocaban al feudalismo, y si bien se preocupó de imitar las formas políticas del capitalismo liberal en pleno auge en el mundo occidental, el trasplante se hizo de un modo superficial y aparente, sin cambio de los fundamentos económicos y sociales del régimen colonial. Por eso se debe admitir que hubo independencia sin descolonización y que la revolución fue predominantemente un movimiento de los colonos contra las metrópolis, sin mayores beneficios para las razas colonizadas (con la excepción de Haití y con las aclaraciones anteriores sobre las vías indirectas que facilitaron el mestizaje así como el ascenso social mediante la actividad militar y política); en este terreno, sin embargo, toda generalización puede inducir a errores, ya que hay que considerar muchas situaciones particulares.

Se ha observado que la interrupción de las rutas normales de comercio y comunicación tuvo repercusiones serias sobre la economía de varios países. El norte y el este argentinos sufrieron así del cese del comercio normal con el Alto Perú durante la guerra; Montevideo perdió, mientras permanecía en manos de los realistas, su relación natural con los demás pueblos del Río de la Plata; la guerra de guerrillas en Nueva España obligó a hacer la comunicación y los transportes por medio de convoyes armados; las exigencias de los gobiernos revolucionarios muchas veces crearon confusión; en las minas se perdieron grandes capitales e importantes cantidades de ganado fueron consumidas por las tropas revolucionarias y a causa del creciente hábito del abigeato.

La apertura de puertos, que tanto interesara a las clases altas, no redundó en beneficio general de la población, ya que contribuyó a la ruina de los artesanados locales y acentuó la dependencia económica con relación a Europa.

Otro resultado de la independencia será el grado considerable de fragmentación política. Bolívar había tratado de concretar sus planes de unión en el Congreso de Panamá de 1826, pero la tentativa despertó muchos recelos y no llegó a realizarse; las Provincias Unidas del Río de la Plata, Chile y Brasil se abstuvieron de participar en el congreso unificador. Los británicos se mostraron absolutamente contrarios a la iniciativa, que no convenía ni a las potencias internacionales ni a las oligarquías locales. Poco a poco el desmembramiento se acentuó. La Gran Colombia se dividió en tres Estados: Colombia, Venezuela y Ecuador. De México se desprendió la Confederación Centroamericana, que luego se fragmenta en El Salvador, Guatemala, Honduras, Nicaragua y Costa Rica. En el sur quedaron Bolivia y Paraguay como pequeños Estados y surgió Uruguay, sobre el Río de la Plata, entre Argentina y Brasil. Todos estos países, por otra parte, carecían de la unidad de sus modelos europeos y durante largo tiempo fueron perturbados por las luchas intestinas y las disputas de los caudillos locales, quienes a cada momento juzgaban necesario recurrir al cómodo expediente de la guerra civil para zanjar sus diferendos.

Una pesada herencia de la emancipación, acrecida por el carácter perenne de las guerras civiles, fue el importante papel de los militares en la sociedad latinoamericana, factor todavía actuante en nuestros días a pesar de que sus características han cambiado.

La independencia de Brasil

El caso brasileño merece trato especial por presentar peculiaridades con relación a las características del proceso emancipador en el resto de América Latina. La amenaza invasora napoleónica se orientaba directamente contra Lisboa, por su desacato al bloqueo continental. La corte portuguesa en pleno, merced al auxilio de la flota británica, sc trasladó a territorio americano. Este traslado incluyó el de un complejo cuerpo administrativo y militar, en conjunto estimado en más de diez mil personas. Se injertó así súbitamente en un territorio colonial un equipo de gobierno que actuó de inmediato como elemento innovador y dinámico. Esto diferencia al caso brasileño del de las colonias hispánicas, ya que la enorme burocracia trasladada desde Europa fortalece el papel del Estado.

Don Juan (príncipe regente hasta 1817, y luego rey con el nombre de Juan VI) llegó a Bahía el 22 de enero de 1808 y seis días después declaró abiertos los puertos brasileños para el comercio con todas las naciones amigas. Su instalación en Río constituyó un factor decisivo en favor del mantenimiento de la unidad territorial de Brasil y de la adopción de múltiples reformas. La abolición de las restricciones a la industria no produjo el efecto esperado, dada la creciente competencia de la mercadería europea, al amparo de la libertad de comercio. Pero, de todos modos, se registraron iniciativas importantes; se fundó, el 5 de abril de 1808, una "fábrica de hierro" en el cerro de Gaspar de Soares; dos años después, una carta regia creó otro establecimiento similar en Ipanema, que empezó a producir hierro ocho años más tarde; se abrió el Banco de Brasil, centros de enseñanza técnica (Escuela Real de Ciencias, Artes y Oficios; Academia de Dibujo, Pintura, Escultura y Arquitectura Civil) y la Biblioteca Nacional; fue autorizado el funcionamiento de la primera empresa naviera de barcos de vapor, y un navío de este tipo navegará en Bahía en 1819. Procurando el fomento agrícola, se estimuló el cultivo del café y en 1818 se fundó la colonia de Nova Friburgo con inmigrantes suizos. Se creó el Tribunal de la Real Junta de Comercio, Agricultura, Fábricas y Navegación del Estado de Brasil, que distribuyó premios y promovió la aclimatación de plantas exóticas; se mejoró puertos e inició la construcción de vías de comunicación.

El establecimiento de la corte en Río fue eficaz para el auge de la zona centro-sur del país, de la que Río era el único puerto importante. De Minas Gerais, San Pablo y hasta de Río Grande venían troperos con animales de carga y surgieron ciudades comerciales en el cruce de rutas. Las capitanías del norte mantuvieron por mucho tiempo su estructura monoproductora, ya que el comercio estaba limitado por el exiguo número de los componentes de la aristocracia terrateniente (ni el esclavo ni los campesinos dedicados a la agricultura de subsistencia podían aumentar su consumo) y porque cada zona importante tenía un puerto cerca, lo que reducía las tareas de intermediarios y distribuidores.

En 1815, Brasil fue promovido por ley a la categoría de reino (se declara la existencia del reino de Portugal, Brasil y Algarves). La derrota de Napoleón permitía el retorno de la corte a Europa, pero don Juan optó provisionalmente por la permanencia y mantuvo una política de expansión de la frontera sur hacia las costas del Río de la Plata, ocupando Montevideo en 1817. Actuaba en esa época como un gobernante americano. Esto mismo fortaleció el movimiento liberal y constitucionalista lusitano, que desde el retiro de las tropas francesas venía bregando por invertir la situación que había transformado a Portugal en territorio dependiente de una corte residente en el extranjero. La convocatoria de cortes para Lisboa dio origen a resentimientos entre los diputados brasileños. Para evitar que estas tensiones se agraven, Juan VI decide en 1821 su retorno y deja a su hijo a cargo del Brasil. De ahí a la independencia brasileña no faltaba sino un simple paso. Los brasileños habían hecho ya la experiencia de ser gobernados desde su propio territorio y don Pedro veía con hostilidad la presión liberal sobre su padre.

Convocó primero a un Consejo de Procuradores de las provincias como órgano nacional y luego a una Asamblea Constituyente para el Brasil. El 1 de agosto de 1822 "como regente de este vasto imperio" y considerando al rey prisionero de los liberales, "sin voluntad ni libertad de acción", prohibió el desembarco de tropas portuguesas. El "Grito de Ipiranga" del 7 de septiembre aparece entonces como la culminación formal y el golpe de efecto de un proceso que ya estaba muy avanzado.

El entusiasmo suscitado por esa declaración de independencia aportó al nuevo emperador el apoyo localista. El antiguo conspirador, José Bonifacio de Andrada e Silva, le prestó su colaboración. Pero Pedro I demostró desde un principio tener una personalidad dominante, y al cabo de dos años rompió su alianza con José Bonifacio. La constitución se promulgó como una carta otorgada, pese a lo cual y a su contenido muy clasista, debe reconocerse que resultó ser un elemento muy valioso en favor de la estabilidad institucional.

En 1824 la unidad territorial se vio amenazada por una tentativa separatista: la rebelión de Pernambuco, Paraíba, Río Grande del Norte y Ceará. La llamada cuestión de la federación se originaba en desacuerdos sobre el modo de designación del presidente de cada provincia (por su misma población o por el emperador). El movimiento se hizo republicano e intentó formar la Confederación del Ecuador, pero fue derrotado.

Hacia esa época la rivalidad para el dominio de la margen izquierda del Río de la Plata provoca una pérdida de prestigio para el emperador. En esos territorios, incorporados formalmente al imperio como provincia Cisplatina, se inicia en 1825 la resistencia armada de la población contra los brasileños. En 1828 Argentina se pone del lado de los insurrectos. Una no muy desinteresada intervención británica, a cargo de lord Ponsonby, logra la creación de un nuevo y pequeño estado, la República Oriental del Uruguay, independiente a la vez de Brasil y Argentina.

Otra fuente de perturbaciones para el emperador fue que si bien la Constitución le había conferido a él un poder moderador, no mantenía buenas relaciones con la Asamblea Representativa. Su oposición a todo intento federalista y el resultado de las luchas en el sur despertaban contra él fuertes críticas. La paz con Portugal se había logrado por mediación británica y no sin que Juan VI aprovechase la ocasión para declarar expresamente que su hijo continuaba siendo heredero del trono portugués. El fallecimiento de Juan VI en 1826 vino a complicar la situación. Don Pedro creyó resolver el asunto abdicando ese trono en favor de su hija, doña María II, que se casaría con su tío don Miguel, otro aspirante al ejercicio del poder en Lisboa. Pero la usurpación directa del poder por parte de don Miguel, hombre manifiestamente conservador, hizo pensar a don Pedro en volver, con lo cual su prestigio se debilitó aún más ante las cámaras brasileñas.

Todo esto le llevó a la decisión final de abdicar el trono brasileño, para trasladarse en persona y asumir el poder en Portugal (1831). Lo hizo a favor de su hijo, muy niño todavía, por lo que se ha dicho que a partir de ahí Brasil empezó su primera experiencia de verdadera república.

El traslado de la corte primero y la proclamación del imperio después, dieron a Brasil, a diferencia de las naciones salidas de la colonización española, un gobierno local y unificado desde los comienzos de su vida política, con lo cual no sólo se evitó el desmembramiento territorial, sino que se pudo hacer una política de expansión —no siempre exitosa— a expensas de los territorios vecinos. Igualmente le permitió escapar a las guerras civiles que asolaron a las nuevas repúblicas de origen hispánico y que no pasaron en Brasil más que de simples conspiraciones abortadas. Sin embargo, el lastre de una estructura social dominada por el gran latifundio y la esclavitud impidió que el poder político aprovechara cabalmente aquellas ventajas iniciales.

Segundo período Europeización y expansión económica inducida

En este período, que va aproximadamente desde fines de la independencia hasta principios del siglo XX, se pueden distinguir, *grosso modo*, tres fases, en especial si tenemos en cuenta las transformaciones económicas: 1825-1850, 1850-1875 y 1875-1914. En la primera de ellas no hay grandes cambios, la economía no experimenta las consecuencias esperadas de la ruptura de los monopolios coloniales; en la segunda se advierte ya un impulso de crecimiento en las economías de exportación, que se confirma en el tercer período a la vez que se inician procesos de diversificación e industrialización en algunas zonas.

Hemos elegido aquí, como elemento caracterizador del período, los cambios que ocurrieron en algunas regiones desde mediados del siglo XIX hasta comienzos del XX. En relación con las características más típicas de este período, el proceso argentino debe ser considerado el más representativo, debiéndose estudiar conjuntamente lo que sucede en Uruguay, Chile y las regiones meridionales de Brasil.

Otros países, mientras tanto, quedaron estacionarios. Tal es el caso de Bolivia por ejemplo, que sólo en el siglo XX vio evolucionar su economía con base en la exportación de estaño y de una manera que evocará, en múltiples aspectos, las características del período anterior. Igual resistencia a los cambios presentan las economías de plantación de tipo tradicional, basadas en la explotación de mano de obra esclava y en el régimen patriarcal. En general, el aislamiento y las dificultades geográficas o la falta de estímulos económicos para la construcción de ferrocarriles serán factores de supervivencia de la agricultura de subsistencia o de la explotación de productos que no despiertan mayor interés en el mercado europeo.

Fig. 1: América Latina en el siglo XIX

2. Impacto del capitalismo industrial y auge de las economías de exportación

En el mundo latinoamericano se inició en el siglo XX una serie de profundos cambios cuyo origen es exterior a la región y está directamente relacionado con la revolución tecnológica europea y la expansión de la economía capitalista.

El impulso económico de la segunda mitad del siglo XIX

A partir de mediados del siglo XIX se da un considerable impulso económico que se acelerará notablemente en la década de 1870. Hay varios elementos que confluyen para provocar este fenómeno. Por un lado, una mejor organización de la vida económica permite un manejo más ágil de mayores concentraciones de capitales en sociedades anónimas aptas para las grandes empresas de la época. El sistema bancario crece, se racionaliza y concentra, a medida que aumenta su radio de acción. Empresas navieras, compañías ferroviarias, establecimientos fabriles, son todas organizaciones de gran volumen que trascienden las posibilidades de la antigua fortuna privada. El desarrollo es creciente en la producción fabril y en la concentración de los grandes centros industriales. Los adelantos tecnológicos son ahora altamente favorables a la expansión ultramarina: navegación a vapor, perfeccionada con la introducción de los cascos metálicos y las hélices; líneas férreas, grandes puertos, depósitos suficientes para el almacenaje de los productos. Se gana en velocidad y en menor costo del transporte por milla. Más que expansión hacia ultramar, pura y simplemente, lo que debería decirse es que crece el área de la economía capitalista y su influencia en las regiones periféricas.

El incremento del comercio internacional estuvo acompañado de un aumento de las áreas cultivadas y determinó una especialización entre los países industrializados y las regiones productoras de materias primas y alimentos. Se ha calculado que entre 1860 y 1913 la producción industrial del mundo aumentó más de siete veces. Fue la pujante expansión del capitalismo industrial la que acentuó la dependencia de las demás regiones, al hacer de sus economías formas complementarias y dominadas. Se descubrió oro en California y Australia hacia mediados del siglo, más tarde en el sur de África y en Alaska. Estos y otros descubrimientos proveyeron el metal precioso necesario para la expansión de la economía monetaria, fortalecida desde luego por las nuevas formas de la vida económica.

Expansión del capitalismo significa expansión de un sistema económico dominante. Como señala Fritz Sternberg, se necesitaron varios siglos para que el desarrollo capitalista llegara a una etapa en que un diez por ciento de la población mundial produjera de acuerdo con el sistema mencionado; pero durante los dos tercios del siglo siguiente —aproximadamente desde mediados del siglo XIX hasta la primera guerra mundial— el capitalismo se convirtió en la forma predominante de producción, no sólo en Inglaterra, sino en el mundo entero, hasta comprender al veinticinco o treinta por ciento de la población del globo; en Gran Bretaña, Estados Unidos, Alemania y en general en Europa occidental, el capitalismo ejerció prácticamente el monopolio de la producción. En los hechos esto implicaba un progreso en la producción de las distintas regiones mundiales, aunque a la vez podía traducirse en empobrecimiento y desequilibrio para las grandes masas de las poblaciones coloniales.

El predominio económico de Europa la colocó en posición dominante respecto al resto del mundo y, a medida que se perfeccionaban continuamente los medios de comunicación, las regiones más apartadas iban cayendo en una situación de dependencia. El simple juego de mercados realizado libremente aseguró la superioridad europea y promovió la producción de artículos para la exportación en todas las regiones del mundo, en detrimento de las destinadas al mercado interno. Europa se ubicó así en una posición dominante en el comercio y en el transporte de los productos exportados. Así es que el maquinismo se puso al servicio de los nuevos transportes y de la producción. Sirvió para el molido de la caña de azúcar, de los cereales, y se aplicó a toda forma que requiriera fuerza motriz. La expansión del capitalismo industrial no se tradujo en la creación de centros industriales en las regiones periféricas, sino que se aplicó únicamente a las necesidades del incremento comercial. Esto exigía desarrollo monetario, mejoramiento de los puertos y vías de comunicación, pero en estricta relación con los intereses de los centros industriales.

Resumiendo, habrá que concluir que el impulso económico de esta época desarrolló ciertas formas de producción y acentuó la dependencia de las regiones subdesarrolladas, en medio de la inestabilidad más grande producida por los vaivenes del comercio exterior y las crisis. En este último sentido, las crisis mundiales de 1857, 1866, 1873, 1882, 1890 y 1900 se hicieron sentir profundamente en la medida en que las economías locales se habían transformado progresivamente en exportadoras.

Es hacia esta época que la mayor integración de las economías regionales al mercado internacional facilitó la difusión de los fenómenos que afectaron a este último. Hecho más comprensible si se tiene en cuenta la expansión de la economía monetaria, que actuó de elemento trasmisor.

Las mayores facilidades para el comercio internacional, con la apertura de casi todos los puertos del mundo, no significaron la desaparición del colonialismo, sino un cambio de forma del mismo. Lo que había sido relación de dependencia bajo los viejos monopolios se transformaba en sujeción a los centros dinámicos del capitalismo industrial; excepto que, en esta circunstancia, los ritmos más acelerados de la oferta y la demanda tendían a amenazar de un modo más contundente las economías cerradas que habían podido resistir hasta entonces.

La demanda de productos

Con el impulso económico de la época, creció la demanda de alimentos y materias primas. Se trataba de producir más y transportar con mayor rapidez innumerables productos para el consumo de los centros industriales, lo que progresivamente llevó a una especialización en los cultivos; la producción latinoamericana creció entonces dentro de los límites de un monocultivo que producía para el mercado internacional lo que diese más beneficios.

Fue tan grande y exigente la demanda de productos que esta transición no se hizo sin perniciosas consecuencias: deterioro de las condiciones vitales de ciertas poblaciones, talado y roturación apresurada de los campos (lo que favoreció la erosión y empobrecimiento de los suelos). El régimen de salarios relativamente altos que atrajo a muchos obreros a un cultivo preferente, no daba ninguna seguridad de futuro y podía dejarles repentinamente en la miseria. En Brasil, por ejemplo, el cultivo del café no solamente fue desalojando al de la caña de azúcar sino también al de la pequeña chacra productora de artículos alimenticios. De todos los productos brasileños, fue el café aquel cuya exportación creció más notoriamente. La última parte del siglo XIX está marcada en Brasil por la sustitución de la llamada economía del azúcar por la del café. En el tercer cuarto de siglo, los precios de este producto fueron sensiblemente mayores que los del azúcar, iniciándose así una fuerte transferencia de mano de obra desde el norte hacia el sur del país.

En el Perú se ha llamado "era del guano" a la época de exportación de ese fertilizante de las islas de la costa (aproximadamente en la segunda mitad del siglo XIX). Con sus rentas se pagaron los ferrocarriles, se intensificó la navegación a vapor y se produjo una prosperidad que favoreció la liberación de los esclavos y la abolición del tributo al indígena.

Al convertirse Perú en un país monoproductor de guano, todas las demás actividades se redujeron; se debió importar alimentos y subió el costo de la vida. La prosperidad comercial enriqueció a los consignatarios y demás personas vinculadas a los negocios del guano. Los intentos del gobierno peruano para incrementar sus recursos a expensas del salitre tuvieron éxito inicialmente pero terminaron mal, con la derrota frente a Chile en la guerra del Pacífico y la pérdida consiguiente de esa riqueza.

Chile, por el contrario, se vio beneficiado por la explotación del salitre, que hizo crecer su comercio exterior (hasta entonces, en sus exportaciones, los productos agropecuarios habían ocupado un lugar de privilegio: el 48% entre 1844 y 1880).

La oferta industrial europea

La conjunción del progreso fabril europeo con la aparición de las nuevas técnicas de comunicación contribuyó a inundar el mercado latinoamericano con mercaderías del viejo continente. El capitalismo industrial, triunfante en Inglaterra y otros países de Europa occidental, estaba en condiciones de ofrecer al mundo entero gran diversidad de artículos a precios más bajos que los de producción local, de tal modo que fueron desapareciendo las industrias domésticas tradicionales. Los ponchos, sombreros, cuchillos, telas de todas clases, bebidas y los más variados útiles que llegaban por la vía de la importación derrotaron en el mercado local a los que se confeccionaban en la región. Éste es un fenómeno común a toda América Latina, aunque sus consecuencias difieran según las áreas que estudiemos. En muchos lados, tiende a alterar la relación tradicional entre las distintas zonas.

Esta invasión no se orientó sólo hacia productos de uso habitual, sino que fomentó también progresivamente la aparición de nuevos artículos, especialmente destinados a ser adquiridos por las acaudaladas clases altas locales. Poco a poco se fueron cambiando las características del comercio. Mejoraron los sistemas de distribución al aparecer grandes casas centrales mayoristas, viajantes de comercio, créditos amplios y una creciente publicidad acerca de las excelencias de los nuevos productos. Con este sistema, naturalmente, la propensión a adquirir fue mayor, aumentando proporcionalmente el consumo suntuario, con lo que podemos decir que el llamado "efecto de demostración" adquirió todo su vigor.

En lo relativo a América Latina no se poseen datos suficientes todavía para evaluar en toda su magnitud las posibles consecuencias de la destrucción de las industrias locales. Resulta claro y evidente que había centros importantes en Brasil, México, Perú, en el norte argentino, dedicados desde los tiempos de la colonia a ciertas producciones destinadas al consumo local. Poco a poco fueron desapareciendo; la molienda local del trigo fue desplazada en muchos lados por la introducción de harinas importadas; hasta los esclavos de Brasil se vistieron con telas procedentes de Europa; las bebidas locales perdieron prestigio a medida que aumentaba la aceptación de las procedentes del exterior.

Pero el hecho más importante es que la invasión de estas mercaderías determinó un flujo hacia el exterior del producto de las grandes riquezas locales y, al mismo tiempo, esa orientación al consumo fue creando progresivamente los hábitos suntuarios que tanto afectaron la buena salud de las economías de la región. Con la independencia se había decretado la apertura de puertos. Se aprendió más rápido a consumir que a producir. El comercio exterior pasó a ser la clave de la vida económica. La expansión del sector exportador fue considerable, y las importaciones, crecientes.

Si bien los efectos destructivos que sobre la producción local ejerció la introducción de la mercadería europea no son demasiado notables, es importante destacar que su acción impidió la formación de una moderna industria regional. Es probable que se haya exagerado la significación de las industrias locales tradicionales y la posibilidad de que de ellas pudiese surgir una industria moderna. En cambio, es más notorio que, por su orientación y dependencia, estas economías exportadoras de materias primas no pudieron iniciar su desarrollo industrial. Entre otros motivos por el libre cambio y la ausencia de medidas proteccionistas para la producción local.

El ritmo de innovación y la confianza en las nuevas modalidades de producción se acrecentaron con la organización de exposiciones universales por Europa. Hay buenas pruebas de las respuestas latinoamericanas a ese llamado: extensos folletos (a veces verdaderos libros) que explican minuciosamente la situación, explotaciones y actividades de cada Estado; constancias del envío de innumerables muestras; datos acerca del transporte de viajeros. Aún hoy día, muchos productos latinoamericanos lucen orgullosos la serie de medallas ganadas en exposiciones internacionales del siglo pasado.

El impulso engendró también respuestas locales. Cada exposición fue un motivo para promover actividades, vincular sectores económicos y contagiar numerosos ámbitos latinoamericanos de una euforia de prosperidad.

El crédito y la inversión de capitales

La inversión de capitales se rigió, en su orientación, por varias pautas fundamentales. En primer término, se concedieron empréstitos para lograr la afirmación de una autoridad estatal, porque al capital internacional le era fundamental asegurarse por este procedimiento el orden y mayores garantías para sus transacciones.

En segundo lugar, esas inversiones siguieron ciertos criterios correspondientes al sistema de la división internacional del trabajo: construcción de puertos y líneas férreas para favorecer la introducción de productos manufacturados y la exportación de materias primas; créditos al comercio para permitir un mayor número de operaciones y, dentro del mecanismo de la monoproducción, aplicación de innovaciones técnicas que arrojen mayores cantidades exportables.

En las principales ciudades surgieron bancos dispuestos a orientar las inversiones y negocios. Estas instituciones dependían, por regla general, de la City de Londres. Dinamizaban la explotación ganadera de las praderas del Plata, del salitre y el cobre chilenos, del caucho, el azúcar, el café, el algodón y otros productos. El capital extranjero se fue adjudicando un monopolio virtual de los servicios públicos a través de las empresas de agua corriente, gas, electricidad, y más adelante los teléfonos. Controló los transportes urbanos y tuvo a su cargo la parte principal en la extensión de los ferrocarriles. En las inversiones se daba un claro predominio británico; hacia 1891, en América Latina, el capital de este origen alcanzaba aproximadamente los 167 millones de libras.

Más que desarrollo económico, se producía una expansión del sector exportador. Como consecuencia lógica, se acentuó el monocultivo, en detrimento de otras actividades, y se abandonaron las viejas formas de agricultura para el consumo local.

Por otra parte, se distorsionó la economía en beneficio del sector exportador, lo cual resultará difícil de superar en el futuro. Todo lo que estaba vinculado al sector exportador progresó más rápidamente que el resto de la economía. Entre otras cosas, se ha criticado esta situación porque favorecía la transferencia de ingresos en favor de intereses extranjeros.

La desigual distribución de los frutos del progreso técnico y la acentuación de la dependencia

Según estudios de la CEPAL (Comisión Económica para América Latina) y de Hans W. Singer, desde fines del siglo XIX es posible advertir un "deterioro en los términos del intercambio" entre los países industrializados y los subdesarrollados, es decir que las naciones industriales habrían conservado para ellas todos los beneficios del progreso realizado en la producción y también una parte del progreso de los países productores de materias primas. Con relación a América Latina es de gran importancia el informe de Raúl Prebisch sobre *El desarrollo económico de la América Latina y alguno de sus principales problemas,* que adelanta las cifras que figuran en el cuadro siguiente (elaborado sobre la base de precios medios de importación y exportación de acuerdo con datos del Board of Trade británico):

Periodos	*Base: 1876-1880=100* *Cantidad de artículos finales de la industria que se pueden obtener con una cantidad determinada de productos primarios*
1876-1880	100.0
1881-1885	102.4
1886-1890	96.3
1891-1895	90.1
1896-1900	87.1
1901-1905	84.6
1906-1910	85.8
1911-1913	85.8
—	—
1921	67.3
1926-1930	73.3
1931-1935	62.0

La estadística anterior, donde se han suprimido las perturbaciones extraordinarias derivadas de la guerra mundial 1914-1918, muestra una tendencia al descenso de los precios de las materias primas en relación con los de la producción industrial.

Entre otras cosas, el "deterioro de los términos del intercambio" (o sea, la mayor tendencia a la baja de los precios de las materias primas) tiene su origen en un comportamiento distinto de los precios de producción industrial y los de producción primaria, según se trate de períodos de depresión y prosperidad (lo que es particularmente notorio a partir de la década de 1870). En los períodos de alza, los precios de las materias primas se elevan más rápidamente que los productos industriales, pero en los casos de baja descienden de manera mucho más acentuada. La causa de esto debe buscarse en la rigidez de los salarios y en la estructura de numerosos mercados de productos industriales. En consecuencia, de un ciclo a otro, la separación de esas dos categorías de bienes se ha ensanchado en perjuicio de los países subdesarrollados, lo que aumenta la dependencia y debilidad económica de los países productores de materias primas.[4]

Hans W. Singer señala que un acrecentamiento de la productividad puede beneficiar a los productores o a los consumidores: la primera eventualidad se verifica cuando este crecimiento entraña un alza del ingreso real, la segunda cuando la elevación de la productividad se traduce en una baja de precios. En los países industriales el alza de la productividad beneficia a los productores, bajo la forma de un aumento de sus ingresos reales.[5] En períodos de baja, ciertos factores institucionales como las organizaciones sindicales y la estructura monopolista de un gran número de mercados de productos industriales se oponen a la baja de salarios y de precios, respectivamente. En cambio, en los países productores de materias primas, el progreso técnico provoca una baja de precios, beneficiando a los consumidores de los países industrializados. Los términos del intercambio en los países productores de materias primas han sido afectados pues por los progresos propios y por los de las zonas industrializadas. En esos países, por un lado, el acrecentamiento de la productividad industrial no ha entrañado una baja de precios de sus importaciones de bienes manufacturados y, por otro, el aumento de la productividad ha provocado una baja del precio de sus exportaciones de materias primas. Esto se verifica para el caso latinoamericano si se estudian, por ejemplo, las primeras consecuencias del crecimiento de la producción de café destinada a la exportación en el Brasil.

En resumen, se trata de un motivo más para que se mire con sentido crítico la sensación de euforia que creó en algunas regiones latinoamericanas la expansión del sector económico destinado a la exportación. Algunos autores han denunciado que las inversiones extranjeras se limitaron a provocar la división de la economía en dos compartimientos estancos: por un lado el técnicamente evolucionado, destinado al comercio exterior, y por otro el de las economías nacionales, que mantendrían su atraso. Esto es particularmente cierto si la observación se hace en períodos cortos, pero en plazos mayores, y pese a ciertas secuelas de este desarrollo desigual, debe considerarse también que en última instancia ese empuje exterior constituyó un factor dinámico que no se debe subestimar, aunque sus consecuencias resulten distorsionadas.

3. La era del ferrocarril y de la navegación a vapor

Con este capítulo entramos al estudio de una era de profundas modificaciones técnicas en la vida latinoamericana, consecuencia directa de las transformaciones registradas en Europa. Alguien ha llamado a este período el "comienzo de la era industrial latinoamericana". La expresión tiene sus riesgos. Si bien muchas de esas innovaciones aparejan consecuencias radicales, no debe olvidarse ni por un momento que no se trataba de un proceso autónomo, sino dependiente, ya que en su abrumadora mayoría estas innovaciones debían su origen a factores procedentes del extranjero, por lo cual no fueron representativas de un proceso de maduración interior que demostrara capacidad inventiva y posibilidades técnicas e industriales para realizarlas y aplicarlas; ellas respondían ante todo a las necesidades de expansión de las economías industriales.

Esas innovaciones no solamente procedían del exterior sino que, en su mayor parte, también el personal encargado de aplicarlas era extranjero. Por otro lado, es un hecho conocido que mientras la orientación de las instituciones educativas latinoamericanas de la época brindó particular atención a una formación de tipo "humanístico" y que de las universidades egresaban preferentemente abogados, se descuidaba por completo la enseñanza técnica en sus distintos niveles.

El proceso de tecnificación de la economía y de otros campos de la vida latinoamericana a partir de mediados del siglo XIX dependió, antes que nada, de que Europa estuviese en condiciones de favorecerlo. Por lo demás, si agudizamos el análisis, veremos que ese proceso admite variantes en su realización. Se podría decir —de acuerdo con un esquema cuya rigidez conviene no extremar— que hubo innovaciones técnicas radicales que redundaron en transformaciones positivas del medio; paralelamente, hubo aplicaciones técnicas apresuradas que estuvieron demasiado vinculadas al desarrollo del sector exportador y cuyas consecuencias por ende

Fig. 2: Carretas argentinas, el principal medio de traslado antes de los ferrocarriles

Fig. 3: Carro de viaje de La Habana; dibujo de Víctor Adam

resultaron muchas veces discutibles; finalmente hubo otras que se deben inscribir en la orientación suntuaria del consumo latinoamericano y que, juzgadas desde un punto de vista estrictamente económico, arrojan un balance desfavorable: siguieron esa línea fácil que prefiere destinar los progresos de la civilización al consumo antes que a la producción.

La aplicación de nuevas técnicas venía produciéndose en el medio latinoamericano, insensiblemente, desde tiempo atrás, pero el gran impulso se dio por la confluencia de dos circunstancias primordiales: las innovaciones realmente trascendentes, como la navegación a vapor y la construcción de ferrocarriles, y la tecnificación del sector exportador; a ello debe sumarse la existencia en Europa de grandes capitales (inicialmente británicos) en condiciones de financiar esas transformaciones.

La navegación

La navegación a vapor influyó de varias maneras sobre la vida latinoamericana. Primeramente en la *navegación fluvial*, al fomentar el comercio y el transporte de pasajeros por territorios que hasta ese momento habían tenido una menor significación económica. En el tiempo de los veleros, la navegación fluvial era posible pero muy difícil y, en última instancia, poco provechosa. El velero estaba sujeto a las contingencias de los vientos, debía avanzar en una línea quebrada que sólo casualmente puede adaptarse a las sinuosidades del curso de un río, exigía mayor calado en la medida que era importante su velamen. Con la aparición del vapor todas estas circunstancias quedaban superadas; el timonel podía aplicar su fuerza de tracción justamente en la línea que le impusiese el cauce del río; los navíos (en particular los construidos especialmente para ese tipo de navegación) podían ser de menor calado y mayor tonelaje; finalmente, un remolcador podía tirar de un gran número de embarcaciones, de modo que el transporte se hacía más fácil y cada vez más rentable.

La navegación a vapor en los grandes ríos latinoamericanos dio vitalidad y gran valor económico a zonas enteras y fomentó el surgimiento de nuevas ciudades, centros de un activo comercio: Rosario en el río Paraná, Corumbá en el

Paraguay, Manaos en el Amazonas. El estuario del Plata, con sus afluentes (Paraná, Uruguay) y subafluentes (Paraguay) pasó entonces a convertirse en un centro de atracción para el nuevo sistema. En Brasil, fue primero en el San Francisco y después en el Amazonas y en la red fluvial que desemboca en la Laguna de los Patos, donde la navegación a vapor alcanzó un desarrollo importante. Este orden estuvo en cierto modo impuesto por la evolución económica de las regiones. En Colombia, a su vez, el río Magdalena se transformó, gracias a la navegación a vapor, en gran arteria comercial.

Hacia mediados del siglo se hizo patente la presión internacional para obtener todas las franquicias y facilidades para la navegación en los ríos, lo que dio lugar a diversos conflictos. El gobernante argentino Rosas, por ejemplo, obstaculiza los intereses extranjeros (llega a cerrar con una cadena el río Paraná), y actitudes análogas asume después el paraguayo López. Otro caso es la resistencia del gobierno brasileño a los intentos norteamericanos de navegación del Amazonas.

En el Río de la Plata, la iniciativa de la navegación fluvial correspondió a marinos genoveses establecidos en Buenos Aires.

En la navegación a vapor en los ríos latinoamericanos, en especial el Amazonas, se aprovechó la experiencia de la navegación en los grandes ríos de Estados Unidos, el Misisipí y el Misuri, y en esta materia los norteamericanos demostraron más interés que los ingleses, quienes en América Latina se dedicaron fundamentalmente a la promoción del ferrocarril.

La navegación de cabotaje, y finalmente todo el desarrollo de sistemas de comunicación a vapor en el Caribe, merecen igualmente mencionarse. Como en los casos anteriores, este tipo de navegación intensificó el contacto entre las zonas, el intercambio de pasajeros y productos. En el caso del Caribe, fue la navegación a vapor la que incrementó las relaciones y la dependencia respecto a Estados Unidos. Es probable que sin ella no hubieran nacido las "repúblicas bananeras" ni las grandes compañías fruteras, del mismo modo que la mayor vinculación económica norteamericana con Cuba llevó, en última instancia, a la guerra contra España.

En cuanto a la *navegación transatlántica*, se transformó en un acelerador importante del cambio en América Latina, gracias a su mayor capacidad de bodegas y transporte de pasajeros y al abaratamiento de los fletes.

El conflicto entre navegación a vela y a vapor no se resolvió en una sustitución repentina; el vapor se fue imponiendo paulatinamente. En sus comienzos, el nuevo tipo de navegación era más caro y despertaba resistencias. Los perfeccionamientos que, por otra parte, el progreso técnico impuso en la navegación a vela, le permitieron resistir airosa muchos embates; los clíper, por ejemplo, eran barcos de mayor rapidez y seguridad en la maniobra que los viejos veleros, con más capacidad de transporte, y por lo tanto podían asegurar esa supervivencia. Poco a poco el vapor se reservó transportes preferentes: correo, pasajeros, mercancías cuyo rápido traslado compensa las desventajas en el flete. Para el velero iban quedando otros materiales: el maloliente guano, el salitre, otros minerales, maderas, cueros, etc. Así como antes hubo barcos especializados, que respondían a las necesidades de la época, ahora aparecen otros, entre los cuales, por ejemplo, los que se dedican al transporte de mulas. En esta etapa de transición entre viejas y nuevas técnicas, entre economía esclavista y economía de salario, a la mula —que ya venía siendo un elemento fundamental en la minería y en los transportes— le tocará desempeñar un importante papel como complemento de medios semi-mecanizados, en especial las vagonetas sobre rieles del *decauville*, que tantos servicios prestaron en las grandes obras y en la expansión urbana. Entre los navíos que se fueron diferenciando poco a poco, corresponde mencionar tipos que respondieron a técnicas especiales: el barco frutero, orientado especialmente hacia el mercado norteamericano y que estará a cargo de las compañías bananeras, y el navío adaptado al transporte frigorífico de carnes, que permitirá el desarrollo de las llanuras pampeanas y su más plena integración en el mercado británico. Pero el tipo más importante fue el *steamer* regular, de calado cada vez mayor, que duplica, quintuplica y hasta decuplica al de los grandes veleros, a medida que aumenta su seguridad y ductilidad para el transporte.

En un principio el desembarco se hacía en plena rada, pasándose muchas veces a embarcaciones menores y de allí a carretas que se internaban en el agua. Fue necesario dar a los puertos la profundidad adecuada para la operación de los grandes navíos, construir muelles de dimensiones suficientes para el atraque, disponer de grúas para la carga y descarga, grandes almacenes para el depósito de las mercaderías, locales para inspección y funcionarios, hoteles para albergar inmigrantes recién llegados, escolleras y defensas para que el mal tiempo no llegara a dañar esos cuantiosos capitales que representa cada navío. Poco a poco se logró esto en Río, Buenos Aires, Veracruz, Valparaíso, Montevideo, Santos y en otros lados. La construcción de un puerto, su mejoramiento y reforma, era una empresa económica que implicaba una inversión demasiado grande para los gobiernos locales y poco atractiva para la fortuna privada regional; de ahí un nuevo motivo para acentuar la dependencia: técnicos y empréstitos extranjeros prestarán su colaboración.

Entre las primeras compañías que aparecieron, ligadas naturalmente a intereses británicos, debe considerarse a la Royal Mail en el Atlántico y la Pacific Steam Navigation Co. en el Pacífico, hacia mediados del siglo XIX. Progresivamente el flete marítimo y su complemento, el transporte de inmigrantes, fueron asumiendo su verdadera importancia y se multiplicaron las compañías y servicios. Así, los franceses mantuvieron las Messageries Maritimes y crearon los Chargeurs Réunis y los alemanes la Hamburg Amerika Line. Interesa destacar cómo las diversas compañías prolongaron su acción desde el Caribe a Río de Janeiro y luego hacia el sur, hasta el Río de la Plata. O cómo aprovecharon el ferrocarril de Panamá para empalmar con los servicios del Pacífico, aunque por mucho tiempo todavía esta costa siguió siendo servida por navíos que descendían hasta el estrecho de Magallanes (que pese a su temprano descubrimiento había sido bastante abandonado por los veleros, pues éstos, carentes de los medios técnicos para desafiar los peligros de esa vía, preferían doblar el cabo de Hornos).

En la guerra de los fletes hubo un conflicto inicial entre veleros y vapores, después disputas y rivalidades entre compañías de distintas potencias (donde se destaca el predominio inicial británico, la competencia francesa, la hegemonía norteamericana en el Caribe, la tardía aparición alemana, italiana, sueca, etcétera).

Lujosas primeras clases para el transporte de las "élites" y los hombres de negocios extranjeros, que recreaban en forma ampliada la magnificencia y el confort de los grandes hoteles; terceras clases para el traslado de inmigrantes (en las cuales el bajo precio del pasaje llegó a permitir la existencia de un trabajador "golondrina", capaz de cruzar dos veces anualmente el Atlántico, para trabajar en la cosecha en Europa y en América, y sobrevivir haciendo esto por muchos años); en la competencia de los fletes se tenían en cuenta los menores detalles: la elección de escalas adecuadas, el cultivar la fama de la comodidad, de la rapidez o de la baratura del pasaje. Hay muchos capitales en juego; éstos recurren a procurar el trato favorable de los gobernantes locales, hacen publicidad, guerra de tarifas o prudentes acuerdos. En esa historia hay también episodios secundarios, pero no prescindibles: la lucha entre pequeñas y grandes compañías, la subsistencia de algunos barcos independientes que solían especializarse en operaciones aisladas.

En los servicios transatlánticos nunca hubo una contribución importante originaria de América Latina. Cuando se reflexiona sobre las irregularidades del desarrollo latinoamericano y los males actuales, corresponde volver a examinar este problema: la expansión productiva de la economía latinoamericana y su creciente participación en el comercio internacional, siempre se hizo mediante los transportes marítimos de otras potencias, con considerable pérdida económica en materia de fletes y adjudicación de grandes ganancias a las compañías navieras extranjeras.

Un hecho importante es que un continente que se había acostumbrado por siglos a burlar el monopolio comercial español mediante una intensa actividad de contrabando, ve que éste desaparece momentáneamente en sus formas tradicionales (aunque subsista de hecho en cuanto a la reiterada violación de las débiles barreras aduaneras emanadas del liberalismo imperante, gracias a declaraciones falseadas y al soborno de funcionarios).

La mayor regularidad y rapidez en las comunicaciones, merced a la navegación a vapor, se tradujo en el mejoramiento de muchos servicios: la correspondencia, por ejemplo, tomó una importancia muy grande; permitió al comercio cumplir con pedidos y entregas, y enviar muestras y abundante propaganda inserta en boletines y periódicos. A partir de la década de 1870, la disponibilidad de bodegas cubre las necesidades de la demanda y la regularidad de los viajes elimina los inconvenientes de las esperas prolongadas.

Una consecuencia imprevista de la navegación a vapor fue

que la mayor rapidez en las comunicaciones tornó inútiles las viejas precauciones en materia de resguardo sanitario contra las epidemias. Antes, cuando un velero se tomaba sus dos buenos meses en llegar a América y a bordo aparecía algún mal epidémico, al llegar a puerto su capitán debía avisar a las autoridades locales y la nave era puesta en cuarentena. Pero, cuando el cruce del Atlántico se redujo a quince días y aun menos, este plazo resultó menor que el período de incubación de la enfermedad, y muy frecuentemente los afectados desembarcaban antes de que aquélla se declarase. Lo hacían, además, en un medio donde el rápido crecimiento de la población y el hacinamiento urbano habían reducido la higiene habitual y las posibilidades de combatir la enfermedad, lo cual favorecía una rápida propagación de la misma. He ahí una razón más de las grandes epidemias que azotaron en ese entonces a las ciudades latinoamericanas.

Los ferrocarriles

Complemento lógico del desarrollo de la navegación a vapor y la construcción de puertos es el auge ferroviario. Los primeros ferrocarriles que surgieron en América Latina tienen poco que ver, en tamaño y objetivos, con la aparición de las grandes redes ferroviarias posteriores.

En su primera etapa de desarrollo, se caracterizaron por la reducida extensión de sus recorridos; se construyeron, así, pequeños ramales desde regiones mineras hasta la costa, otros como auxiliares para la navegación a vapor de los ríos en los lugares de rápidos y cascadas, otros, finalmente, para la unión de puntos cercanos cuya importancia se justificara: Lima y Callao, Petrópolis y Río, por ejemplo.

No todas las regiones de América Latina resultaban aptas para el ferrocarril: así sucedía con las zonas montañosas y las selvas tropicales, que a veces constituían obstáculos insalvables.

Una de las primeras líneas se tendió en Chile: el ferrocarril de Copiapó, comenzado en 1848 y terminado en 1850 bajo la dirección del norteamericano Wheelwright, quien desempeñó un considerable papel en el desarrollo de los ferrocarriles latinoamericanos. Fue también el iniciador de la línea Valparaíso-Santiago, concluida por Henry Meiggs. En todo el Pacífico es digna de mención la obra iniciadora de este último, típica mezcla de la época, mitad hombre de empresa y mitad aventurero de las finanzas, que contribuyó poderosamente a la fundación de múltiples líneas manejando a su antojo a los gobernantes locales.

La construcción de ferrocarriles en Colombia se vinculó a la necesidad de mejorar la navegación del río Magdalena, cuyas bocas son de difícil acceso; la naturaleza montañosa de gran parte del país dificultó enormemente la empresa. Se tendió un ramal de Barranquilla, sobre el río, primero a Sabanilla y luego a Puerto Colombia, sobre el Caribe; Bogotá quedó unida al Magdalena a su vez en 1909 y Medellín tan sólo en 1929; en 1914 el puerto de Buenaventura, sobre el Pacífico, se unió por ferrocarril a Cali, línea que se prolongó después hasta Popayán.

En Perú los ferrocarriles comenzaron por la línea Lima-El Callao, seguida por los ramales de Mejía a Arequipa y de Pisco a Ica, y el ferrocarril de la zona minera de Pasco. En 1870, Meiggs inició la sección de El Callao a La Oroya y de Arequipa a Puno. Hacia 1892 se inauguraron otras dos líneas importantes, la del puerto peruano de Mollendo a Puno sobre el lago Titicaca (desde donde, cruzando el lago, se podía seguir, a partir de 1902, en ferrocarril hasta La Paz) y la del puerto chileno de Antofagasta a Uyuni, a través del desierto de Atacama. Esta última línea prontamente se prosiguió hasta Oruro, y en 1910 llega a La Paz. La principal salida de Bolivia, que une el puerto chileno de Arica con La Paz, data de 1913.

La línea Valparaíso-Mendoza llegaba en 1893 a Santa Rosa de Los Andes, desde donde los viajeros tenían que continuar a lomo de mula hasta Mendoza, para volver a subir al tren y seguir así hasta Buenos Aires (el "transandino" se terminó ya entrado el siglo XX). Los ferrocarriles de la República Argentina se inauguraron en marzo de 1861, con la red del sur argentino. En abril de 1863 se iniciaba la línea de Rosario a Córdoba. El Central argentino, de Rosario, inaugurado en 1865, se debió en gran parte a la iniciativa de William Wheelwright, que participó también en la construcción de la línea entre Buenos Aires y el puerto de La Ensenada y actuaba como eficaz intermediario para obtener la intervención de capitales extranjeros. En 1866 se inauguró el Ferrocarril del Oeste, que unía Buenos Aires a Chivilcoy. El mismo año se habilitó el ferrocarril a Gualeguay. Entre 1880 y 1890 el desarrollo de la red ferroviaria argentina pasó de 2 516 a 9 397 km; al terminar el siglo XIX, se elevaba a 16 500 km y en 1914 a 33 500 km.

En Brasil, en 1854, el Barón de Mauá construyó una pequeña línea férrea entre Río y Petrópolis. Un extenso ramal, el "ferrocarril de don Pedro II", fue iniciado a continuación: la primera sección, de Río a Queimadas, se inauguró en 1858; se tendieron líneas hacia San Pablo y Minas Gerais; el mismo año se construyó una línea en Pernambuco y se iniciaron trabajos en Bahía; al mismo tiempo se tendían los ramales de Campos y de Cantagallo (en Río) y una red centrada en San Pablo. Hacia 1907 existían en Brasil cerca de 18 000 km de vías férreas, gran parte de las cuales corría por la mitad oriental del Estado de San Pablo. Los ferrocarriles brasileños fueron construidos separadamente, por lo cual, a principios de este siglo, más que de un sistema se podría hablar de cinco redes independientes: las de Pernambuco, Bahía, Minas Gerais, San Pablo y Río Grande del Sur. Dos de ellas, la de Minas y la de San Pablo, se unieron prontamente; fue ésta la primera línea entre dos grupos de Estados, y competía, por otra parte, con la vía marítima. Cada red local se componía de un abanico centrado en un puerto y abierto hacia el interior. En el sur fue necesario vencer la resistencia de la Sierra do Mar. La línea más próspera fue la de San Pablo, que se benefició con la expansión del café.

En Venezuela se construyó un ferrocarril desde Caracas al puerto de La Guaira en 1883, y de Valencia a Puerto Cabello en 1888. Algo más tarde surgieron ramales en el interior, paralelos a la costa (unión entre Maracay y Ocumare, primero, y después entre Valencia y Caracas).

En el caso mexicano las dificultades fueron también grandes. La ciudad de México demoró mucho en tener un ferrocarril hasta el puerto de Veracruz (terminado en 1872 por ingenieros ingleses). Bajo Porfirio Díaz se dio una sostenida expansión ferroviaria. En 1876 había 691 km de vías férreas en el país, y en 1911, a la caída de Díaz, 24 711 km. Las grandes líneas unían México a las costas, las fronteras y las ciudades del interior; en su mayoría fueron construidas por compañías norteamericanas.

Finalmente, hay que mencionar el ferrocarril del istmo de Panamá que data de mediados del siglo XIX y entre cuyos

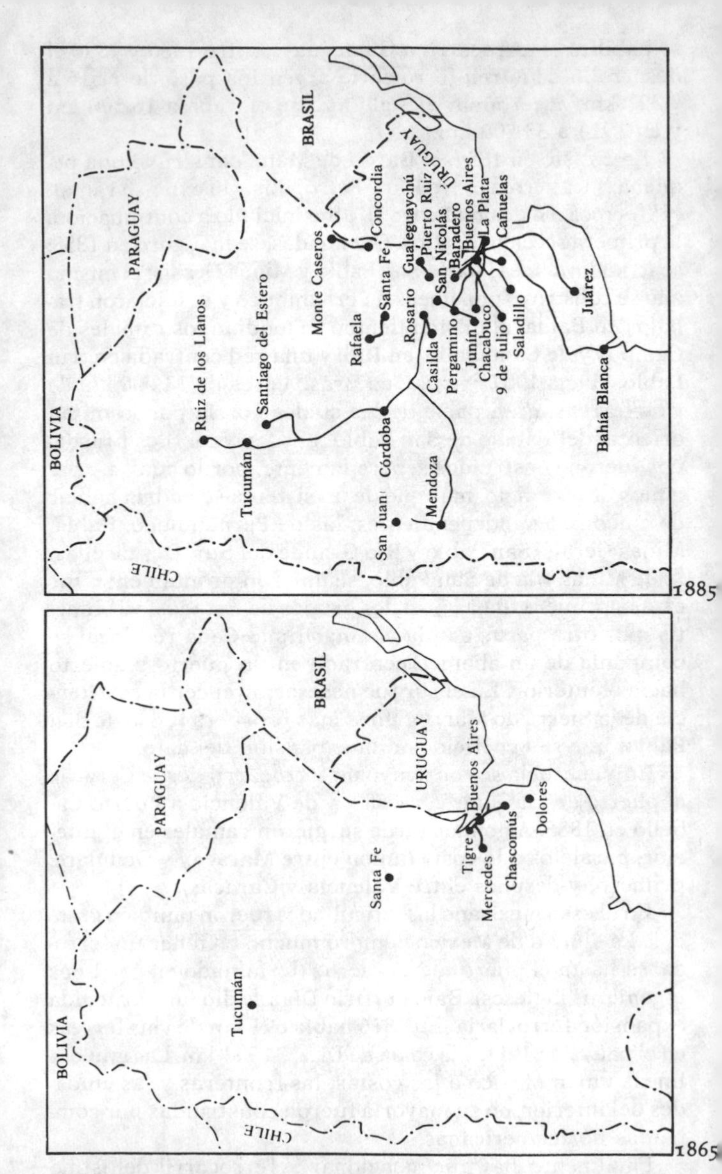

Fig. 4a: Desarrollo de la red ferroviaria argentina en 1865 y 1885

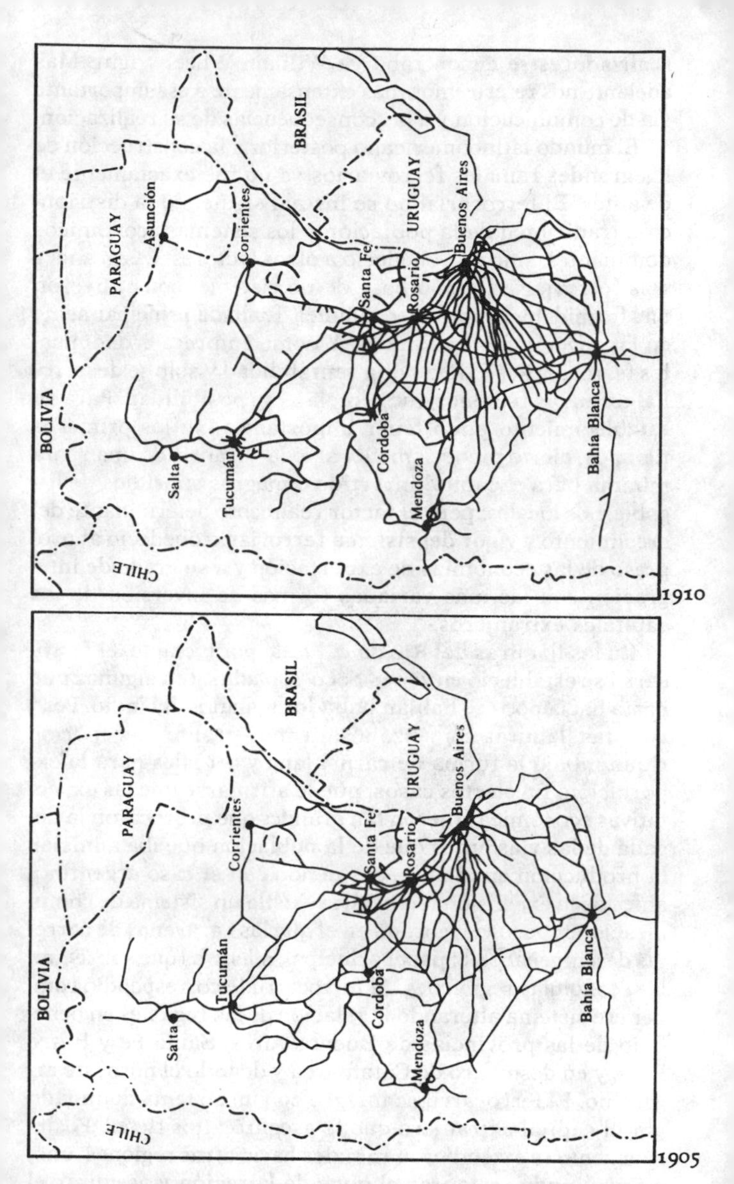

Fig. 4b: Desarrollo de la red ferroviaria argentina, en 1905 y 1910

realizadores se encontraba ya William Wheelwright. Más adelante nos referiremos más extensamente a esa importante vía de comunicación y a las consecuencias de su realización.

El mundo latinoamericano posterior a la construcción de los grandes ramales ferroviarios ya no fue exactamente el de antes. El ferrocarril no se instaló siguiendo la distribución tradicional de la población y los sistemas económicos dominantes, sino que obedeció a otros factores. Las grandes vías ferroviarias, como base de un sistema, constituyeron una formidable empresa económica, fundada principalmente en las inversiones británicas. Y como empresa económica, los ferrocarriles exigían alta rentabilidad y sólo se desarrollaban en las regiones que ofrecían esa posibilidad. Para su establecimiento pudo tener importancia, en los primeros tiempos, cierto pionerismo local, o la garantía de una renta mínima para el capital invertido o magros subsidios de los gobiernos locales; pero el factor realmente determinante del crecimiento y vigor del sistema ferroviario obedeció al progreso de las economías de exportación y a su grado de integración con las más variadas formas de inversión de los capitales extranjeros.

En las llanuras del Río de la Plata, por ejemplo, el ferrocarril se estableció en zonas poco pobladas y en algunas que hasta hacía poco se habían hallado en manos del indio. Pero de estas llanuras comenzó a salir muy pronto una enorme riqueza bajo la forma de carne, lana y cereales para la exportación. En ciertos casos, puede afirmarse que las expectativas económicas fueron tan grandes que provocaron la llegada de las vías antes que de la población que iba a iniciar la producción en el área. Siguiendo con el caso argentino, antes de la expansión ferroviaria existía un sistema de comunicaciones poco vertebrado en el que las caravanas de carretas desempeñaban el papel principal, mientras que subsistían las economías regionales. Al ferrocarril le correspondió romper ese sistema alterando la relación de las regiones en beneficio de las provincias de Buenos Aires, Santa Fe y Entre Ríos, y en desmedro de Catamarca y de todo el noroeste argentino. El ferrocarril se integró con un sistema dominado por el capital extranjero que le aseguró altos fletes. Posteriormente se extendieron ramales hacia otras regiones: uno, a Cuyo, pudo restaurar el auge de la región y asegurar el progreso de la vitivinicultura sobre bases capitalistas; otro hacia Tucumán decidió el desarrollo de la producción azucarera. La decadencia de Catamarca podría explicarse como la consecuencia del trazado de las líneas ferroviarias, que desvió hacia otras regiones el tránsito comercial hacia Chile y Bolivia que, hasta entonces, había traído prosperidad a la provincia.

El nuevo ritmo que el ferrocarril infundió a la vida económica permitió, como en el caso de la navegación a vapor, asegurar la redistribución de mercancías, el viaje de trabajadores y agentes comerciales, así como el desarrollo de la comunicación postal con el interior.

En ciertos casos, el establecimiento de líneas ferroviarias se hizo conforme a planes de colonización que pretendían provocar el surgimiento de una clase media rural. Puede afirmarse, no obstante, que el ferrocarril tendió a consolidar el latifundio en América Latina. En general sucedió, como es ejemplarmente perceptible en la isla de Cuba, que la expansión ferroviaria supuso el predominio de actividades capaces de llegar a un mínimo de tecnificación y al aumento de la producción que exigía y favorecía la concentración de riqueza. De ahí esa extraordinaria identificación de los grandes propietarios de ciertas zonas latinoamericanas con las compañías ferroviarias (en la Argentina será, a través de ellas, con los intereses británicos).

En algunos casos se ha podido determinar con claridad la contribución del ferrocarril a la extensión de las áreas cultivadas. Resulta innegable su influencia en la expansión de la frontera de las áreas de explotación argentina hacia las llanuras pampeanas. En el caso de Brasil, es aún más fácil precisar cómo el ferrocarril ayudó a la extensión de las áreas de cultivo del cafeto, que anteriormente eran mucho más limitadas.

Del punto de vista social, cada ramal ferroviario construido en América Latina ofrece interesantes peculiaridades que justificarían el consagrarles un estudio completo. Sin embargo, nos limitaremos en este momento a hacer algunas observaciones sobre las vías que arrancaban de los puertos exportadores.

Ya la construcción en sí misma originó una multiplicidad de problemas. ¿De dónde sacar la mano de obra que ella requería? En general, predominó el trabajador europeo, venido como inmigrante, aunque en algunas ocasiones se haya empleado a chilenos (en La Oroya, Perú) o chinos (en el istmo de Panamá y otros lugares del Pacífico). Construir suponía estudios previos, desplazamientos de mano de obra no muy fácil de tratar y a la que se debía a veces internar en territorios hostiles: esto fue particularmente sensible para el caso de los tramos realizados en regiones montañosas.

El ferrocarril se hizo símbolo de progreso y será para mayor precisión que en las líneas siguientes tomaremos el ejemplo argentino: las estaciones se transforman en centros económicos y sociales, donde actúa el comercio intermediario. En un mundo demasiado apegado a las antiguas tradiciones, poco activo y donde la puntualidad y el cumplimiento de los plazos no importaba de manera decisiva, el ferrocarril introdujo un ritmo nuevo. Estaba organizado a la europea, el tiempo resultaba un factor económico a tener en cuenta, la eficiencia de la empresa dependía de su correcta organización y de la selección de su personal. Por todo esto sigue siendo proverbial en muchos lados la expresión "puntualidad a la británica", y el ejemplo de los ferrocarriles es empleado a menudo como imagen del buen funcionamiento de una empresa.

El telégrafo

Otra innovación técnica que se combinó con las transformaciones anteriores fue el telégrafo. En el área nacional, contribuyó a dar mayor cohesión a la autoridad estatal; tanto fue así que desempeñó, por ejemplo, un papel importante en la coordinación de los movimientos de tropas destinadas a acabar con el caudillismo en el interior, o que en Brasil se construyera la primera línea hacia el sur para resolver los problemas de comunicación planteados por la guerra del Paraguay.

Los cables submarinos tuvieron una importancia fundamental en las relaciones con el viejo continente. Los primeros se tendieron bajo control británico, pero Francia comprendió el interés de no depender de Inglaterra en este aspecto y construyó el suyo. Poco a poco fueron surgiendo y organizándose las primeras agencias telegráficas.

El telégrafo alimentó con noticias frescas a la prensa periódica, en pleno auge, pero ante todo desempeñó un papel fundamental en la vida económica: brindó cotizaciones, informó de las buenas o malas cosechas de las regiones productoras rivales, del estado de los negocios y de la posible incidencia en ellos de la política internacional. Puede decirse que la mayor parte del poder de algunas grandes empresas, principalmente las dedicadas al acopio y comercialización de productos, resultó de una sabia e intensa utilización de este nuevo sistema de comunicaciones. Tal fue el caso de la firma cerealera Bunge y Born, que llegó a constituirse en un vasto imperio económico en el Río de la Plata. Todos los días llegaban a sus oficinas las noticias de sus agentes en todo el mundo, referentes a la producción y a la demanda mundial. Todos los días se transmitían instrucciones a sus agentes y subagentes del interior argentino para regular las operaciones de compra y las condiciones de la oferta. Gracias al control de la información y de la noticia, la empresa pudo acaparar existencias y controlar la comercialización de modo de absorber para sí una gran parte de los beneficios de la actividad cerealera.

La tecnificación de las actividades productivas

Los primeros machetes, cuchillos y palas de fabricación británica, introducidos masivamente después de la independencia, ejercieron indudablemente una influencia directa en la producción. De las observaciones de Carl August Gosselman, un viajero sueco que recorrió varios países latinoamericanos en los años 1837 y 1838, podemos recoger datos valiosos sobre lo que se usaba en la región y lo que según él al comercio sueco le convendría enviar: distintos tipos de clavos, herrajes, hierro redondo y en barras, yunques, anclas, ollas, hachas, palas, acero, planchas de cobre, vidrios para ventanas, pólvora de mina, lona, pez, alquitrán, madera, ladrillos, alambres, alfileres, diversos lienzos y telas, cuerdas, botellas y frascos, azadas, sables, martillos, cuchillos, tijeras, candados, etcétera.

La tecnificación de las actividades productivas, a la vez que provocó la aparición de un creciente número de nuevas técnicas, permitió mejorar algunos procesos tradicionales. En esta etapa de transición, hay que mencionar las tareas vinculadas a los saladeros, que obtienen mayor rendimiento; poco a poco aparecen aperos para el empleo eficiente del caballo y de los animales de labranza, mejores arados, elementos para construir carros y carruajes; y también las primeras máquinas de vapor, cuya utilización aumentará paulatinamente.

En la producción agrícola comienza a usarse la segadora mecánica y, mucho más tarde, las trilladoras. En las regiones ganaderas se introducen buenos reproductores y medios de crianza más científicos. En la minería, se utiliza el *decauville* y la máquina de vapor en diversas labores.

En el área de la producción de azúcar, la introducción de las nuevas técnicas coincidió con un proceso de concentración y mayor racionalización de la producción que se venía verificando tanto en Cuba como en Brasil, México u otros países. Los nuevos ingenios fabriles, mucho menos numerosos, pero muy superiores en capacidad de producción a los viejos ingenios tradicionales ubicados en los latifundios de los propietarios, emplearon intensamente la máquina de vapor y procedimientos químicos que les permitieron elaborar un producto refinado; éste, aunque inferior en valor nutritivo, se conservaba mucho mejor que el producto anterior, facilitándose así su almacenamiento por períodos largos y su comercialización.

Las economías monoproductoras tradicionales destinadas a la exportación se beneficiaron también con el proceso de tecnificación, especialmente cuando éste permitía una mayor colocación de algún producto, siguiendo la demanda europea. Un caso muy claro de esta tendencia lo encontramos en la construcción de grandes frigoríficos. El crecimiento de la población europea y de las posibilidades de consumo de una buena parte de ella creó una mayor demanda de alimentos. En el caso de los productos de origen animal, y muy particularmente de la carne, había mercado suficiente en Europa, y animales en cantidad y a bajo precio en las llanuras latinoamericanas, pero el consumidor europeo desdeñaba la carne seca o salada por considerarla un alimento inferior, exigiendo el producto fresco. Durante cierto tiempo se hicieron algunas tentativas para llevar animales en pie. Pero la gran revolución se produjo mediante el procedimiento del enfriado y el congelado de la carne, que permite asegurar su conservación sin pérdida de sabor ni de su aspecto original. Esta técnica exigía, como hemos visto, barcos con cámaras especiales para mantener el frío durante el viaje. Pero exigió además, a medida que se desarrollaba como gran industria extractiva, establecimientos capaces de faenar un número suficiente de animales y mantener almacenada la carne, a la espera de que los exportadores pudieran trasladarla a Europa. A su vez, la concentración y mecanización de la tarea permitió un abatimiento de costos y un mejor aprovechamiento de los subproductos. El mismo proceso de introducción de técnicas permitió el auge de la exportación salitrera primero y luego cuprífera desde Chile, favoreció el crecimiento de la producción de café en Brasil, de cacao en Ecuador, de plátano en el Caribe.

La aplicación de esas técnicas se guió por las crecientes necesidades de alimentos y materias primas del mundo industrializado. Esta determinación exterior de la producción local quedó en evidencia cuando la gran crisis de las industrias textiles europeas por carencia de algodón (a causa de la guerra de Secesión en los Estados Unidos). Nunca como entonces se puso de manifiesto una más clara preocupación para fomentar la producción algodonera en América Latina: se distribuyeron semillas e instrucciones para el cultivo, se otorgaron créditos y se realizaron las más diversas gestiones con esa finalidad. Este esfuerzo dio frutos en algunos casos como el de Brasil, que vivió un corto período de auge algodonero.

En la vida urbana se aplicaron poco a poco las técnicas bancarias y comerciales de origen europeo: surgieron los comercios especializados, las grandes tiendas, los escaparates vistosos y llenos de productos. Para que la nueva vida urbana no muriese con la noche llegó la iluminación artificial, primero de gas y luego eléctrica. La iluminación no sólo prolongó la vida comercial, sino también las actividades sociales, permitió el paseo nocturno y se transformó en uno de los grandes atractivos de la vida urbana. El crecimiento de las ciudades llevó al empleo de transportes para unir el centro con los barrios alejados: el tranvía "de caballitos" primero y el eléctrico después, desempeñaron ese cometido. La nueva técnica transformada en hábito suntuario se puso al servicio de edificaciones novedosas, de múltiples pisos, dotadas progresivamente de la mayor comodidad interior.

4. Monoproducción y sociedad

Hemos visto cómo el impacto del capitalismo europeo modificó en muchos puntos la vida latinoamericana y fue creando poco a poco un nuevo sistema de relaciones con el viejo continente. Múltiples manifestaciones del nuevo impulso procedente de Europa se tradujeron en intensas transformaciones sociales.

La minería

La minería colonial había funcionado con base en técnicas primitivas y en el trabajo forzado. La revolución emancipadora no solamente afectó de manera momentánea la extracción de metales, sino que produjo consecuencias más hondas. La nueva producción minera no atendió exclusivamente a los metales preciosos sino que, en razón del progreso técnico y las mayores facilidades en los transportes, se fue interesando en otros minerales.

A partir de la guerra de Crimea (que afecta el tradicional abastecimiento de cobre ruso a las naciones occidentales), Europa ve crecer su interés en el cobre de Chile, aunque vaya a pasar mucho tiempo todavía hasta que este producto alcance un lugar de privilegio en las exportaciones chilenas, desplazando al salitre. Desde mucho antes, la economía chilena se basaba fundamentalmente en las exportaciones de este mineral. En las tentativas del presidente Balmaceda de nacionalizar los yacimientos de salitre y en la llamada contrarrevolución de 1891 que le derroca (y provoca en última instancia su suicidio), el capital británico desempeñó un papel importante. La riqueza salitrera dio fortuna y poder a múltiples personajes, entre quienes sobresale la pintoresca figura de John Thomas North (1842-1896), el "rey del salitre", fundador de un imperio económico que rigió hasta el fin de sus días. Con el salitre, la plata y con las explotaciones cupríferas, en Chile surgieron concentraciones obreras que animaron progresivamente agitaciones sociales muy variadas, mientras se incubaban los métodos modernos de acción sindical.

Lo más general fue que en el primer período de la extracción minera latinoamericana posterior a la independencia, ya haya participado el capital extranjero de modo decisivo. Puede entenderse esto por varios motivos: la relativamente grande participación estatal en la minería durante la vida colonial no fue mantenida por el Estado posrevolucionario; por otra parte, la promoción de las actividades extractivas respondía desde luego a necesidades extranjeras y no locales.

Una herencia social, que tuvo profundas consecuencias en las manifestaciones políticas del siglo XX, fue la aparición, en las concentraciones mineras, de focos de tensiones que influyeron profundamente en la vida política de los países en que se ubicaban; es el caso chileno, con su izquierda definida; el de Bolivia, con sus explosiones sociales, mezcla de rebelión indígena y de movimiento sindical revolucionario, invocadoras conjuntamente de Marx y Tupac Amarú, o, finalmente, el de Venezuela, donde la solución para canalizar la agitación de los obreros petroleros parece haber sido el concederles una elevada participación en las ganancias, de modo de diferenciar su nivel de vida del resto de la población trabajadora.

La agricultura

Como se sabe, América Latina había heredado de la colonia un sistema de propiedad de la tierra basado en el latifundio como forma predominante de explotación rural en el que tuvo mucho que ver el reducido número de los primeros colonizadores frente a la enorme disponibilidad de mano de obra indígena y africana, que pudo ser fácilmente sometida al trabajo forzado.

Pero el latifundio colonial fue un sistema que triunfó en la medida en que se dedicaba a cultivos de demanda sostenida, sin que las dificultades de transporte gravitaran demasiado en los costos de explotación. De todas las formas del latifundio colonial monoproductor, es probable que la hacienda azucarera del Nordeste brasileño pueda ser considerada el caso más representativo; la gran hacienda mexicana, en cambio, presentó variantes en cuanto a tener una mayor autonomía y capacidad de autosuficiencia.

Los tiempos cambian, surgen nuevas exigencias y éstas imponen ritmos diferentes a los que ajustarse. Los centros industriales europeos, actuando como polos de desarrollo, ejercieron a ese respecto una influencia directriz. Al mundo industrial en expansión le interesaba promover un mayor dinamismo productivo en la sociedad latinoamericana (sea logrando por algún medio que los criollos y nativos salieran de la indolencia que se les atribuía tradicionalmente, sea por la inyección de nueva savia bajo la forma de los crecientes contingentes migratorios que cruzaban el Atlántico desde el viejo continente). Para él, ese nuevo empuje para la producción de los bienes que Europa necesitaba, así como el aumento incesante de quienes participaban en ello, había de traducirse igualmente en un incremento de las posibilidades de mercado para el consumo de los productos europeos, por lo cual los beneficios aparecerían así aumentados. Parte de los objetivos europeos pudo cumplirse claramente; otros, al tener que transar con realidades locales, no se lograron tal como se había pretendido en un principio. Si quienes combatieron la trata y bregaron por la supresión de la esclavitud y de la servidumbre del negro lo hacían simplemente en aras del triunfo de una economía de salario (que capacitaría a enormes poblaciones para el consumo en ese nuevo gran mercado mundial que estaba creando la industria europea), debieron quedar defraudados al advertir que éste no fue el resultado inmediato de esos cambios sociales, en los que masas enteras, en vez de incorporarse a la economía del salario, volvían a la economía de subsistencia o iniciaban su traslado a los grandes centros urbanos para vivir en las condiciones más precarias.

Otra frustración, aunque a más largo plazo, debió producirla el proceso migratorio. Aquellos brazos de los cuales tanto se esperó en el esfuerzo productivo de materias primas, optaron muchas veces por quedarse en los nuevos centros urbanos y hasta llegaron en algunos casos a ser iniciadores de las industrias regionales, que mañana pugnarían contra el viejo sistema de división internacional del trabajo.

Se produjo, en cambio, una gran coincidencia de intereses entre los grandes propietarios de tierras dedicados a los monocultivos de exportación y Europa, demandadora de estos productos. Expansión del monocultivo significó casi siempre expansión del latifundio; pero del mismo modo que la tecnificación y las circunstancias económicas redundaron en una alteración de las formas del latifundio tradicional, aquí se registraron transformaciones de otro orden: en su conjunto, la mayor o menor capacidad para efectuar estos cambios decidió qué papel le tocaba desempeñar a cada región. Pueden señalarse, como ejemplos representativos del auge, el caso del latifundio ganadero en las llanuras argentinas, o del azucarero en Cuba, mientras que la lenta declinación del latifundio del Nordeste brasileño fue tal vez una respuesta a una incapacidad de renovación que estuvo contrastada en Brasil por la actitud de las empresas capitalistas de las regiones del café.

¿Cuál fue la esencia del problema, considerado primordialmente en su faz social? El latifundio monocultivador unas veces, y otras las actividades ligadas al transporte de sus productos, necesitaban brazos, abundante mano de obra, lo cual provocó ese vasto movimiento inmigratorio que estudiaremos más adelante (ver capítulo 5). Pero, además, deben mencionarse aquí los variados expedientes que sirvieron para asegurar la permanencia forzada de esos trabajadores en el mismo latifundio. En las zonas rurales, la desaparición legal paulatina del trabajo forzado no se tradujo en la brusca irrupción del trabajo asalariado, sino que llevó a formas intermedias y en más de un caso a modalidades encubiertas del antiguo sistema: sea bajo la forma de "inquilino", como en Chile, o de "huasipungueros", como en Ecuador. Todas estas formas de trabajo se hallaban vinculadas a exigencias brutales de prestación de servicios en la hacienda del patrón, a cambio del derecho a cultivar una reducida parcela para el sustento personal del dependiente. Esa relación no excluía detalles que fácilmente recuerdan las viejas prestaciones características del feudalismo europeo. Se cita como caso extremo para el período más reciente el de Bolivia, donde, antes de la reforma agraria, se daba al colono, para proveer a las necesidades de su familia, 5 o 10 hectáreas, una cabaña y el derecho al pastoreo de una vaca y de un caballo, a cambio de asumir la obligación de trabajar de tres a cinco días por semana las tierras del amo, prestar servicios de una o dos semanas por año en la casa de ciudad o de campo del patrón, efectuar sus ventas personales por intermedio de éste y ayudar en el transporte de los productos de la hacienda.

En muchos países aparecieron, después de la independencia, leyes y reglamentos persiguiendo la vagancia; unas y otros no tenían más objeto que el de acelerar la incorporación de toda la población al proceso productivo. La verdad es que al afirmarse las economías exportadoras en sistemas de latifundio, la monoproducción amputó en los hechos —y a veces llegó a hacer contraproducente— la extensión de libertades y la igualdad jurídica que el liberalismo de los constitucionalistas pugnaba por establecer.

Otra característica social negativa del sistema fue su proclividad al mantenimiento de una abundante población en condiciones de desocupación encubierta. Ni los trabajadores de zafra ni los requeridos periódicamente por las tareas rurales tenían por qué ser mantenidos permanentemente por sus patrones, lo que provocaba un retorno periódico a una agricultura de subsistencia, poco rendidora, a la incierta dependencia ante los gestos paternalistas de los patrones o, bajo la presión de la necesidad, a las actividades ilícitas.

La igualdad de derechos concedida a los indígenas sirvió en más de un caso para acelerar el proceso de desalojo de las tierras que tradicionalmente ocupaban sus comunidades. La concesión de voto al campesino fue un medio de fortalecer el poder de las oligarquías terratenientes, ya que el voto era un artículo más a incluir en el intercambio de prebendas y servicios entre campesinos y patrones.

Durante este período, en América Latina el latifundio como sistema social y económico gozó de plena vitalidad. La complementación con las economías europeas y la penetración de capitales de esa procedencia bajo la forma de inversiones no fueron motivo para alentar un cambio de las estructuras amparadas en el latifundio, sino una de las razones para afirmarlo. Un claro ejemplo lo constituye el hecho de que la expansión de estas economías monoproductoras, que respondía sin embargo a impulsos netamente capitalistas, se hizo casi siempre en las zonas rurales sin utilización de numerario, hasta el punto que pudieron subsistir hábitos como el pago en vales y el suministro de mercaderías en almacenes de propiedad de los mismos patrones, todo lo cual, como es obvio, se prestaba a numerosos abusos.

El latifundio debe ser considerado desde dos puntos de vista muy distintos: según el que adoptemos, variarán las reflexiones que nos pueda sugerir. En primer término, ya hemos adelantado que como sistema productivo fue el complemento inmediato, en Latinoamérica, de la expansión del capitalismo industrial europeo. En esta relación, el latifundio tendió a modernizarse, y en más de un caso la pugna entre sistema anticuado y sistema renovado fue resolviéndose en favor del segundo.

En su faz social, estos cambios se señalan por la tendencia a la desaparición del arquetipo tradicional del patrón, capaz de bonanzas y durezas, pero muy ligado al medio por relaciones personales e intereses culturales. El patrón tradicional fue siendo sustituido por hombres de empresa y compañías que, menos integradas, animadas por objetivos más definidos de rendimiento, introdujeron innovaciones que empezaban por el sistema productivo y terminaban por la mejora de los métodos contables.

Si olvidamos por un instante este primer papel del latifundio como sistema productivo que satisfizo la demanda europea, y pasamos a considerar un segundo papel que desempeñó en esa época, el de atesoramiento, puede comprobarse cierto contraste en sus resultados, que pese a todo están de acuerdo con la falta de lógica del desarrollo latinoamericano. Ocurre que mientras que el capital europeo se adentraba en América Latina al servicio de la tecnificación de la extracción, en empréstitos y en distintas inversiones locales, al capital regional le faltaba la osadía, pero también la información adecuada para hacer lo mismo; carecía de sentido pionero y, además, de las conexiones y la fuerza del capital extranjero. Y todo esto, en el marco de economías inseguras, fuertemente sometidas a procesos inflacionarios. En estas circunstancias, el criollo se vuelve nueva y desesperadamente a la tierra que le aparece como el único medio seguro y prestigioso para la colocación de su capital. ¿Se obtenían buenas ganancias? Se las invertía en nuevas tierras. ¿Cuál era el mejor premio al mérito político o al heroísmo militar? La tierra. ¿A quiénes consideraban más dignos de crédito los primeros bancos? A los terratenientes. ¿Y qué hacían ellos, generalmente, con los créditos obtenidos? Naturalmente, comprar más tierras.

La culminación del sistema fue que al considerar a la tierra como algo más que parte de un proceso productivo, al tenerla por valor supremo y en sí, en muchos casos la concentración de fortunas en tierras redundó muy duramente en la baja productividad de éstas, parte de las cuales fueron conservadas totalmente improductivas a la espera de su valorización por el simple juego especulativo. Este contraste en el papel económico del latifundio como forma de producción y como medio de atesoramiento se hace más inteligible si se tiene en cuenta a la vez el papel del latifundio tradicional y el del latifundio innovador, que se integró más rápidamente en la economía capitalista (abandonando las supervivencias feudales) y si se considera a la vez las diferencias según región y tipo de producto.

Suele confundirse, en el estudio del sector agrario latinoamericano, la transición del latifundio tradicional al latifundio capitalista con la evolución más específica de la economía de las plantaciones. Esta última tiene una mayor especificidad y el empleo de este concepto se aplica fundamentalmente al área del Caribe. También en la plantación se advierte el predominio de un tipo moderno organizado según los principios de la economía capitalista. Estos sistemas de producción originan la concentración de grandes masas que, en determinado momento, tuvieron comportamientos explosivos o radicales. No se podrán explicar ciertas características de la revolución cubana en el siglo XX, ni la inquietud y agitación social en el Nordeste de Brasil, o en menor grado la mayor unidad y espíritu reivindicativo de los trabajadores del azúcar en el norte argentino, sin tener en cuenta que estos procesos han sido el resultado de tensiones acumuladas durante mucho tiempo.

Por lo mismo sería conveniente tener en cuenta el ascenso y el poder social que en esta época adquirieron algunos latifundistas. Tal es el muy conocido caso, en la sociedad de fines del siglo XIX y principios del actual, del millonario estanciero argentino, el de las grandes fortunas acumuladas con el azúcar en Cuba o de las fabulosas haciendas del México prerrevolucionario. La habilidad e iniciativa de estos seres poderosos fueron superiores a cuantas ingenuas medidas se intentó adoptar para ponerles coto.

Una de las características más señaladas de este período fue la oposición entre una minoría propietaria, que en algunas regiones llegó a asumir posiciones relevantes, y el resto de la población, cuyo bajísimo nivel de vida recuerda el de los antiguos trabajadores forzados. Naturalmente, esto se atenuaba en ciertas zonas, ya sea por la menor importancia del latifundio o por la presencia del inmigrante europeo, como luego veremos.

Pero queremos comenzar con dos testimonios de la época, demostrativos de la impresión que esas clases altas producían en algunos europeos.

Escribía Pierre Denis, hacia 1907: "Existe en Brasil lo que falta en Estados Unidos y en la Argentina: una verdadera aristocracia: es el privilegio de las sociedades ya envejecidas. La organización política es, en verdad, perfectamente democrática, y yo he encontrado por todos lados convicciones democráticas profundas, pero ni constitución ni teorías pueden nada contra la historia. Salvo en los estados del sur, donde la inmigración europea ha sido intensa en el siglo XIX, por todos lados se encuentra encima de la clase obrera, que a menudo es negra o mestiza, una clase dirigente de origen portugués casi puro. Casi en todos lados le pertenece la propiedad de la tierra."

Nuestro autor sigue comentando las diferencias entre los propietarios tradicionales y los de las haciendas cafetaleras de San Pablo, e insiste en el gusto, muy difundido, por la vida rural en la hacienda ("que tiene algo de intermedio entre una familia y un reino"). "Esta aristocracia rural —agrega—, además de la autoridad social, goza del poder político. El Brasil, es verdad, estableció el sufragio universal, pero el pueblo soberano, antes de delegar su soberanía en sus representantes, comienza por confiar a la clase dominante la misión de guiarlo en sus funciones electorales. Los grandes propietarios eligen sus candidatos y sus instrucciones son generalmente obedecidas. Ellos forman los cuadros de todo lo que existe en tanto partido político, y son de ellos toda la fuerza y toda la vida; ellos gobiernan el Brasil y lo administran."[6]

Un testimonio de otro francés, P. Baudin, de principios de este siglo, nos informa (con algo de exageración) acerca de la solidez de la oligarquía terrateniente argentina:

"Doscientas familias apenas forman todo el aporte sólido. La historia comienza por ellas. Exclusivamente ellas conducirán a la Argentina hasta el día en que, poblada y en plenitud de vida, podrá, sin dificultades, al ejemplo de las democracias europeas y de la gran república de Norte América, extraer de las capas populares sus jefes y sus guías. . . Su celosa vigilancia reviste alguna vez un aspecto autoritario. Habría que cuidarse bien de tomar al pie de la letra sus instituciones republicanas, ¿y quién la censuraría por defenderse? Respeta escrupulosamente la libertad e iniciativa individuales, de la que gana más que el individuo mismo. Su prosperidad depende de ello, pero su seguridad inmediata y el largo desarrollo de su porvenir le ordenan asimismo protegerse de los desbordes de los aventureros y de los agitadores. . . Esta sociedad es a la vez muy cerrada y muy acogedora. Mantiene hábitos de clases que han desaparecido hace tiempo de la nuestra. Al mismo tiempo, se abre al igual, aunque sea extranjero. Así constituida, es muy fuerte y asume con clarividencia y coraje las responsabilidades de una tarea semejante." El autor tomó como ejemplo ilustrativo de las exquisitas prendas que creyó ver en la alta sociedad argentina una velada en el Colón (el principal teatro de Buenos Aires), donde la solidez moral, el buen tono, la elegancia "parisiense, sin una falsa nota, sin un yanquismo", la intimidad de las familias, se exhibían en todo su esplendor en la celebración del centenario de la Revolución de mayo, o en la entereza moral que demostraban esos aristócratas volviendo al teatro, con sus familias, al día siguiente del atentado anarquista.

En México la clase alta asentaba su poder en las grandes haciendas, con amplios edificios construidos en el centro de las mismas. Esas casonas servían a veces de fortaleza, y entre sus muros los hacendados se esforzaban por vivir a la europea, rodeados de una pléyade de domésticos y otorgando la más amplia hospitalidad al viajero (rasgo éste compartido por la aristocracia terrateniente de Brasil). La mayor parte de los grandes hacendados poseían en la ciudad un palacio o una mansión de gran lujo. Al frustrarse la creación de una aristocracia con el intento imperial de Iturbide, la clase alta quedó constituida principalmente por los terratenientes eclesiásticos y por los propietarios de fundos mineros. Bajo la prolongada dictadura de Santa Anna se intentó restaurar la Orden de Guadalupe, fundada por Iturbide, y con ella una seudoaristocracia que, a causa de la revolución de Ayutla (1855), tampoco pudo plasmar.

Al proclamarse las leyes de desamortización y de nacionalización de los bienes del clero, se mantuvo sin embargo inalterable la estructura feudal del país, integrándose a las viejas clases altas nuevos terratenientes. Al lado de éstos aparecían ya algunos ingleses y norteamericanos que de modo progresivo fueron sustituyendo al español y al criollo en la explotación de los fundos mineros. Un nuevo ensayo imperial, el intento de imponer a Maximiliano, pretendió asimismo crear una aristocracia local, pero fracasó rápidamente.

Durante la dictadura de Porfirio Díaz continuó la inversión de capitalistas ingleses y norteamericanos, no solamente en la minería sino además en los ferrocarriles y en otras actividades, conjuntamente con la creación de una importante industria textil y de formas de concentración comercial, cuyo impulso procedía ahora de franceses. Estos nuevos y reducidos estratos extranjeros se agregaron al sector mayoritario de las clases altas, constituido por los grandes terratenientes que se formaron durante el período posterior a la Reforma (o sea, después del gobierno de Benito Juárez).[7]

Las nuevas grandes haciendas, organizadas al amparo de la paz y el orden impuestos por Porfirio Díaz, ya no necesitaron los altos muros que les daban la apariencia de fortalezas medievales. El casco de la finca se componía de la gran casona del propietario, la casa del administrador, las de los empleados, las oficinas, la "tienda de raya", la iglesia y la cárcel. En la casona del propietario se podía disfrutar de muchas de las comodidades de la vida moderna: luz eléctrica, baños de agua tibia, salón de billar, salas espaciosas, todo amueblado con lujo. La tienda de raya vendía mantas, jabón, maíz, frijol, aguardiente y otras mercancías al peón y a su familia, a precios más altos que los del mercado. El jornal se pagaba con mercaderías y cuando sobraba un poco solía completarse con moneda de curso legal. Pero lo más frecuente era que el peón siguiese endeudado y que las deudas pasaran de padres a hijos, en beneficio del patrón, que de esta manera los arraigaba a su finca.

También en Cuba el gran propietario fue la figura central de la economía y de la sociedad, aunque la tardía independencia alteró las condiciones de su participación en el poder político. Se ha calculado que hacia 1860 el número de familias de la aristocracia propietaria de ingenios llegaba al de 1 500. Los hacendados hacían una vida social intensa y mostraban una ostentosa predisposición por el lujo. Un documento de la época es bien representativo: en una carta desde La Habana a Nueva York un matrimonio cubano solicita "una gobernante o preceptora para el cuidado y la educación de dos de sus hijos, que tienen entre 5 y 7 años. Quieren una dama de primera categoría, preferentemente que hable francés, ya que los dos, el marqués y su esposa, hablan esa lengua. Debe tener de 30 a 40 años de edad y su misión será atender todo lo relativo a la educación y el cuidado de los niños. Los padres desean evitar contactos entre los niños y los sirvientes de color."[8]

Un comerciante bostoniano comentaba hacia fines de siglo la prodigalidad de los hacendados cubanos y la suntuosidad de la mansión rural donde se había hospedado, agregando:

"La residencia estaba equipada con un mobiliario tan lujoso que en toda la isla era famoso. Su establo tenía capacidad para cincuenta caballos. La casa, de una planta, tenía patios interiores y cubría una vasta extensión; a menudo hospedaba hasta cien personas. . . A sus baños romanos, de exquisitos mármoles, se llegaba por una avenida de bambúes, cuyas ramas formaban un arco de setenta pies de altura. . . Todo parecía un cuento de hadas. . . Por la mañana fluía ginebra de una fuente del jardín, y por la tarde esparcía su perfume un surtidor de agua de colonia, para deleite de los huéspedes."[9]

La contrapartida del lujo y el poderío de esas aristocracias terratenientes no podía ser otra que una numerosa clase popular sometida a niveles de vida bajísimos.

Para el caso de México, el censo de 1895 ha recogido los siguientes datos (véase cuadro I).[10]

Los peones estaban sometidos a un verdadero régimen de servidumbre. Apenas el 6,67% de los integrantes de las clases populares poseía tierra. Cuando trabajaban en la gran hacienda, debían vivir en jacales construidos lejos de los edificios centrales: casuchas de uno o dos cuartos, construidas de adobe, pedazos de madera o ramas de árbol, según las regiones del país, sin ventanas y con piso de tierra; por lo general la misma pieza servía de cocina, comedor y dormitorio a la vez; el mobiliario y la vajilla se reducían a un pe-

CUADRO I

Población total de México: 12 698 330
Población que integra la clase popular en el campo en 1985:

Tipos de ocupación	*Población económicamente activa y sus familiares*	%
Total	9 725 643	100.00
Peones	7 852 842	80.74
Parcelarios	649 485	6.68
Artesanos rurales	314 608	3.23
Comerciantes rurales minoristas	70 026	0.72
Otras ocupaciones	838 682	8.62

queño brasero para cocinar las tortillas de maíz, algunas cazuelas y platos de barro y los petates para dormir el peón, la mujer y la numerosa prole. "Al peón de las haciendas mexicanas no puede llamársele siervo si se quiere usar una terminología estricta, ni señor feudal al dueño de dilatados territorios, ni tampoco feudalismo a la organización agraria en la época del gobierno de Porfirio Díaz; pero si se quisiera encontrar una cierta analogía más o menos aproximada, no es del todo arbitrario comparar la estructura económica, social y política del campo mexicano de aquel período con el feudalismo europeo; al gran hacendado con el señor feudal del siglo XVII y al peón con el siervo medieval."[11]

El mismo autor agrega datos útiles para explicar el descenso del nivel de vida en muchas regiones rurales de América Latina durante este período, en la medida en que los avances de la economía capitalista y los cambios derivados de la expansión económica exportadora se tradujeron en un alza de precios de artículos de primera necesidad, ante la cual no tuvieron defensa muchos pobladores de las zonas agrarias por su imperfecta incorporación a la economía del salario y la falta de organización para luchar contra ello; mientras que el obrero europeo se hacía retribuir adecuadamente, los trabajadores nativos eran demasiado ignorantes del proceso y vivían en plena supervivencia de las formas de trabajo forzoso; no se les presentaba otra alternativa que contemplar pasivamente el aumento de su miseria o hacerse bandoleros. Según Silva Herzog, mientras que hacia 1910 el salario del campesino mexicano permanecía estacionario con relación a lo que había sido en los últimos años del siglo XVIII y a principios del XIX, los precios de los principales alimentos habían variado de la siguiente manera:

CUADRO II

VARIACIÓN DE LOS PRECIOS DE LOS ALIMENTOS EN MÉXICO ENTRE 1792 Y 1908

Artículos	*1792*	*1892*	*1908*
Arroz, 100 kg	7.60	12.87	13.32
Maíz, hectolitro	1.75	2.50	4.89
Trigo, 100 kg	1.80	5.09	10.17
Frijol, 100 kg	1.63	6.61	10.84

Como se comprende, esta elevación del costo de la vida determinó un descenso enorme del salario real.

Estos fenómenos no quedaron sin consecuencias. En México fueron unas de las más fuertes causales de la explosión revolucionaria de 1910. Hacia la misma época en el Nordeste del Brasil un proceso análogo fue factor de migraciones masivas y rebeldías.

En otros países, el descenso de los niveles de vida en las zonas rurales contribuyó a la acumulación por generaciones enteras de las consecuencias biológicas de la subnutrición y la enfermedad. La suba de precios y la falta de posibilidades de incorporarse a la economía del salario se tradujeron, en algunos casos, en un incremento de la economía de subsistencia, en la que el campesino procuraba obtener lo posible para vivir, al margen de la economía monetaria.

Poco a poco los cambios del siglo XIX fueron dibujando un nuevo mapa del continente, en el que aparecieron zonas de hambre crónica, como el Altiplano boliviano o el Nordeste brasileño. La subalimentación que afectaba a esas poblaciones resultaba de un conjunto de hechos que incluían el atraso económico y cultural y deficientes condiciones sanitarias, favorables a la difusión de enfermedades parasitarias e infecciosas. La subalimentación, como se sabe, contribuye en general al desarrollo de las infecciones de origen interno; favorece la transmisión de infecciones de un organismo a otro y puede volver peligroso un agente patógeno normalmente inofensivo; produce disminución de la talla y de la capacidad para el esfuerzo físico, así como una serie de enfermedades carenciales (bocio endémico, beriberi, escorbuto, pelagra, xeroftalmia, etc.) También contribuye a aumentar los índices de mortalidad infantil y muchas veces está acompañada de una serie de manifestaciones psicológicas entre las que sobresalen la apatía y la irritabilidad.

Puede afirmarse que en el deseo de dominar y explotar a las masas rurales para hacerlas más aptas a la expansión económica registrada en el siglo XIX, se contribuyó de una manera consciente o inconsciente a la propagación de hábitos como el alcoholismo y el consumo de coca. En cuanto al alcohol, tuvo gran significado en las transacciones entre blancos e indios, aun los más rebeldes. A estos últimos, por ejemplo en la Argentina, muchas veces se les procuró apaciguar y domeñar mediante suministros a cargo del Estado que incluían en buena parte tabaco, yerba y aguardiente. Más de una vez las rebeliones y el bandolerismo indígenas fueron provocados por blancos inescrupulosos, que a cambio de ganados robados y otras formas de botín les suministraban armas y aguardiente. En muchas minas, plantaciones y haciendas, el suministro de alcohol era parte del salario; a pesar de su valor alimenticio muy bajo, el alcohol tenía gran demanda, y en ciertas circunstancias llegaba a aumentar el rendimiento en el trabajo. En algunas zonas, los patrones debían asegurar a sus braceros (peones) determinada cantidad de coca. Ésta insensibiliza los nervios gustativos y digestivos, y es evidente que su uso está relacionado con la desnutrición y la necesidad de mantener —dado un nivel de vida insuficiente— la energía indispensable en el trabajo.

5. El problema de la mano de obra y los comienzos de la inmigración europea

El crecimiento de las economías exportadoras y el incremento constante de la demanda europea de materias primas se tradujeron en América Latina en un creciente requerimiento de brazos destinados a la producción. Era difícil responder a las exigencias del nuevo orden económico: para poder producir en mayores cantidades se necesitaba aumentar el rendimiento de los trabajadores locales o introducir otros nuevos. Quienes habían sido explotados bajo la condición forzada del trabajo servil no podían responder a las nuevas exigencias; además, en la medida en que se les liberaba jurídicamente de sus obligaciones tradicionales, se negaban a seguir en las condiciones de antaño, aunque esta vez fuera bajo la paulatina imposición de una economía de salario. Muchos quedaron reducidos a la práctica de una economía de subsistencia; otros iniciaron un lento desplazamiento hacia los centros urbanos.

La carencia de mano de obra

Desde la época colonial, este problema se había resuelto mediante la introducción de esclavos de procedencia africana. La supresión de la trata de negros, que se generaliza desde la aplicación de la Aberdeen Act de 1845 (según la cual todo navío implicado en la trata de negros o sospechoso de estarlo debía ser perseguido aun en aguas territoriales de otros países, para capturar a los posibles culpables y juzgarlos según la ley inglesa), fue haciendo cada vez más sensible la carencia de trabajadores, lo que se tradujo en una suba general de salarios. La intensificación de la demanda europea, que exigía perentoriamente un crecimiento de la producción, contribuyó a agudizar los términos del problema.

Noticias de las más diversas procedencias atestiguan esa carencia. Así, en 1856, el cónsul francés de Caracas, en correspondencia diplomática, informaba a su gobierno que la cosecha de café había disminuido con relación a años anteriores y que el cacao estaba completamente abandonado por falta del personal necesario para la eficaz realización de las tareas agrícolas.

Por su parte el cónsul francés en Lima informaba en 1869, a propósito de la caña de azúcar: "Este cultivo es susceptible de un inmenso desarrollo, pero es necesario no olvidar que la falta de brazos en las explotaciones agrícolas se hace sentir en Perú más que en ningún otro país del mundo."[12]

En el Río de la Plata sucedía otro tanto. En 1873 el consulado francés en Montevideo solicitó la presencia permanente de un buque de guerra destinado a impedir las deserciones de marineros de la flota mercante en aquella plaza, provocadas por la esperanza de fuertes salarios. En 1888, F. Seeber escribía con relación a la Argentina: "Por todos lados la falta de brazos se nota y todas las obras públicas están frenadas por la escasez de obreros."[13]

Desintegración del régimen esclavista en América Latina

La carencia de mano de obra tendió a acentuarse a medida que en las diversas repúblicas americanas se iba produciendo la liberación de los esclavos. Alrededor de 1850, salvo en la prolongada excepción del Brasil, habrá desaparecido o estará en vías de desaparecer la mano de obra servil. El proceso conducente a este resultado atravesó etapas conocidas: prohibición de introducir nuevos esclavos, libertad de vientres (o sea, de los hijos nacidos de madre esclava) y aboliciones parciales que abrieron el camino a la abolición definitiva y total de la esclavitud.

Los factores que impulsaron este proceso fueron varios. Quizá el más importante se vincule a las características económicas propias del sistema esclavista, cuyas contradicciones lo condenaban a una ineluctable desaparición una vez alcanzado cierto nivel de desarrollo de las economías capitalistas. Por motivos vinculados a la propia forma de organización social del trabajo, el sistema esclavista imponía límites al proceso de racionalización de la producción y a la rentabilidad económica. La economía esclavista era entonces una "economía de desperdicio" y además se fundaba en requisitos sociales de producción que la hacían obligatoriamente poco flexible ante las necesidades de innovación en la técnica productiva.

El esclavo debía ser alimentado, vestido y alojado, aun fuera de las épocas de zafra; costaba por lo tanto cierta retribución diariamente renovada. El esclavo consumía lo más que podía y trabajaba lo menos posible; como su trabajo no recibía premio alguno, le interesaba consumir y no trabajar. En realidad, en el sistema esclavista, el objetivo inmediato estaba en la organización y control de la mano de obra, ambos más orientados a mantener la autoridad en el trabajo que a aumentar la productividad. Esto resultaba vital ya que la continuidad en la actividad se lograba por la violencia y la disciplina más estrictas, pues no existían incentivos personales y externos al propio acto de trabajar. La sola presencia de ellos en el trabajo libre asalariado entrañó para este sistema una neta superioridad que acabaría finalmente por ser reconocida.

La economía esclavista, además, presentaba un escaso dinamismo para adaptarse a las fluctuaciones de un mercado regido por normas capitalistas. La gran inversión inicial en mano de obra, como capital fijo, creaba una sensible desventaja frente al empresario que empleaba mano de obra libre: en efecto, este último sólo debía retribuir trabajo ya realizado y no tenía que invertir nada, por concepto de capital fijo, en mano de obra. Dentro del sistema esclavista, las condiciones favorables del mercado conducían a la creciente adquisición de mano de obra para responder adecuadamente a la necesidad de aumentar la producción, medida tanto más necesaria si tenemos en cuenta la escasa productividad individual del esclavo por las razones ya enunciadas. Mientras la trata aseguró un abastecimiento adecuado y relativamente barato, la capacidad de reacción de la economía no se vio perjudicada seriamente. Pero a partir del momento en que la oferta de mano de obra esclava fue enrareciéndose, se produjo una aceleración del proceso de desintegración del sistema.

Esta rigidez del sistema esclavista también se manifestaba ante una depresión del mercado. La reducción de la producción no se podía hacer conforme a las previsiones y ne-

Fig. 5: Subasta de esclavos en Río de Janeiro

cesidades determinadas por la coyuntura desfavorable. En efecto, la mano de obra esclava no era pasible de una contracción inmediata, de modo que el empleo de esclavos, y por consiguiente su productividad, podían marcar un ritmo independiente de las necesidades de la producción. Dicho en otros términos, la disponibilidad de cierta cantidad de mano de obra esclava, que no era fácil de reducir con rapidez, imponía a la empresa esclavista cierto nivel de producción, por debajo del cual no podía funcionar sin condenar al ocio total a parte de su personal, comprometiendo así los fundamentos del sistema.

Se ha señalado frecuentemente también los efectos negativos de la esclavitud sobre el proceso de división técnica del trabajo y la especialización profesional, lo cual como es obvio no puede menos que entrañar una baja acentuada de los índices de productividad, en comparación con la economía capitalista.

Un ejemplo que patentiza los inconvenientes de la esclavitud frente a las nuevas formas económicas que se difundían en América Latina es el que brindaba la actividad competitiva de los saladeros de Río Grande del Sur, en Brasil, con los del Río de la Plata. Louis Couty aporta a este respecto, en su obra *L'esclavage au Brésil*, una interesante comparación entre el régimen de trabajo con esclavos practicado en Río Grande y el de trabajo libre asalariado, aplicado en el Plata, hacia 1880:

"Los saladeros de ambas regiones reciben el mismo ganado, pagan los mismos precios, sus productos son casi iguales y se venden en los mismos mercados. Los procedimientos de preparación eran muy poco diferentes; no obstante, mientras que en esa época los saladeros de Argentina o Uruguay estaban en situación floreciente, sus competidores de Brasil vieron disminuir sus mercados y beneficios." Luego de haber visitado diecisiete establecimientos, Couty cree poder explicar este hecho porque en Brasil se emplea mano de obra esclava y en el Plata los saladeros están poblados de inmigrantes europeos: "Con cien obreros libres un saladero del Sur faena unos quinientos vacunos por día. Con cien esclavos un saladero de Brasil solamente podrá matar la mitad. Se podrá apreciar el conjunto total de operaciones representada por la cifra de animales muertos o simplemente estudiar una de las operaciones más simples, comprobando que un obrero libre hace el trabajo de dos esclavos y, a veces, de tres. Además, como el productor brasileño ha pagado por adelantado su mano de obra por la compra y el mantenimiento de sus esclavos, se encuentra forzado a mantener un mismo ritmo de trabajo para no sufrir la pérdida de todos sus gastos generales, mientras que el competidor del sur aumenta la matanza si gana dinero, o la disminuye si el mercado es desfavorable." Como este último pagaba a sus obreros en razón del número de animales faenados, aquéllos tenían interés en trabajar mucho. La mano de obra en el sur fue, por consecuencia, más conveniente, más elástica, a la vez que de mejor calidad, y facilitaba una mayor división del trabajo.

Además de las características específicas del sistema económico esclavista, que lo hacían poco viable puesto en presencia de formas capitalistas, hubo otras circunstancias quizá de menor incidencia pero que también favorecieron su desintegración.

Una de ellas fue el alto índice de mortalidad que hubo entre la población esclava, vinculado por otra parte al bajo nivel de vida que aquélla padecía. La vida del esclavo era efímera. Hasta mediados del siglo XIX una intensa corriente venía desde África a colmar los vacíos que dejaban las muertes por agotamiento o epidemias, intentos de fuga y rebeliones. En la medida en que la fiebre amarilla se ensañaba con la población blanca, el cólera morbo elegía sus víctimas entre los esclavos y ex esclavos de las plantaciones. Las deficiencias alimenticias, las malas condiciones higiénicas y el trabajo excesivo hacían de ellos una víctima preferida.

Pero el incremento de la demanda europea había de coincidir justamente con la imposibilidad de renovar la mano de obra esclava, a causa de la prohibición británica de la trata. Del mismo modo que la peste negra contribuyó a modificar la sociedad inglesa del siglo XIV por la eliminación de la servidumbre —con la consiguiente crisis de mano de obra y la introducción de sistemas de explotación de mayor rendimiento—, se produjo en esta época un proceso análogo en ciertas regiones americanas.

Por otra parte, el negro no fue un elemento completamente pasivo. La historia de la esclavitud está llena de fugas individuales o colectivas, y alguna que otra rebelión organizada. Son bien conocidos los "cimarrones" de Cuba, los "marrons" de Haití o los "quilimbos" brasileños, comunidades constituidas por negros esclavos que se escapaban hacia la selva.

En 1860 el consulado francés en Caracas informó de la rebelión de ex esclavos de los cacaotales venezolanos: "Los antiguos esclavos de estas plantaciones se han declarado en rebelión. Estos desdichados, engañados por los ambiciosos que les pusieron armas en sus manos, no se han contentado en ciertas localidades con impedir recoger el fruto de las cosechas; asesinaron a los dueños de plantaciones que habían permanecido en ellas, destrozándolas e incendiando las viviendas."[14]

Excesivamente rígida, poco adaptable a la dinámica de una economía señalada por el predominio creciente de las formas económicas capitalistas, la esclavitud estaba condenada a desaparecer.

La creciente introducción de máquinas fue, a la vez, causa y efecto del proceso de desintegración del régimen esclavista. Causa en la medida en que aquéllas exigen técnicos o, por lo menos, obreros especializados en su manejo; efecto porque la carencia de mano de obra estimulaba la introducción de maquinarias.

"Las máquinas a vapor introducidas desde hace poco tiempo para triturar la caña de azúcar han dado brillantes resultados reduciendo la mano de obra, que se paga muy cara, y como el número de esclavos disminuye cada día, los propietarios se han visto obligados a no cultivar la caña más que en reducida escala, porque el número de personas libres que quieren dedicarse a este cultivo mediante salario es muy restringido", decía en uno de sus informes periódicos el cónsul francés en Guayaquil, en 1848.[15]

Particular importancia para el proceso de decadencia de la esclavitud tuvo la política de Inglaterra, fruto simultáneo de la evolución ideológica y de los intereses creados. La barata mano de obra hindú brindaba en ese entonces a los ingleses los productos con los que podían competir con los grandes centros esclavistas de Brasil o las Antillas.

La situación de la esclavitud en Brasil merece consideración especial. El reconocimiento por Inglaterra, en 1826, de un imperio brasileño independiente, le permitió a aquélla asimilar el tráfico negrero a un acto de piratería, con el consiguiente derecho de visita. Pero debió esperar hasta 1831 para obtener una ley declarando libre a todo negro desembarcado a partir de ese momento en Brasil. Esta disposición no fue cumplida. Se calcula en treinta mil el número de entradas para 1840, de cincuenta a sesenta mil para cada uno de los años del período 1846-1849. Esos guarismos descendieron rápidamente a veintitrés mil para 1850, tres mil doscientos para 1851 y setecientos para 1852.[16]

Hasta mediados de siglo, el sistema esclavista era todavía la base firme de la organización económica y social del Brasil. Por eso mismo, la suspensión de la trata debía afectar a este país más que a otros.

El 25 de marzo de 1847, el consulado francés de Bahía informaba que la trata de negros constituía todavía el principal elemento de comercio de este puerto. En 1845 entraron 5 542 esclavos a Bahía; al año siguiente se dobló esa cifra. Bahía era el centro del tráfico, y muchos capitalistas locales preferían dedicarse a la trata de negros a explotar las minas de diamantes recién descubiertas en la región. Pese a las apariencias, las autoridades brasileñas eran todavía indiferentes a este comercio. La corriente de esclavos que ingresaba por ese y otros puertos de Brasil se desplazaba hacia el interior, a las grandes haciendas de caña de azúcar.

La primera consecuencia de la abolición efectiva de la introducción de esclavos a Brasil fue la formación de un poderoso movimiento de comercio interior de éstos de norte a sur, de las haciendas de caña a las de café. La explotación de la caña de azúcar era demasiado agotadora para el esclavo, cuyo precio subía sin cesar. Los propietarios de las nuevas haciendas de café en el sur eran los únicos capaces de soportar esa suba. La correspondencia francesa en Bahía anunciaba, en 1851, que se habían creado impuestos a la importación de esclavos de una provincia a otra, para combatir el tráfico interior. Pero estas medidas legales no tuvieron mayor eficacia.

Un informe consular sobre el comercio en Bahía, de 1868,

Fig. 6: Transporte de un piano de cola por esclavos en Río de Janeiro

afirma: "...El estado de la agricultura en este país empeora cada día, falto de medios para mantenerse. En efecto, solamente algunos grandes propietarios pueden producir el azúcar, el tabaco y el algodón en una escala más o menos considerable, ya que su posición les permite emplear en sus trabajos agrícolas maquinaria e instrumentos propios para facilitar la tarea; pero esas máquinas exigen brazos y si se considera que cada año esos propietarios se ven obligados a vender algunos de sus esclavos para alimentar a los otros, porque el beneficio que pueden obtener en sus actividades les permite apenas pagar sus deudas, y que no pueden contar sobre los brazos libres ni remplazar sus esclavos, que desaparecen cada día, se verá bien que la agricultura local no podrá jamás desarrollarse, sino decaer poco a poco."[17]

El cese del flujo de esclavos provocó también una aguda crisis de mano de obra en la industria saladeril de Río Grande del Sur, acentuada desde 1865 por la emigración de esclavos hacia los cafetales. El número de esclavos en Río Grande del Sur descendió rápidamente, según guarismos que nos proporciona Fernando Henrique Cardoso.[18] Mientras que en 1863 había unos 77 419 esclavos en aquella provincia, veinte años después sólo quedaban 22 709. En 1887 estaban reducidos a apenas 8 500.

De la crisis derivada de estos hechos se recuperó Brasil solamente al afirmarse el predominio del café como su principal producto de exportación (desplazando cada vez más al sur el eje de la actividad económica, en la que va adquiriendo parte fundamental el trabajador europeo).

La actitud favorable a la inmigración, si bien incluía la consideración del problema de la falta de esclavos, no se restringía a ella sino que traducía una preocupación consciente de progreso e implicaba una crítica al orden esclavista. Ya antes de la escasez de brazos los partidarios de la inmigración postulaban el trabajo libre. Los esclavistas, por su parte, no veían la inmigración como una solución, sino como la ruina de la economía esclavista.[19] La crítica al esclavismo no apuntaba a la rehabilitación del negro en tanto que hombre libre; el énfasis se ponía en la "grandeza del país" y en el progreso que el extranjero aportaba. Se deseaba el trabajo libre del blanco y no el del negro liberto, "manchado" por la esclavitud, supuestamente ocioso y disoluto. Lo que había sido fruto de la esclavitud, pasaba a ser confundido con su causa y era tenido por factor de quietismo y atraso.

El problema de la mano de obra, de todas maneras, no hubiese podido ser resuelto a través de la inmigración y siguiendo los moldes preconizados por los que querían la "liberación del trabajo": la inmigración de colonos blancos y libres no solucionó la carencia de mano de obra para las plantaciones; por otra parte, ya en 1884, cinco años antes de la abolición definitiva, la mayor parte de los antiguos esclavos eran ya libertos: la economía riograndense, por ejemplo, ya no dependía de la esclavitud.

Hubo intentos de resolver el problema de la mano de obra en los saladeros cuando el régimen esclavista aparecía ya en decadencia. Se procuró traer inmigrantes directamente a los saladeros y se creó un sistema mixto de esclavitud y salario, que se pagaba a partir de cierta cantidad estipulada de producción. Los libertos se negaban a trabajar en los saladeros, y lo mismo ocurría con los obreros blancos (fueran nacionales o extranjeros), pues se trataba de un trabajo "manchado" por su índole y tradición esclavistas.

Para actuar como empresario capitalista, no bastaba con dejar de poseer esclavos. Era preciso redefinir valor y normas de comportamiento, y ese proceso no podía darse automáticamente.

La guerra del Paraguay tuvo cierta influencia en este proceso, si nos atenemos a las agudas observaciones de la representación diplomática francesa en Bahía: "El estado de guerra, pese a los desastres y miserias que causa, ha contribuido poderosamente al progreso de la civilización brasileña. Agudizó el descontento y, como consecuencia, hizo más necesarios la economía y el trabajo; exigió un consumo de hombres tan premioso y urgente que, en la ausencia de un sistema de conscripción, el país no pudo encontrar defensores más robustos ni más prontos que entre los esclavos liberados en masa, que forman hoy la mayoría del ejército de operaciones en el sur y formarán más tarde legiones considerables de trabajadores libres."[20] El Estado brasileño compraba constantemente negros para incorporarlos al ejército, previa liberación de los mismos.

Esta guerra, la proximidad del desastre económico y la intensa campaña abolicionista, aceleraron la desaparición definitiva de la esclavitud. En 1871 las cámaras aprobaron la ley 2 040, de libertad de vientres, estableciendo que serían libres los niños nacidos a partir de ese momento de madre esclava. Distintas medidas contribuyeron a aumentar el número de liberaciones (el emperador predicó con el ejemplo al liberar todos los esclavos pertenecientes a la corona y a la casa del soberano). Se creó un fondo de emancipación, pero el gobierno, temiendo complicaciones, vacilaba en emplearlo. La animosidad de los propietarios de esclavos fue aumentando, y cuando en 1888 se votó la ley de abolición definitiva, liberando de golpe a los setecientos mil esclavos existentes, aquéllos estuvieron prontos a apoyar subrepticiamente el golpe de estado que establecería la república el año siguiente.

Los primeros paliativos

Las dificultades para procurarse mano de obra impulsaron a buscar afuera los refuerzos que se necesitaban.

La urgencia por remplazar la corriente africana interrumpida incitó a una parte de los capitales y navíos que habían participado en la trata de negros a buscar sustitutos en otros lados. Sus métodos siguieron siendo casi tan inhumanos como en lo pasado, y los primeros pasajeros fueron víctimas de tratos que no se diferenciaban mayormente de los que habían recibido los esclavos. Desde las islas Azores y Canarias hasta las costas de Chile, fueron los últimos veleros y los primeros vapores en búsqueda de ese sustituto vital.

Las Azores y las Canarias estaban superpobladas, lo que permitía atraer con fáciles engaños a sus habitantes. La correspondencia del consulado francés en Río expresaba en 1852: "La navegación de Portugal se ha dedicado muy activamente a suplir, con emigrantes de Porto y de las Azores, el vacío causado por la extinción de la trata. Felizmente alejados de la costa africana, esta fuente impura de lucros ha cesado para ella, pero se le reprocha seguir la vía de sus antecedentes negreros en sus procedimientos con la inmigración blanca."[21]

En muchos casos una hábil propaganda logró atraer núcleos colonizadores hacia regiones donde sus condiciones de vida diferían mucho de las promesas iniciales. Por lo mismo, se suscitaron numerosos incidentes, de los que podemos citar, a título de ejemplo, una reclamación alemana ante Brasil y otra francesa frente al gobierno paraguayo. Mucho más eficaces todavía que las propagandas organizadas, eran las informaciones enviadas por los propios emigrantes a sus familiares, las cuales constituían el mayor impulso o freno para el flujo migratorio.

Pero la crisis de mano de obra era demasiado apremiante para esperar al europeo. Solamente el Río de la Plata escapó en parte a las experiencias para conseguir mano de obra de otra procedencia. Se tenía el ejemplo de Inglaterra, que al apoderarse de la India había conquistado una inmensa reserva de mano de obra. Muchos pensaron en los súbditos del superpoblado imperio chino, sometido al subconsumo endémico, agravado por periódicas sequías y crisis agrarias. Otros puntos del Pacífico ofrecían iguales atractivos. A veces, era posible lograr la afluencia de los propios hindúes, transportados desde colonias británicas. En 1877 un barco francés llegó a Río con doscientos trabajadores hindúes procedentes de la isla Mauricio. Se trataba en su casi totalidad de trabajadores libres y no de coolíes, porque los ingleses no permitían embarcar a estos últimos. Al terminar su contrato decidieron venir al Brasil, atraídos por los salarios ofrecidos. Del mismo modo llegaron a ese país los primeros emigrantes rusos menonitas (1878), pero no obtuvieron las tierras y ventajas prometidas.

Perú tuvo en 1863 un grave incidente con Francia por el transporte de varios miles de polinesios, especialmente de Tahití; los pocos sobrevivientes fueron devueltos finalmente a su lugar de origen.

Estimulados por el deseo de aumentar la producción y de resolver el problema de la mano de obra, muchos gobernantes concedieron facilidades especiales a determinados núcleos colonizadores en materia de autonomía religiosa, exención del servicio militar o convicciones ideológicas. Tal es el caso del gobierno paraguayo, cuando favoreció la instalación de una colonia socialista (Nueva Australia), formada por quienes huían de la crisis en que se encontraba Australia y que se habían persuadido de las ventajas de una organización colectivista.

El principal aporte de la mano de obra china a la economía latinoamericana se centró en Cuba, Perú, México y en Panamá, para la construcción del canal. No obstante, también otros países, como Brasil, Ecuador y Venezuela, recurrieron en parte a ella. Después de la abolición de la esclavitud, Venezuela vio languidecer sus cultivos de cacao y llegó a aprobar una ley de inmigración por la que se acordaba, entre otras concesiones, una prima de veinticinco pesos por cada chino que se introdujera en el país. El gobierno brasileño entabló negociaciones a los efectos de introducir chinos y mantuvo interés por traer colonos asiáticos, pese a lo cual solamente se inició una inmigración japonesa en 1903, que se volvió realmente importante a partir de 1928.

La documentación es muy extensa en el caso de Perú. La introducción de chinos en ese país data de 1854, cuando el general Castilla decretó la supresión del tributo de los indios y abolió la esclavitud. Esas medidas trajeron a consecuencia una intensa crisis agrícola, por falta de brazos. Se fletaron navíos que trajeron individuos de las capas sociales más pobres del pueblo chino, reclutados en los puertos; una vez llegados a El Callao, se les vendía a los agricultores, con un contrato leonino que duraba ocho años y obligaba a éstos a vestirlos, alojarlos y pagarles un sol semanal por salario; el precio de un chino subió de trescientos a cuatrocientos soles. En la década de 1850 llegaron al Perú unos 13 000 coolíes, y se calcula que murieron más de 2 000 en los viajes. De 1860 a 1874 se estima que el número de chinos llegados es de 74 952, y de 7 677 el de los muertos en la travesía. Hubo tres etapas en el reclutamiento de chinos: al principio, en los propios puertos del Celeste Imperio. Luego en Macao, porque el gobierno chino había prohibido la salida de coolíes, y, finalmente, de nuevo en los puertos chinos. La prohibición pareció obedecer a gestiones británicas; J.B.H. Martinet, en *L'agriculture au Pérou*, publicada en 1878, insinúa que la interdicción se produjo en virtud de que, bajo pretextos filantrópicos, el gobierno británico procuraba eliminar a un competidor de sus colonias en la producción azucarera. Esa prohibición produjo un golpe tan terrible a la agricultura peruana, principalmente a la producción de caña de azúcar, que se envió ante las autoridades chinas una mi-

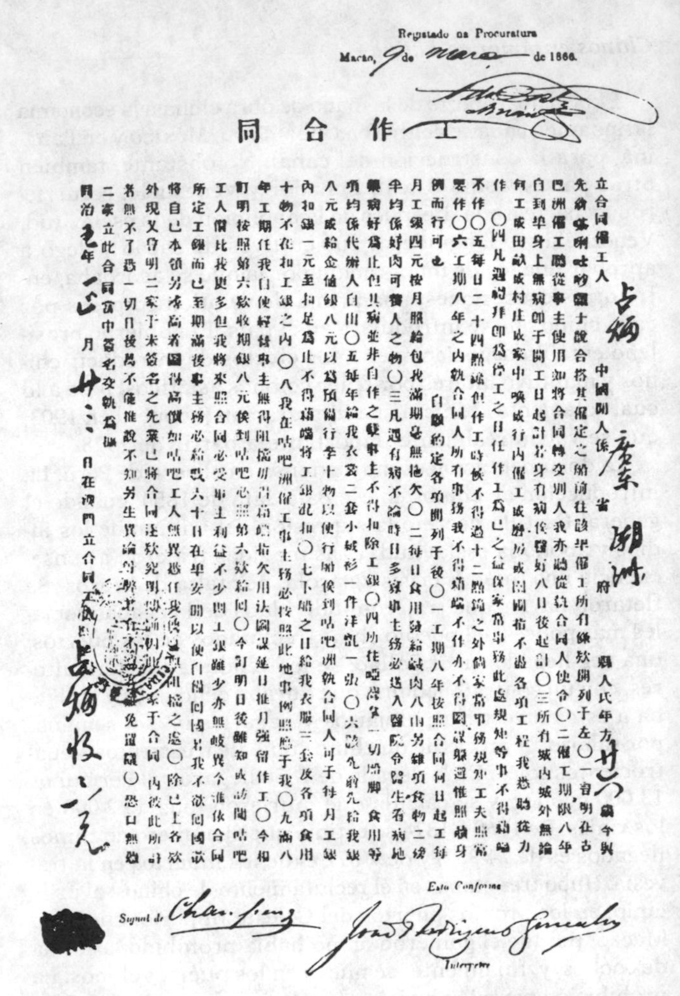

Registado na Procuratura
Macao, 9 de ... de 1866.

工作合同

立合同僱工人　　中國開人係　　省　　府　　縣人氏年方　　歲今與
先敘嗱咧吐吵嚹士說合搭其僱定之船前往該埠僱工所有條款開列于左○一言明在古
巴洲僱工聽從事主使用如將合同轉交別人我亦聽從執合同人使令○二僱工期限八年
自到埠身上無病即于開工日起計若身有病候醫好八日後起計○三所有城內城外無論
何工或田畝或村庄或家中喚或行內僱工或磨房或園圃皆不論各項工程我悉聽從力
作○四凡遇禮拜即爲停工之日任作工爲己之益係家爲事務此處規矩等事不得藉端
不作○五每日二十四點鐘但作工時候不得過十二點鐘之外倘家常事務規外工夫照常
要作○六工期八年之內執合同人所有事務我不得藉端不作亦不得圖謀躲避惟照積身
例而行可也　自願約定各項開列于後○一工期八年按照合同何日起工每
月工銀四元按月照給包我滿期毫無拖欠○二每日食用發給鹹肉八両另雜項食物二磅
半均係好肉可養人之物○三凡遇有病不論時日多寡事主務必送入醫院命醫生看病地
藥病好爲止但其病並非自作之孽事主不得扣除工銀○四所往嗱嗱一切船腳食用等
項均係代辦人自出○五每年給我衣裳二套小絨衫一件洋氈一張○六該先約先給我銀
八元或給金值銀八元以爲預備行李什物以便行船候到咕吧洲執合同人可于每月工銀
內扣銀一元至扣足爲止不得藉端將工銀混扣○七下船之日給我衣服三套及各項食用
什物不在扣工銀之內○八我在咕吧洲僱工事主務必按照此地事例照應于我○九滿八
年工期任我自便經營事主無得阻撓切言藉端指欠用法圖謀延日推月強留作工○十今相
訂明按照第六款收期銀八元俟到咕吧必照第六款給回○今訂明日後雖知或聞咕吧
工人價比我更多但我將來照合同必受事主利益不少則工銀雖少亦無岐異今准依合同
所定工錢而已至期滿後事主務必給我六十日在埠安閒以使自備回國若我不欲回國欲
將自己本領另求高着圖得高價如咕吧工人無異悉任我便[illegible]無阻撓之處○除已上各款
外現又言明二家于未簽名之先業已將合同逐款究明[illegible]于合同內彼此所計
者無不了悉一切日後萬不能推諉不知另生異論[illegible]免留礙○恐口無憑
二家立此合同當中簽名交執爲據
同治　年　月　日在澳門立合同[illegible]

Esta Conforme

Signal de

Interprete

Fig. 7a: Contrato de un culí chino, versión china

CONSTE por este documento que yo *Chang fan* natural del pueblo de *Chin Chau* en China, de edad de *26* años, he convenido con Sñr. CHS CARO en embarcarme para dicho puerto en el buque que se me designe bajo las condiciones siguientes.—

1.° —Me comprometo á trabajar en la ISLA DE CUBA á las órdenes de dicho Señor ó de cualquiera otra persona á quien traspase este Contrato, para lo cual doy mi consentimiento.

2.° —Este Contrato durará ocho años, que principiarán á contarse desde el dia que entre á servir, siempre que el estado de mi salud sea bueno, pues si me hallare enfermo ó imposibilitado para trabajar, entonces, no será hasta que pasen ocho dias despues de mi restablecimiento.

3.° —Trabajaré en todas las faenas que allí se acostumbra ya sea en el campo, ó en las poblaciones, ya en casas particulares para el servicio doméstico, ó en cualquier establecimiento comercial ó industrial, ya en ingenios, vegas, cafetales, sitios, potreros, estancias &c. Enfin, me consagraré á cualquiera clase de trabajo urbano ó rural á que me dedique el patrono.

4.° —Serán de descanso los Domingos que podré emplear en trabajar por mi cuenta si me conviniere, siempre que no sea destinado al servicio doméstico en cuyo caso me sujetaré á la costumbre del Pais.

5.° —Las horas de trabajo no podrán pasar de 12 por término medio de las 24 del dia, salvo siempre el servicio doméstico y el interior en las casas de campo.

6.° —Bajo ningun concepto podré, durante los ocho años de mi compromiso, negar mis servicios á la persona á quien se traspase este Contrato, ni evadirme de su poder ni siquiera intentarlo por causa alguna, á no ser la de redencion obtenida con arreglo á la ley.

El Señor CHS ÇARO se obliga á su vez á lo siguiente.—

I.—A que desde el dia en que principien á contarse los ocho años de mi compromiso, principie tambien á correrme el salario de cuatro pesos al mes, el mismo que dicho Agente me garantiza y asegura por cada mes de los ocho años de mi Contrato.

II.—Que se me suministre de alimento cada dia ocho onzas de carne salada y dos y media libras de boniatos ó de otras viandas sanas y alimenticias.

III.—Que durante mis enfermedades, se me proporcione en la enfermería la asistencia que mis males reclamen, asi como los ausilios, medicinas y facultativo que mis dolencias y conservacion exijan, por cualquier tiempo que duren. Y mis salarios continuarán asi mismo, salvo que mi enfermedad hubiese sido adquirida por mi culpa.

IV.—Será de cuenta del mismo Agente ó por la de quien corresponda mi pasage hasta la HABANA y mi manutencion abordo.

V.—Que se me den dos mudas de ropa, una camisa de lana y una frazada anuales.

VI.—El mismo Señor me adelantará la cantidad de ocho pesos fuertes en oro ó plata para mi habilitacion al viage que voy á emprender, la misma que satisfaré en la HABANA á las órdenes de dicho Señor con un peso al mes que se descontará de mi salario por la persona á quien fuese traspasado este Contrato, entendiéndose que por ningun otro concepto podrá hacérseme descuento alguno.

VII.—A darme gratis 3 mudas de ropa y demas utensilios necesarios el dia de mi embarque.

VIII.—A que se me conceda la proteccion de las leyes que rijan en la Ysla de Cuba.

IX.—A que transcurridos los 8 años estipulados en este Contrato, tendré libertad para disponer de mi trabajo sin que pueda servir de pretesto, para prolongar este Contrato contra mi voluntad, cualquiera deudas, empeños ó compromisos que hubiere contraido.

DECLARO haber recibido en efectivo segun se espresa en la última cláusula la suma de pesos ocho mencionados que reintegraré en la HABANA en la forma establecida en dicha cláusula.

DECLARO tambien que me conformo con el salario estipulado, aunque sé y me consta ser mucho mayor el que ganan otros jornaleros libres y los esclavos en la Ysla de Cuba, porque esta diferencia la juzgo compensada con las otras ventajas que ha de proporcionarme mi patrono y las que aparecen en este Contrato.

QUEDO impuesto que al concluir el presente Contrato se me conceden 60 dias para volver á mi pais de mi cuenta si me conviniere, ó para buscar acomodo con el patrono que me sea mas util y con el mayor salario que se dice en el anterior artículo ganan los trabajadores en Cuba, segun mi capacidad ó aficion al trabajo ú oficio que me pueda proporcionar.

Y en cumplimiento de todo lo espuesto arriba, declaramos ademas ambos contratantes que antes de poner nuestra firma hemos leido por la última vez detenidamente todos y cada uno de los artículos anteriores, y que sabemos perfectamente los compromisos que hemos contraido mutuamente á fin de que en ningun tiempo, ni por ningun motivo pueda arguirse ignorancia ni haber lugar á reclamos, escepto en el caso de faltar á cualquiera de las condiciones estipuladas en este Contrato.

Y en fe de lo cual firmamos ante testigos el presente documento ambos contratantes en Macao, á *9* de *Marzo* de 1866

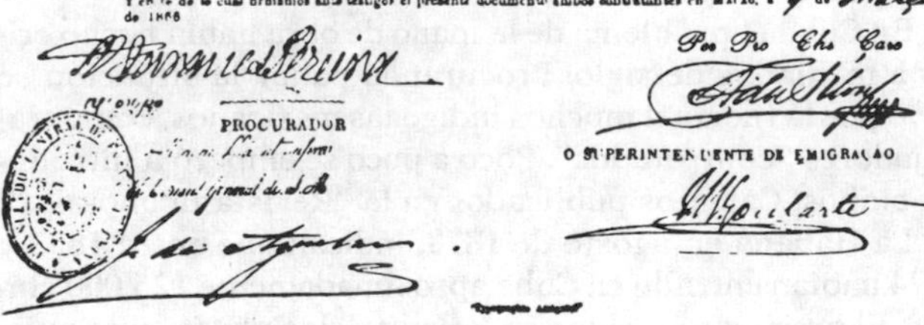

Fig. 7b: Contrato de un culí chino, versión española

sión especial (García y García) para que se permitiera reanudar el tráfico.

Charles d'Ursel, en su libro *Sud Amérique*, publicado en 1874, cuenta que la entrada de chinos a Perú había sido muy superior a lo que declaraban las cifras oficiales, y que éstos habían caído en una verdadera servidumbre al consentir en enajenar su libertad por ocho años, plazo que los empresarios renovaban generalmente a los sobrevivientes del primer contrato, haciéndoles contraer deudas o por otras artimañas. "Casi todas las explotaciones agrícolas se sirven únicamente de esos trabajadores, y en Lima se les encuentra como domésticos, cocineros, mozos de cordel, etc., desempeñando, en una palabra, todos los oficios."

La enorme disparidad de su cultura con la del medio ambiente, la explotación a que se les sometía y la característica tan distinta de su idioma, hacían que los chinos permanecieran totalmente al margen de la vida nacional. Adoptaban a veces actitudes de rebeldía abierta; en 1870 la correspondencia francesa de Lima informa, por ejemplo, que una nueva insurrección de chinos acababa de estallar en el interior: unos cuatro mil coolíes habían asesinado a los administradores de varias haciendas y hasta a algunos viajeros, retirándose hacia la montaña ante las fuerzas que la administración central dirigió contra ellos. Se aprovecha para destacar que, sin los chinos, la agricultura no sería posible sobre la costa, y que la llegada incesante de coolíes venía a reforzar el personal de las explotaciones.[22]

En Cuba el problema de la mano de obra había hecho crisis a mediados de siglo. Procurando paliar la situación se llevó por la fuerza a muchos indígenas mexicanos, como trabajadores "contratados". Poco a poco se empezó a introducir chinos. Cálculos publicados en la "Revista Económica" de La Habana en agosto de 1878, indican que entre 1853 y 1874 habían entrado en Cuba aproximadamente 125 000 chinos. El precio de un chino en la capital de Cuba (o, si se quiere, los derechos a usar de su "contrato") variaba entre 100 y 400 dólares. Las condiciones de existencia acortaban su vida. Un censo realizado en 1861 dio el guarismo de 34 834 asiáticos en Cuba, y otro de 1877 lo aumentó a 40 327. La diferencia entre los datos de estos censos y el cálculo hecho en la "Revista Económica" puede tener relación con las dificultades para su registro en muchas zonas rurales, así co-

Fig. 8: Culíes chinos en Cuba, dibujo de Pelcoq, según una fotografía

mo con los altos índices de mortalidad existentes entre los trabajadores chinos.

El éxito de la introducción de chinos en Perú determinó a muchos hacendados mexicanos procurarse trabajadores de ese origen. Numerosas controversias y polémicas periodísticas provocó esa medida: hacia 1890, por ejemplo, eran frecuentes las quejas de que la competencia de los trabajadores chinos abarataba el ya bajísimo salario mexicano; muchos sectores instaban a seguir el ejemplo norteamericano y prohibir esa inmigración, y se llegaron a producir actos de violencia contra los amarillos.

Comienzos de la gran inmigración europea

Muchos gobernantes latinoamericanos, influidos tal vez por el éxito de la inmigración en los Estados Unidos y animados por una gran esperanza en las posibilidades del europeo, hicieron desde muy temprano planes para el traslado de emigrantes y su fijación en colonias. La inmigración masiva empezó en 1870 para la Argentina y poco después hacia Brasil (en ambos países se instalarán más de tres millones de inmigrantes en el primer período, es decir desde mediados del siglo XIX hasta la crisis de 1929). En relación con lo reducido de su territorio y de la población existente, el Uruguay recibió contingentes en proporciones aún superiores. Aunque en grado mucho menor, a Chile también ingresaron cantidades significativas de inmigrantes. El resto de América Latina conoció este fenómeno, pero en escala más reducida. Esta localización preferencial de los inmigrantes en la parte sur del continente obedeció a una serie de factores, entre los cuales hay que señalar: la semejanza del clima de estas zonas con el de los países de emigración y el desarrollo rápido de los sistemas de transporte que permitió la explotación de vastas regiones hasta entonces despobladas, hecho que, a su vez, provocó una mayor demanda de mano de obra (lo que no pasaba, en cambio, con otros países latinoamericanos donde la relación hombre/espacio era mucho más desfavorable).

Interesa saber algo acerca de las características de esa migración, ya que se registran variantes con el caso norteamericano. Allí la inmigración masiva comenzó antes y presenta algunas diferencias en su procedencia y en la manera de arraigar al nuevo suelo. Se trataba en este caso de ir a un país de grandes riquezas e inmensos territorios, dispuesto a incorporar una población capacitada para el trabajo y que se encontraba en los niveles de edad óptimos para producir. La aprobación de la Homestead Act, en 1862, durante la presidencia de Lincoln, permitió fomentar la colonización agrícola facilitando el acceso a la propiedad de la tierra a quien estuviera dispuesto a trabajarla. La expansión paulatina de la frontera permitió en los Estados Unidos ir haciendo de los recién llegados nuevos propietarios. En cambio, el predominio del latifundio en América Latina lo hizo mucho más difícil. Otra diferencia emana de los grados de capacitación técnica de los inmigrantes. No es de extrañar que los mejor capacitados prefirieran dirigirse hacia los Estados Unidos, por el grado de desenvolvimiento económico de esa región que se va transformando en el paraíso de los técnicos especializados. Esto mismo podría explicar la preferencia migratoria hacia allí de quienes procedían de regiones más desarrolladas de Europa, como por ejemplo Escandinavia y las Islas Británicas.

Pero América Latina necesitaba mano de obra, y mucho más que los planes algo utópicos de los primeros momentos, serán las condiciones económicas creadas a partir de la década de 1870 las que favorecerán ese traslado masivo.

Entre los inmigrantes figuraban en alta proporción los excedentes de población que los cambios de la economía italiana y española, principalmente, arrojaban de los campos; a ellos se sumarán hombres de otros países, en particular diversas minorías desplazadas en ese tiempo por la política europea (polacos, franceses del sur —principalmente vascos—, portugueses —que se vuelcan hacia Brasil aprovechando la comunidad idiomática—, minorías alemanas procedentes de Rusia, judíos de diversos países, etcétera).

La inmigración presentaba dos formas fundamentales: espontánea y subvencionada. El segundo caso fue la consecuencia de un interés oficial por el traslado, principalmente de agricultores, para lo que se organizó campañas de reclutamiento, se subvencionó los pasajes y se vigiló, al menos en teoría, la inserción del recién venido en los cuadros de la producción.

Pero la gran emigración europea hacia América Latina

fue en lo fundamental una respuesta a las posibilidades económicas que ofrecía el medio, más que a los cuidadosos proyectos de fácil formulación y raro cumplimiento. Es cierto que estas grandes masas modificaron sustancialmente las regiones que poblaron. Pero mientras que se les había llamado para llenar zonas rurales, terminaron fortaleciendo el crecimiento urbano; se esperaba demasiado de su arraigo en la producción agrícola y se subestimaron demasiado las dificultades provenientes del sistema de gran propiedad de la tierra.

No resulta aconsejable, en el análisis de las consecuencias de la inmigración en América Latina, dejarse influir por la imagen de los resultados de la inmigración en los Estados Unidos. Si bien en América del Sur la inmigración masiva fue un elemento fundamental para la expansión económica en un primer momento, contribuyó también a distorsionar aún más la estructura social, distorsión cuyos síntomas más evidentes son la existencia de un sector terciario hipertrofiado y una gran urbanización sin modificación previa de las estructuras del campo, en donde siguió predominando el latifundio.

En Brasil, el movimiento inmigratorio tiene raíces bastante antiguas. Se podría decir que empieza en 1808, cuando el traslado de la corte portuguesa a Río y la apertura de puertos al comercio. Sin embargo, no es hasta mediados del siglo XIX cuando empieza a cobrar real importancia, culminando entre los años 1888 y 1914.

Las fluctuaciones de la inmigración estuvieron estrechamente ligadas a la suerte del sistema esclavista en Brasil: cuando se reduce éste, aumenta la inmigración y se fija de preferencia en las zonas menos marcadas por ese régimen de trabajo (es decir la parte sur del país: Río Grande del Sur, Santa Catarina, Paraná), o donde tiende a desaparecer aceleradamente (estado de San Pablo).

La política de fomento a la inmigración se debió tanto a iniciativas oficiales como privadas. En el primer caso, las autoridades pusieron el énfasis en la creación de colonias, localizando a los inmigrantes en pequeñas propiedades agrupadas en núcleos, con el fin de poblar nuevas zonas y constituir en lo futuro una fuente de mano de obra independiente.

Una de las primeras experiencias al respecto fue la creación de San Leopoldo (Río Grande del Sur) en 1824, con 126 colonos traídos de Alemania. De ahí, los colonos al poco tiempo se esparcieron, creando nuevas colonias en todo el estado, instalándose cada vez más al norte hasta llegar al estado de Paraná; el gobierno, que no poseía tierras en esos lugares, tuvo el acierto de comprarlas a los propietarios brasileños para dividirlas y concederlas a los nuevos colonos. Hacia mediados de siglo se intensificó la llegada de colonos procedentes de Alemania, luego se redujo bruscamente a raíz de la promulgación, en 1859, del decreto Von Heydt, que prohibió la emigración alemana hacia el Brasil. No obstante esa medida, la colonia alemana del sur de Brasil siguió aumentando; se caracterizó por su esfuerzo intensivo y, al mismo tiempo, por ser los inmigrantes menos inclinados a una rápida asimilación. En la corriente inmigratoria comenzaron luego a predominar contingentes de otras nacionalidades, en especial italianos.

Los primeros colonos conocieron las dificultades del aislamiento, la falta de mercados, los malos caminos y los transportes costosos. Pero el precio de la tierra era bajo y los inmigrantes se transformaban rápidamente en propietarios. Ayudados por la navegación fluvial primero y luego por los ferrocarriles, fueron mejorando paulatinamente su situación. Así fue surgiendo una democracia rural de pequeños propietarios, que se extendía desde el estado de Río Grande hasta los de Santa Catarina y Paraná, favorecida tal vez por la inexistencia de una clase de grandes terratenientes que pudiera aprovecharse del trabajo de los inmigrantes, como ocurría en otras regiones. En efecto, las tentativas de implantar colonias en el norte y nordeste del país fracasaron, en gran parte por la falta de tierras repartibles y la perduración del sistema esclavista.

En el estado de San Pablo, la inmigración tuvo características diferentes. Si bien se crearon algunas colonias, especialmente alrededor de la capital, la política inmigratoria tendió a concentrarse en proporcionar mano de obra para el trabajo agrícola y no a crear una pequeña clase media de propietarios rurales. Es que ahí, la desintegración progresiva del régimen de esclavitud, en pleno auge del cultivo cafetero, hacía más aguda la falta de brazos, y los inmigrantes aparecían como una mano de obra suplementaria o sustitutiva del esclavo. La iniciativa en cuanto a la importación de esa mano de obra estuvo principalmente en manos particulares pero fue también estimulada por las autoridades del estado. Una de las primeras tentativas por iniciativa particular fue la del senador Vergueiro, un gran plantador de café que decidió contratar directamente trabajadores en Europa. Consiguió que el gobierno financiara el transporte y trajo 80 familias alemanas a su hacienda, hacia 1847. A diferencia de la política de colonización que venía haciendo el gobierno imperial en las regiones del sur desde décadas atrás, él denominó colonos, pero no transformó en propietarios, a esos obreros inmigrados que debían trabajar en su plantación (por extensión, en lo futuro todo trabajador extranjero sería llamado colono en San Pablo, aunque fuera un obrero agrícola).

Los colonos del senador Vergueiro habían firmado, a su partida de Alemania, un contrato de mediería. Recibían, para cuidar, plantas de café en edad de producir, y la cosecha se dividía por partes iguales. El patrón había adelantado el dinero para el viaje y los primeros gastos de instalación, por lo que el pasivo de los colonos crecía; pero el contrato establecía que ninguno de éstos podía retirarse de la plantación mientras tuviera deudas: de ahí que cundiese el descontento entre los colonos.

A partir de 1852, la experiencia de Vergueiro fue encontrando imitadores. En 1857 se habían creado cerca de 41 colonias; en 1875 cerca de 90. Ese cuarto de siglo constituyó lo que en San Pablo se llama la era de la colonización privada, a diferencia de la posterior, subvencionada, que es la más importante.

Poco a poco el contrato de mediería tendió a desaparecer. La situación de los colonos mejoraba a medida que se extinguía el régimen esclavista. Los poderes públicos brasileños comenzaron a ocuparse de introducir, en beneficio de los grandes propietarios, una clase nueva de trabajadores rurales. Mediante un sistema de subsidios, favorecieron la inmigración, a fin de satisfacer las necesidades de mano de obra creadas por la rápida expansión del cultivo del café. Hasta la ley de 1889, predominó el sistema de contratos: el Estado contrataba con un empresario la introducción de determinado número de inmigrantes. El principal defecto del sistema consistía en que, con tal de llegar al número requerido, el empresario se despreocupaba de las aptitudes del inmigrante, y así vinieron muchos que no eran aptos para las tareas agrícolas. El nuevo régimen creado por la ley de 1889 era distinto: se fijaba por decreto, cada año, el número de inmigrantes que serían subvencionados, y dentro de esa cifra toda compañía de navegación estaba autorizada a transportar inmigrantes en tercera clase, por cada uno de los cuales recibiría una prima, siempre y cuando fueran agricultores.

De 1887 a 1906 San Pablo recibió más de 1 200 000 inmigrantes. Se trataba de obtener la venida de los hombres con sus familias, para evitar los peligros del retorno. El Estado actuaba de intermediario entre los dueños de las haciendas y los inmigrantes, procurando establecer garantías recíprocas. Gracias a éstas, hubo posibilidades de ganancia suficientes para los colonos como para que continuase el flujo constante de nuevos inmigrantes. Entre los que estaban, predominaba la tendencia al cambio frecuente de hacienda y, al cabo de cierto tiempo, muchos de ellos fueron a engrosar los centros urbanos intermedios y la propia ciudad de San Pablo, cuyo índice de crecimiento anual a fines del siglo XIX llegó a superar al de Chicago en sus mejores tiempos.

Los progresos de la inmigración hacia San Pablo estuvieron en estricta correspondencia con la expansión y buena comercialización de la producción de café. El primer año en que la estadística de migración reveló un excedente de salidas sobre entradas fue en 1900, hecho que se repitió en 1903 y 1904 por la baja de los precios del café causada por la sobreproducción; algunos inmigrantes represaron a Europa y otros se trasladaron a la República Argentina.

En el campo económico y social, el impacto de la colonización fue grande en las regiones donde más se desarrolló. Los núcleos originales de colonos se transformaron progresivamente en ciudades; las actividades artesanales del principio fueron tomando mayor amplitud y en muchos casos sentaron las bases de pequeñas industrias en esas ciudades del interior. En cambio, como se ha visto, el aporte de la inmigración propiamente dicha fue sobre todo el permitir paliar la falta de brazos para los trabajos agrícolas y, poco a poco, industriales, en el caso de San Pablo. No será sino a principios del siglo XX que se favorecerá la entrada de trabajadores especializados, a medida que irá tomando auge la industrialización del país.

En Argentina, el impacto de la inmigración sobre la estructura demográfica fue decisivo como solución momentánea al problema de la mano de obra que la expansión económica requería; entre los inmigrantes predominaban los grupos de edades aptos para el trabajo, y había neta mayoría de hombres sobre mujeres. Un estudio detenido de la inmigración en este país[23] demuestra que:

— hay una correlación positiva entre radicación de extranjeros y crecimiento demográfico en las distintas zonas del país. El análisis de los censos de población revela que, en un primer período (entre los censos de 1869 y 1875), la correlación entre crecimiento de la población rural y crecimiento de la población extranjera es mayor que en el período cubierto por censos posteriores (1875 y 1914). En este último caso, la correlación más significativa se establece entre crecimiento de la población urbana y crecimiento de la población extranjera, lo que debe tomarse como nueva prueba de la tendencia que manifiesta la inmigración extranjera a incorporarse a los centros urbanos.

— la proporción de extranjeros es mayor en las provincias de producción agrícola que en las de producción ganadera, si se considera la población rural. Incluso, en muchos casos, el vuelco de ciertas provincias a la actividad cerealera coincide con la entrada del extranjero, como en Santa Fe, Entre Ríos, Corrientes o Córdoba. En otras, como Mendoza a partir de 1890, la llegada de los inmigrantes impulsa el desarrollo de actividades agrícolas nuevas como la vitivinicultura.

— en general, la proporción de extranjeros es directamente proporcional al grado de urbanización de cada zona.

Puede considerarse que el proceso de integración del inmigrante al medio argentino se hizo en dos etapas. En la primera, hasta 1880, la inmigración se inició con el plan de crear una colonización de pequeños propietarios. En eso, la República Argentina no tuvo el mismo éxito que Brasil, seguramente por la falta de tierras disponibles: las enormes extensiones conquistadas a los indios pasaron casi de inmediato al sistema de explotación latifundiario. Con todo, en provin-

Fig. 9: Emigrantes italianos en Buenos Aires, 1904

cias del Litoral como Entre Ríos y Santa Fe, la pequeña propiedad vinculada al cultivo cerealero llegó a tener importancia; también se desarrolló en algunas regiones pioneras, como el Chaco y Misiones (al extremo nordeste) o Chubut (al sur), aunque sin alcanzar los mismos niveles.

Un aspecto interesante de la colonización agraria en la Argentina fue la organización, bajo el patrocinio de la Jewish Colonization Association (fundada en 1891), de numerosas colonias agrícolas judías. Esta institución, gracias al apoyo financiero del barón Hirsch, dirigió la emigración judía desde Rusia y otras regiones de Europa para fijarla a la tierra y dar origen a una serie de importantes centros poblacionales, entre los cuales la actual ciudad de Moisesville, en Santa Fe. Se trataba de un plan anterior al movimiento sionista de la vuelta a Palestina.

La primera colonia agrícola importante estuvo constituida por familias suizas y se fundó en La Esperanza (Provincia de Santa Fe) en 1856. A partir de 1870, la prosperidad de la explotación cerealera y la inauguración de ferrocarriles fomentó la instalación de colonias; se adjudicaron chacras de unas 30 hectáreas a cada familia, a pagar en plazos de 3 a 10 años. En 1878, por primera vez, las exportaciones de trigo fueron superiores a las importaciones, y ese crecimiento —que continuó hasta principios de la década de 1910— fue tan intenso que se llegó a pensar que amenazaría a la producción norteamericana. Pero el nuevo empuje del pastoreo (por el auge de la exportación de carne merced a los frigoríficos), redundó en perjuicio de esta colonización.

Otros hechos se aprecian a la postre que, en vez de contribuir al arraigo total del inmigrante a la tierra, le incitaron a engrosar la población de las ciudades. Por un lado, la unidad de producción familiar que los primeros planes habían calculado, resultó demasiado pequeña; en segundo término, los inmigrantes agricultores cayeron de una u otra manera en las redes del gran terrateniente que procuraba, según la gráfica expresión de la época, "echarle gringos a la tierra". Éste arrendaba a los colonos tierra en extensiones mayores (200 hectáreas por familia), con obligación de dejar el suelo sembrado con alfalfa al terminar, a los tres años, el contrato. Se trataba de un sistema precario que acrecentó momentáneamente la producción cerealera, pero sin arraigar al colono a la tierra y que favorecía a la postre un mayor auge del pastoreo latifundista. El medianero y el arrendatario sustituyeron así al colono propietario e independiente, y éste terminó muchas veces por incorporarse a los centros urbanos en continuo crecimiento, donde cambió de actividad, dedicándose primordialmente al comercio. En la segunda etapa, posterior a 1880, la política inmigratoria se limitó a tratar de proporcionar una mano de obra abundante para conseguir una producción agrícola masiva, lo que acentuó todavía más la tendencia del inmigrante a huir hacia la gran ciudad.

En cuanto a la actividad productiva, podemos dividir a los inmigrantes europeos en tres grupos fundamentales: mano de obra no calificada, obreros especializados y técnicos, y empresarios. Durante este período, la evolución económica argentina necesitó mano de obra abundante en el primer grupo, ante el auge de la producción cerealera, la extensión de las vías férreas y el incremento de la construcción urbana. La demanda de obreros especializados y técnicos estuvo limitada, dado que el crecimiento de la producción correspondió principalmente al de las actividades agropecuarias. La riqueza producida por la expansión agrícola y ganadera se perdía en fletes, comercialización desfavorable y gastos suntuarios de los grandes latifundistas, quedando una mínima parte para invertir en bienes de capital; la demanda de técnicos y obreros especializados quedaba, pues, sumamente reducida. En cambio, puede afirmarse que los gastos desmedidos en construcciones urbanas, públicas y privadas, y todo el consumo suntuario que no dependía directamente de la importación (por cierto muy importante), proporcionaron abundante ocupación al europeo.

Respecto al tercer rubro, actividad empresarial de los inmigrantes, resultaba del encuentro entre las posibilidades del medio y la capacidad, iniciativa e impulso de ascenso social de aquéllos. Debe reconocerse a la actividad empresarial de los inmigrantes una muy alta contribución a la aparición de la industria argentina, en particular si se interpreta con optimismo los guarismos de los censos. De un primer análisis surge que, en 1895, de 24 114 propietarios de industrias, el 81,83% era extranjero; las cifras correspondientes al censo de 1914, indican que, de 47 246 propietarios, el 64,30% era extranjero. Pero no se trataba de una industria fabril, sino que existía neto predominio de las industrias extractivas y de alimentación. Descontando la importancia de los frigoríficos, se produce el auge de ciertos establecimientos industriales destinados tradicionalmente a la construcción, la alimentación y la vestimenta. Después de la crisis mundial de 1890, la pobreza y la estrechez causada por la misma parecen haber contribuido a desarrollar cierta industria liviana, particularmente en la provincia de Buenos Aires. Surgieron así refinerías, destilerías, fábricas de cerveza, de papel y otros establecimientos equipados con maquinaria, técnica y mano de obra europeas.

Para lograr una expansión económica sin desarrollo, hubiese bastado la simple afluencia de mano de obra y un número insignificante de trabajadores especializados. Pero ejercieron su influencia en otra dirección una serie de fuerzas que corresponde analizar. La incorporación de importantes contingentes de gran movilidad ocupacional y vertical y un alto grado de iniciativa, creó condiciones para un desarrollo eventual. La inserción, empero, de esa masa deseosa de ascenso social y mejora del nivel de vida, en un medio que no transformó sus estructuras económicas y sociales, la fue empujando hacia la vida urbana, las actividades comerciales y otras que corresponden a ese sector terciario, artificial e hipertrofiado, al que ya hicimos referencia. La posibilidad para los inmigrantes de dedicarse al comercio, en una línea que empieza por el buhonero y termina con los imperios de los grandes mayoristas, afectó mucho la evolución económica. Los inmigrantes aprovecharon para ello la experiencia adquirida y a veces hasta el apoyo de sus connacionales, las facilidades para empezar sin riesgo ni grandes capitales y ciertas veces hasta utilizaron su conocimiento de lo que era un proceso inflacionario. No en balde muchos de ellos serán quienes salgan mejor parados ante estos procesos, porque los aprovecharán en sus especulaciones.

En la estructura social, la aparición del inmigrante no afectó la situación ni los intereses de las tradicionales clases altas terratenientes. Los recién llegados, animados de propósitos de mejoramiento y ascenso, contribuyeron a crear una serie de canales subsidiarios que introdujeron novedades pero que a la vez dejaron intactas las estructuras tradicionales. El inmigrante estuvo siempre dispuesto a probar nuevos caminos para mejorar su situación. Los datos provenientes de los censos no ponen en evidencia la imagen de la gran movilidad que desplegaban en materia de ocupaciones. Tomemos un caso extremo, pero ilustrativo: en un libro publicado en 1912, F. Serret, inmigrante francés, nos cuenta que su primer empleo en Buenos Aires fue el de desbardador en una fundición, y que tras una breve conversión en pintor de letras, oficio que no conocía, tentó suerte en la enseñanza de matemáticas y francés; termina esta experiencia también efímera haciéndose changador de bolsas de maíz en Zárate, pero sólo por dos días; pasa a ser mecánico de un aserradero en Córdoba, tendero, panadero y conductor de mulas, minero en Salta, empleado de farmacia, tapicero y, más tarde, pintor de arte, cocinero en la Quiaca para acabar finalmente como ingeniero, cargo al que llega por un aviso en la prensa y para el que demuestra los mismos conocimientos que para los anteriores.

El impulso ascensional de los inmigrantes constituyó la más fuerte presión tendiente a la formación de la clase media y en algunos casos a la de grandes fortunas.

En Chile debe mencionarse una colonización alemana de cierta importancia en la región de Valdivia, iniciada a mediados del siglo XIX; en el Uruguay, la instalación de núcleos en las ricas tierras de la zona suroeste (actual departamento de Colonia) y en la periferia de la ciudad de Montevideo (zona rural del departamento de Montevideo y Canelones), pero sin mayor organización ni apoyo oficiales.

En general, muchos países concibieron planes utópicos de remedar el ejemplo norteamericano y de sustituir al criollo por laboriosos campesinos europeos, pero olvidaron que su éxito estaba condicionado por una modificación total y previa de las estructuras agrarias, que resistían al cambio y solían acoger al inmigrante como un simple refuerzo de mano de obra para la explotación tradicional.

6. Las formas de la europeización

La europeización como proceso de aculturación

Los progresos en los medios de comunicación y las relaciones de dependencia económica respecto a la Europa industrializada no pudieron menos que influir poderosamente sobre la vida latinoamericana, intensificando un contacto de culturas que se caracterizó por el creciente predominio de los patrones europeos. Como antes, durante el período de la conquista, se dio el caso de un trasplante cultural con una cultura donadora dominante y otra receptora que aparece subordinada. Debe insistirse en dos puntos fundamentales:

1) Como bien lo ha señalado George M. Foster, dos sistemas culturales completos nunca se ponen en pleno contacto, ya que se ejercen procesos paralelos de tamización, intermediación e interpretación.[24]

2) Las diferencias más notorias entre el proceso de aculturación del período de la colonización hispano-portuguesa y el que ahora estudiamos, consisten en:

a) en cuanto a los modelos, en vez de inspirarse en los patrones ibéricos, América Latina se orientará hacia los que proceden de la Europa industrializada y muy particularmente de Francia;

b) en cuanto a los intermediarios, ha desaparecido el "conquistador" peninsular y aumenta el papel de las élites criollas;

c) en lo que se relaciona con los ritmos del contacto, ahora serán notoriamente más acelerados, merced a la revolución en los medios de comunicación;

d) se desdibuja aquella actitud misionera que la conquista había adoptado hacia los indígenas (no sin algunos resultados positivos) al tiempo que los explotaba;

e) al contrario de la época de la conquista, cuando la participación mayor en el proceso de aculturación correspondió a hombres de la Iglesia, se registra ahora una intensificación del papel de los laicos, no pocos de los cuales tienen, por otra parte, una marcada orientación anticlerical.

Hay también diferencias entre la europeización que se da en este período en América Latina y en otras zonas del planeta, que eran o son colonizadas en ese entonces por las potencias occidentales: lo característico del mundo latinoamericano fue la fuerte intermediación de las élites criollas; en sus resultados, además, el proceso de aculturación no culminará en una total "occidentalización", pero tampoco en el mantenimiento de resistencias culturales suficientes para que las culturas doblegadas fueran lo bastante impermeables a una progresiva asimilación posterior (las resistencias no generaron otra cosa que manifestaciones aisladas y nunca llegaron a transformarse en movimientos de reivindicación nacionalista de los colonizados).

Derrota y marginalización de las culturas indígenas

La admiración que despertaba el poder de la técnica y de la expansión de lo europeo fue creando una falsa perspectiva cuyas consecuencias, generalmente imprevistas, dieron nuevo fortalecimiento a las teorías racistas. Contribuía a esto la aplicación del darwinismo a la vida social y la defensa del principio de la mayor energía vital de determinados pueblos. Los postulados racistas serán empleados frecuentemente para justificar la expansión sobre las áreas de culturas consideradas inferiores o "salvajes"; se hacía hincapié en que no todos reaccionaban satisfactoriamente frente al trabajo asalariado y la libre empresa. En América Latina esos principios se tradujeron en el desprecio y la discriminación contra las culturas indígenas y negras; tanto fue así que podemos decir que el anhelo inconsciente de muchos consistió en remplazar la mayoría de la población del continente por inmigrantes de procedencia europea.

Indios y negros constituían, para los racistas de entonces, razas inferiores, perezosas, degeneradas, porque no respondían positivamente a la nueva demanda de aumento de la producción. El choque de culturas afectó particularmente a los limitados núcleos de sobrevivencia indígena independiente, cuyas tierras despertaban las ambiciones de muchos. Las manifestaciones de ese conflicto se presentaron bajo forma de antinomias: oposición de cristianos contra infieles, defensa de la idea de la propiedad privada contra quienes la ignoraban, impulso trabajador y competitivo de una sociedad que se va adaptando progresivamente a la economía capitalista, frente a la indolencia y falta de estos estímulos en otros sistemas sociales.

Comentando la falta de mano de obra para la excavación del canal de Panamá, decía M. Verbrugghe en 1879: "El indio se pliega mal a las exigencias de un trabajo regular; le falta la fuerza física y la fuerza moral; marcha sin descanso en sus selvas, acecha inmóvil todo un día los peces de sus ríos, pero rehúsa agacharse para cavar la tierra."[25] Y J. Martinet había escrito un año antes, en relación con Perú: "El indio, desde que se le suprimió el tributo, se abandonó a su goce de predilección, la pereza, y no teniendo que pagar nada vivió en una completa independencia en cuanto al trabajo, porque sus necesidades muy limitadas no reclaman una gran tarea para satisfacerlas. Vivió entonces sin ambición, en medio del ocio, del vicio, de la ignorancia y de la superstición."[26]

Desde el punto de vista racista, el rechazo del régimen del salario y de las posibilidades de la nueva economía era interpretado como resultado de un atavismo biológico. Una opinión confirmatoria más de esta corriente la extraemos de las memorias de viaje de E. Grandidier, de 1861, que también comenta las consecuencias de la supresión del tributo que pagaban los indios de Perú antes de la presidencia del mariscal Castilla, y agrega: "Los indios, descendientes de la raza que gobernaban los sucesores de Manco Cápac, son como los negros, esencialmente perezosos; y la facilidad que les ofrece la fertilidad del suelo para recoger sin pena las sustancias alimenticias suficientes a sus necesidades mantiene esta apatía y este amor del *far niente*. Mientras que la República les impuso un tributo, debieron vencer su molicie natural y buscar, en el cultivo del suelo y el arrendamiento de sus servicios, los medios de procurarse las sumas exigidas por el Estado; pero una vez libres de este impuesto, recayeron en su indolencia natural y la agricultura se vio privada de sus principales recursos." Más adelante, el autor narra su recorrido por el interior de Perú, hacia Bolivia, y se queja de la escasa hospitalidad que le habrían concedido los indígenas. "Reconocí entonces una vez más —señala Grandidier— la feliz influencia de esta amenaza del bastón, verdadero talismán en la Cordillera. ¿Queréis una gallina o un guisado para vuestra cena, deseáis forraje para vuestras mulas o cualquier otro objeto? La amenaza del bastón será suficiente para hacer aparecer el objeto pedido. Llegaréis a casa del indio, luego de una jornada fatigosa, cansado y muerto de hambre; no obtendréis ningún alimento sin el bastón, aun si ofrecéis diez veces su valor."[27]

No todos los viajeros europeos de la época se dejaron arrastrar por la corriente racista dominante. Charles d'Ursel, por ejemplo, escribía en 1879, a propósito de Bolivia: ". . .En cuanto al pueblo, se compone de indios que trabajan, no tienen ningún bienestar, están privados de los beneficios de la educación y de la civilización y pertenecen, como verdaderos siervos, sea a los grandes propietarios, sea al Estado. Por un extraño contraste, una ley declara elector y, por consiguiente, ciudadano, a todo hombre que sepa leer y escribir; pero apenas hay indios en ese caso, por la razón bien simple de que no hay escuelas para ellos. Manteniendo esta población en la ignorancia, el gobierno persigue un propósito fiscal, porque el indio no elector está obligado a pagar anualmente un impuesto único de veinte francos por cabeza."[28]

También en esa época Hugues Boulard había llegado en su *Notes sur la république de l'Équateur* a análogas conclusiones con respecto a la situación del indio en ese otro país: "La servidumbre legal ha desaparecido en Ecuador, pero los indios empleados en las fábricas y en las explotaciones agrícolas están atados a ellas, con sus familiares, por lazos que no pueden romper. Por medio de adelantos, que los colocan en la imposibilidad de rembolsar, y de sutilezas jurídicas, se encuentran hoy tan esclavos como en lo pasado. Sus salarios son insignificantes: cincuenta centavos por día, de los que se retiene una parte; su alimento es de los más bastos. Un terreno no vale aquí más que por el número de indios que se encuentran ligados a él; éste es un capital indispensable para su explotación. La repartición del suelo cultivado de Ecuador en dominios inmensos, enfeudados a órdenes religiosas o pertenecientes a algunas familias privilegiadas, es una de las causas principales que se oponen al desarrollo de la agricultura en este país."

A la población indígena no se le presentaba otra alternativa que someterse a la explotación más aguda o replegarse hacia las selvas del trópico, hacia los territorios fríos del sur o las tierras más pobres de la montaña. La suerte que corrió en definitiva en los distintos países varió según el grado de aculturación de los indígenas logrado en el período colonial y la situación especial en que se encuentran al empezar la vida independiente (asimilación del cristianismo, ocupación de tierras bajo la forma de "comunidades", prestación de mano de obra a las oligarquías propietarias criollas en condiciones de semiservidumbre).

Uruguay, por ejemplo, resolvió de una manera radical el problema indígena, exterminando los últimos núcleos que no se habían adaptado.

Para entender la situación diferente que prevaleció en Chile después de la independencia, debe tenerse en cuenta la existencia de dos zonas fundamentales: la primera de ellas al norte del Bío-Bío, donde predominó el mestizo y donde el indio como tal desapareció; más al sur, los territorios dominados por los araucanos, que resistieron la penetración española y también, después de la independencia, la chilena. Los araucanos se levantaron varias veces en armas a lo largo del siglo XIX (la principal insurrección comenzó en 1859), a causa de las diversas presiones que se ejercían contra ellos (colonización extranjera, apoderamiento de extensas tierras mediante fraudes y engaños cometidos por particulares y jefes de las guarniciones fronterizas). Poco a poco quedaron sometidos políticamente; la construcción de vías de comunicación, fundación de ciudades y la progresiva implantación del régimen de propiedad privada de la tierra afectó notoriamente la condición del indio, pese a lo cual aún en nuestros días sobreviven comunidades indígenas importantes en Chile.

Un caso parecido es el de los indios de las pampas argentinas. La expansión de las explotaciones ganaderas, amparada por una línea de fortines defensivos, había rechazado a los indígenas cada vez más al sur. Aprovecharon la guerra de la Triple Alianza o del Paraguay (en la que Argentina, Brasil y Uruguay luchan contra Paraguay) para extender sus correrías; una parte de ellos llegó a constituir una especie de imperio bajo la dirección del cacique Calfucurá, capaz de aliarse o guerrear con el blanco según sus intereses. La ofensiva final contra el indio irreductible del sur culminó en 1878 con la expedición al mando del general Julio A. Roca. Un magnífico documento sobre el choque de culturas que entraña el conflicto con el indio se desprende de la discusión que mantuviera Lucio V. Mansilla con un grupo de indios del sur

Fig. 10: Fuerte en la orilla izquierda del río Limay, en la frontera entre la República Argentina y el Territorio Indio

argentino en 1870, recogida por éste en su obra ya clásica, *Una excursión a los indios ranqueles*. El general Mansilla se había internado en los territorios del indio en una misión política y militar que le llevaba a obtener de los caciques el cese de los "malones" (incursiones dedicadas al robo y a la violencia) contra las estancias y aldeas. Narra que a cierta altura de su viaje sostuvo una agitada entrevista con el cacique Mariano Rosas y otros indios rebeldes, de la que expresa:

"Me preguntó [Mariano Rosas] con qué derecho habíamos cruzado el río Quinto; dijo que esas tierras habían sido siempre de los indios, que sus padres y sus abuelos habían vivido por las lagunas del Chemecó, La Brava y Tarapendá, por el cerrillo de La Plata y Langheló; agregó que, no contentos con eso todavía los cristianos querían *acopiar* (ésa fue la palabra de que se valió) más tierra. Estas interpelaciones y cargos hallaron un eco alarmante. Algunos indios estrecharon la rueda, acercándose a mí para escuchar mejor lo que contestaba. Me pareció cobarde callar mis sentimientos y mi conciencia, aunque el público se compusiera de bárbaros. Siempre con los codos en los muslos, fija la mirada en el suelo, tomé la palabra y contesté:

"—Que la tierra no era de los indios, sino de los que la hacían productiva trabajando.

"No me dejó continuar, e interrumpiéndome, me dijo:

"—¿Cómo no ha de ser nuestra cuando hemos nacido en ella?

"Le contesté que si creía que la tierra donde nacía un cristiano era de él, y como no me interrumpieran, proseguí:

"—Las fuerzas del gobierno han ocupado el río Quinto para mayor seguridad de la frontera, pero esas tierras no pertenecen a los cristianos todavía; son de todos y no son de nadie; serán algún día de uno, de dos o de más cuando el gobierno las venda, para criar en ellas ganados, sembrar trigo, maíz. ¿Ustedes me preguntan con qué derechos acopiamos la tierra? Yo les pregunto a ustedes, ¿con qué derechos nos invaden para acopiar ganados?

"—No es lo mismo —me interrumpieron varios—; nosotros no sabemos trabajar; nadie nos ha enseñado a hacerlo como a los cristianos, somos pobres, tenemos que ir a malón para vivir.

"—Pero ustedes roban lo ajeno —les dije—, porque las

vacas, los caballos, las yeguas, las ovejas que se traen no son de ustedes.

"—Y ustedes los cristianos —me contestaron— nos quitan la tierra.

"—No es lo mismo —les dije—: primero, porque nosotros no reconocemos que la tierra sea de ustedes, y ustedes reconocen que los ganados que se roban son nuestros; segundo, porque con la tierra no se vive, es preciso trabajarla.

"Mariano Rosas observó:

"—¿Por qué no nos han enseñado a trabajar, después que nos han quitado nuestros ganados?

"—¡Es verdad! ¡Es verdad! —exclamaron muchas voces, flotando un murmullo sordo por el círculo de cabezas humanas.

"Eché una mirada rápida a mi alrededor y vi brillar más de una cara amenazante.

"—No es cierto que los cristianos les hayan robado nunca a ustedes sus ganados —les contesté.

"—Sí, es cierto —dijo Mariano Rosas—: mi padre me ha contado que, en otros tiempos, por las lagunas del Cuero y del Bagual había muchos animales alzados.

"—Eran de las estancias de los cristianos —les contesté—. Ustedes son unos ignorantes que no saben lo que dicen; si fueran cristianos, si supiesen trabajar, sabrían lo que yo sé; no serían pobres, serían ricos."[29]

En México la independencia empeoró la situación del indio por el incremento del latifundio, de formas de trabajo forzoso y la servidumbre por deudas. La progresiva división de las tierras de las comunidades (leyes de desamortización de 1856 y de colonización y de terrenos baldíos) fomentó la gran propiedad y transformó a los indios en peones. Hubo diversas formas de reacción del indígena: la pasividad que fue tildada de pereza, o la rebelión armada misma que llegó a asumir características muy serias (rebeliones yaqui y mayo, guerra de castas de Yucatán y rebelión chamula de Chiapas); a veces tenían justificaciones religiosas (caso de la revuelta de Quintana Roo), otras se entremezclaban con luchas políticas internas. Bajo el gobierno de Juárez, en 1869, el caudillo indio cora Manuel Lozada proclamó la necesidad para los indios de defenderse por las armas contra el despojo de sus tierras, y trató de recuperar parte de éstas; esta tentativa de reforma agraria *de facto* terminó en franca rebelión en

1873; ésta fue derrotada y ajusticiado su jefe Lozada. La península de Yucatán resultó un foco permanente de rebelión a partir de 1847, cuando los mayas se levantaron en armas aprovechando la ocupación del norte y centro de México por los norteamericanos. La rebelión tuvo varias etapas. Muchos indios prisioneros fueron vendidos como esclavos a Cuba, aunque allí no satisficieron como mano de obra; Juárez prohibió este comercio en 1861. El prolongado gobierno de Porfirio Díaz y de sus colaboradores positivistas permitió la última gran arremetida contra el mundo del indio. La agravación de las tensiones contribuyó más tarde a dar un tono agrario o indigenista a la revolución mexicana.

En Guatemala los núcleos indígenas habían logrado una relativa independencia hasta que en 1877 el presidente Barrios abolió la propiedad comunal. El progreso del cultivo del café estuvo en razón inversa del bienestar material de aquéllos, ya que la expansión de la economía capitalista exigía mano de obra y tierras en cantidades crecientes.

Los hechos anteriores muestran cómo los cambios económicos y sociales del siglo XIX, y en general el proceso de europeización, redundaron en perjuicio de las culturas indígenas y afectaron las condiciones de la vida material de los indios.

Aspectos del cambio cultural

La europeización de la civilización latinoamericana fue fruto a la vez de imposiciones externas y de una mayor receptividad por parte de ciertos grupos locales. En relación con lo primero, debe destacarse el poderoso papel uniformador que desempeñó la aplicación de la técnica a la producción y a las comunicaciones, en plena expansión del área de influencia del capitalismo industrial. La atención latinoamericana se centró principalmente en Inglaterra y en Francia. De la primera atraían particularmente los adelantos técnicos y su creciente poderío económico, de Francia seducían sus modos de vida (tal vez más adecuados que las pautas británicas a las aspiraciones de las élites locales), deslumbrando sus progresos intelectuales y el refinamiento de sus industrias de lujo. Antes de fines del siglo XIX ya el viaje en vapor entre Río y Europa duraba tan sólo quince días. Las noticias llegaban en pocos instantes por el cable submarino; se iba perdiendo la sensación de aislamiento. Los barcos traían nutrida correspondencia, periódicos y folletines a los que era posible suscribirse regularmente; aportaban revistas especializadas de carácter científico, de modas, otras destinadas al lector corriente o al mundo del comercio; traían libros en cantidades suficientes para formar grandes bibliotecas (principalmente privadas). Llegaban compañías de teatro y de ópera, músicos, conferenciantes, pintores y dibujantes. La comodidad de los viajes hizo que muchos latinoamericanos se acostumbraran a ir a Europa e hicieran de París su capital espiritual.

Los artículos europeos se fueron imponiendo progresivamente, en parte por el menor precio de muchos de ellos (en virtud de su factura mecánica), y en parte por su carácter más novedoso. El adelanto científico o la tentación del lujo irán contribuyendo a exagerar las virtudes de su origen. Esto se puede comprobar con un análisis de la creciente propaganda comercial hecha en la prensa latinoamericana del siglo XIX. "Recién llegado de Europa", "Procedente de París", "Vendemos exclusivamente artículos europeos", son frases frecuentemente repetidas y que a los efectos de este análisis tomamos de avisos publicados en la prensa de la época editada en Montevideo. Allí mismo aparecen los anuncios de personas y artículos de origen europeo: profesionales y profesores de música, danza y ciencias, perfumes, vinos y licores, sedas y sombreros, porcelanas, cristales y muebles, y también medicinas que a juzgar por sus infinitas aplicaciones parecerían estar dotadas de virtudes casi milagrosas. Poco a poco se fue identificando a Europa como la cuna de todos los progresos, y "europeo" pasó a ser sinónimo de civilizado.

Lamentablemente, eso provocó el hábito de consumir, copiar e imitar lo europeo, sin mayor intento de adecuarlo a las necesidades regionales. Viajeros como el marino sueco C. Skogman, que visitó Valparaíso a mediados del siglo XIX, ya habían advertido claramente ese fenómeno: "Quizá sea Valparaíso la ciudad más civilizada de Sudamérica y donde en mayor grado han penetrado las últimas ideas mundiales. Sin llegar a negar las ventajas de esa circunstancia ni establecer seriamente la conclusión de que lo mejor de todo es que sigan imperando las primitivas condiciones naturales, no podemos menos que lamentar la forma rápida en que está siendo desplazada la idiosincrasia nacional. Para el viajero que acaba de dejar a Europa y aquí sólo ve malas o mediocres imitaciones de lo que allá le es familiar, la impresión le es similar a la que recibiría si se encontrara en una aldea luego de haberse hecho la idea de ir al campo. Con seguridad que la civilización actúa beneficiosamente a la larga y es una reconocida necesidad histórica, pero en las grandes masas su primer efecto es anular las pocas buenas cualidades que pueden poseer en su estado natural y semisalvaje, sin remplazarlas siquiera por otras, haciéndoles conservar las malas, que aún surgen con caracteres enfáticos y crudos. Entre las clases más altas, lo más común es que la influencia civilizadora no haya llegado más allá de la vestimenta. El nativo no niega que Europa esté mucho más adelantada en una serie de aspectos, pero no se da bien cuenta en qué consiste esa superioridad."[30]

Los numerosos testimonios de los viajeros europeos que recorren América Latina en la primera mitad del siglo XIX insisten en la lentitud del ritmo de la vida, el enclaustramiento virtual de las mujeres, el tiempo perdido en las visitas como forma habitual de vida en sociedad. Poco a poco se irá advirtiendo un cambio.

Un viajero francés, Aimard, que ya había visitado Río en 1856, comenta en su segundo viaje, treinta años después: "Había conservado un recuerdo muy lúgubre de las calles de Río. Sus calles estrechas, oscuras, mal alineadas, silenciosas, tristes, con las celosías y las persianas herméticamente cerradas detrás de las cuales se oían aquí y allá risas cristalinas y burlonas; sus almacenes negros, sucios y malolientes; sus calles, en las que la soledad no era rota más que por negros y negras, algunos europeos perdidos en este desierto aburridor; sus carrozas antediluvianas parecidas a carros fúnebres, con las cortinas cerradas; esos recuerdos me asustaban por adelantado. En esta época lejana, las damas brasileñas eran invisibles y estaban como enclaustradas, no saliendo jamás a pie por la calle; una dama que se hubiera arriesgado sola en las calles habría perdido su reputación; solamente las mujeres de medio pelo —mestizas— osaban arriesgarse y aun muy raramente. Al primer paseo que hice en tierra quedé estupefacto. Todas las ventanas estaban abiertas, una muchedumbre de hombres y mujeres, vestidos a la última moda de París, circulaban con el aire más desenvuelto. Río de Janeiro estaba completamente metamorfoseado: negocios magníficos, cafés, cervecerías se encontraban a cada paso; los hoteles, los restaurantes, eran de lo más cómodos; una muchedumbre apresurada circulaba con la animación y actividad que no se encuentra más que en ciudades como Londres o París; ricos equipajes, jinetes y todo eso iba y venía. Hombres, mujeres, obreros, monjes, mendigos, qué se yo, obstruían las veredas; y el colmo, tranvías de dos y cuatro mulas circulaban por las calles de la ciudad."[31]

Pese a las agitaciones de la política americana meridional, se mantendrá cierta uniformidad de la vida social. Hacia fines del siglo habrá un modo de vida común a las familias "pudientes", que constituyen las élites urbanas. Procurarán vivir en un barrio distinguido, en lujosa residencia, dando a sus hijos una educación en consonancia con su posición social. La salida de misa, las funciones de teatro, las retretas y tertulias familiares permitirán interrumpir la monotonía cotidiana. Cuando una familia quería figurar entre las primeras, adquiriendo renombre y consideración, se veía obligada a poseer una residencia a tono con sus aspiraciones sociales. Constructores franceses, italianos y locales supieron aprovechar esta demanda y, al colmarla, poblaron las ciudades de mansiones ornamentadas y señoriales, que proclamaban la riqueza de sus propietarios; construcciones apresuradas, caracterizadas por la mezcla de estilos y el deseo exhibicionista, ostentaban primordialmente una fachada vistosa y uno o varios ambientes de recepción, arreglados profusamente sin demostrar mayores preferencias estéticas o real criterio ordenador; importaba hacer ver la calidad de los tapices, la rareza de las porcelanas, los espejos enormes y llenos de dorados: muebles grandes y bien esculturados, relojes a cada cual más vistoso, múltiples objetos confundían esta vista, llegando en muchos casos a la cursilería del *nouveau riche*.

En 1888 decía un visitante de Santiago, Charles Wiener: "Nos hemos preguntado a qué estilo pertenecen los elegantes hoteles, las mansiones señoriales de Santiago, y no hemos encontrado respuesta satisfactoria. Primeramente, salvo excepciones, no se debería hablar aquí de mansiones; hay, sobre todo, fachadas y sus decorados, variados hasta lo infinito, que muestran ya un techo renacimiento sostenido por columnas dóricas, ya un cuerpo de edificio central florentino flanqueado por dos alas de un estilo cualquiera. Sobre el ladrillo o el adobe de los muros, sobre el yeso, el estuco o la madera de la ornamentación descrita aparecen colores que, de noche, recuerdan mármoles y granitos, pórfiros y jades. Hay ciertas horas en que Santiago toma, bajo la iluminación crepuscular, un aspecto mágico e inverosímil. Si esas materias imitadas fueran verdaderas, si esas columnas, esos capiteles estuvieran esculpidos en mármol, ¡cuántos miles de millones estarían enterrados en esas mansiones!. . . Las principales fachadas están en las grandes calles rectas: citemos la casa toda cubierta de mármol de la señora Real de Azúa, el palazzo del señor Bonazarte, el palacio Blanco Encalada en estilo Luis XV purísimo, la residencia del señor Arrieta, espléndida villa florentina. El señor Urmeneta ha edificado un castillo gótico, el señor Claudio Vicuña habita en una imitación de la Alhambra. . ."[32]

En cada ciudad el cementerio había de confirmar esta realidad: las familias de la élite debían tener un mausoleo para el reposo de sus muertos. Y los cementerios se van poblando también de riquezas; en medio de los panteones, se levantan esculturas de ángeles, mujeres que lloran o rezan, leones, cruces, anclas y columnas truncadas. El mármol y el granito se ponen al servicio de una temática que tiene algo de religiosidad, bastante de romanticismo y mucho más del deseo de afirmar ante la opinión el poderío familiar; de vez en cuando una pirámide egipcia, un símbolo geométrico, muestran la rebeldía de un liberal o de un masón; más allá vienen los nichos modestos y finalmente la fosa común de quienes integraban la masa y cuyo anonimato se perpetúa en la muerte.

A tal grado llega el espíritu imitativo y la desorientación estilística, que nadie se extraña cuando Ecuador envía copias de pinturas extranjeras a la Exposición Universal de París, agregando imperturbablemente en el catálogo descriptivo: "Ecuador goza desde hace largo tiempo, en América Española, de la reputación que le han valido sus pintores. Las pinturas de Quito se exportan principalmente a Perú, Chile y Nueva Granada. Si no tienen un gran valor de originalidad, tienen al menos el mérito de reproducir, con una fidelidad notable, todas las obras maestras de las escuelas italianas, españolas, francesas y flamencas. . ."[33]

Gilberto Freyre ha estudiado la forma en que el brasileño del siglo XIX fue abandonando muchos de sus hábitos tradicionales para adoptar las costumbres y el modo de vida de los europeos, al reanudar el contacto con la civilización del viejo continente ahora en tren de hacerse industrial, comercial y mecánica, bajo el dominio de una burguesía triunfante. Este autor ha señalado el papel de la cerveza, las telas inglesas, la máquina de vapor, las dentaduras postizas y del pan de harina de trigo en el proceso de reeuropeización, que empezó por empalidecer los colores de las cosas. Europa había impuesto al Brasil, todavía líricamente rural, que cocinaba y trabajaba con madera, el negro pardo o ceniciento de su civilización carbonífera, que llegó a la vivienda y al vestuario de la época. En 1849 se levantó la voz de un médico dando la señal de alarma por el aumento de la tuberculosis en el imperio, y al enumerar las causas del espantoso desenvolvimiento de ese mal en el Brasil de Pedro II, el doctor Joaquín de Aquino Fonseca señalaba, entre las más importantes, el estrechamiento de relaciones entre Brasil y Europa, que había modificado los hábitos de alimentación y de vestir, llegándose a innumerables absurdos como, por ejemplo, la imitación pasiva de trajes diseñados originalmente para climas más fríos.

Ya en 1846, un artículo de la revista *O Progresso* investigaba la razón por la cual los oficios de artesanos estaban dominados cada vez más por operarios extranjeros, mientras que los hijos de las familias poco favorecidas continuaban buscando la vía del empleo público. Todo esto en un mundo cambiante en el que fábricas de pastas, licores, hielo, sombreros, de tabaco picado a vapor, hacían que los operarios europeos se volvieran tan necesarios como el aire a la organización industrial y a la estructura más burguesa, urbana y mecanizada de la vida brasileña. La europeización acentuaba el antieuropeísmo y la desconfianza de las masas, la rivalidad entre el trabajador rural y el artesano europeo, entre el pequeño funcionario público y el "gringo" vendedor. El predominio del latifundio impedía la existencia del trabajador independiente, lo que hizo crecer las rivalidades entre oriundos del Brasil y comerciantes y artesanos europeos, de tal modo que se produjeron hechos de sangre como la "revolta praieira" de Recife, en 1848.[34]

La europeización afectó también el mundo de las ideas. Penetró así en América Latina el liberalismo económico, del que se dijo que "como la mayor parte de las mercaderías inglesas, no se ha fabricado para ser consumido en el país, sino para la exportación", o el romanticismo, "que nos llegó de París como un figurín o un frasco de perfume". La influencia de las ideas o de las tendencias literarias se fue dando con mayor rapidez a medida que avanzaba el siglo. Se ha calculado que la introducción del liberalismo se retrasó en dos décadas por lo menos; no sucederá lo mismo con los autores racionalistas y positivistas posteriores, ya que la amplia difusión del libro impreso y el hábito de viajar aceleraron la transmisión de su influencia. Algo más demoraba, sin embargo, la admisión de estas corrientes en las universidades, a causa de las presiones académicas contra las ideas innovadoras.

Hasta aquí, nos hemos ocupado preferentemente de las corrientes de opinión y los grandes cambios en las mentalidades colectivas, cuyas tendencias generales son más fáciles de determinar. Mucho más complejo y riesgoso es tratar de situar a los autores latinoamericanos del período. Es cierto que todos ellos actuaron bajo la influencia europea y es posible determinar la veta liberal en unos, la influencia positivista en otros, y en casi todos una gran falta de confianza en los recursos humanos existentes entonces en América Latina así como el deseo de que se fomente la inmigración europea. El vigor, la originalidad, la confianza en la educación y el progreso, elementos tan claramente apreciables por ejemplo en un Sarmiento, se contradicen con su aceptación del dominio industrial británico y la resignada esperanza de que la Argentina se transforme en su proveedor agropecuario. Hacia mediados del siglo XIX Andrés Bello había dicho en Chile en su celebrado "Discurso en el aniversario de la Universidad": "¿Estaremos condenados todavía a repetir servilmente las lecciones de la ciencia europea, sin atrevernos a discutirlas, a ilustrarlas con aplicaciones locales, a darles estampa de nacionalidad?"

En forma semejante se expresaba el argentino Juan Bautista Alberdi en 1840, al preguntarse cuál era la filosofía que debía estudiar la juventud americana y cuál la que permitiría enfrentar los problemas generales de la nación. Alberdi sin embargo, aunque fue también un promotor del progreso regional, nos sorprende a veces con declaraciones de este tipo: "Al impedir el desarrollo de la industria en sus colonias americanas, España ha hecho un bien a la Europa industrial, dándole preparado un rico territorio, que ahora tiene que comprar a los países más avanzados industrialmente. Por otro lado el mismo atraso de Sudamérica constituye una ventaja. En lugar de heredar una mala industria, tiene a su disposición la más adelantada de la Europa del siglo XIX."[35]

Casi todos los intelectuales latinoamericanos tenían amplia información sobre las novedades intelectuales del viejo continente y facilidad de contacto con él. Con el crecimiento urbano se desarrollaron los círculos católicos y las logias masónicas, las capillas literarias y las apasionadas controversias provocadas por los primeros socialistas. La influencia del positivismo en América Latina ha sido estudiada en sus menores detalles; en México sirvió para combatir el caos político y fomentar una política de orden y progreso material (bajo la dictadura de Porfirio Díaz); en otros lados se fusionó con el liberalismo político en la lucha contra las dictaduras o dio nuevas fuerzas a las tendencias anticlericales; en Brasil inspiró a los fundadores de la república y dio origen a un verdadero culto organizado. A principios del siglo XX, filósofos y ensayistas lograron amplio eco en las nuevas generaciones: es el caso de José Enrique Rodó en el Uruguay, quien por su calidad estilística y como exponente de valores culturales de Francia, encuentra un gran éxito (al que no está ajena su denuncia de lo que él considera crudo materialismo norteamericano), o el del peruano González Prada, apasionado escritor de posiciones afines al anarquismo, y el de Juan B. Justo, en la Argentina, que mezcla el positivismo spenceriano con las ideas socialistas.

Comportamiento cultural de los inmigrantes

Se debe diferenciar el fenómeno de europeización de las élites latinoamericanas, por una parte, y por otra el comportamiento cultural de los inmigrantes, quienes en razón de su procedencia y de los estratos sociales a que pertenecen, distan mucho de identificarse con los ideales de las élites. Muchos de ellos eran campesinos desplazados para quienes la migración hacia la ciudad incluyó la travesía del Atlántico. Su asimilación presentó problemas durante algún tiempo; víctimas del rechazo altivo de las clases altas locales, se encontraron también en situaciones conflictuales con los sectores populares criollos por diferencias culturales y rivalidad en el mercado del trabajo (la población de varones de más de 20 años en la ciudad de Buenos Aires, por ejemplo, era según el censo de 1869 de 12 000 argentinos y 48 000 extranjeros; el censo de 1895 sube estas cifras a 42 000 y 174 000 y el de 1914 a 119 000 y 404 000, respectivamente). Durante un tiempo los extranjeros se nuclearon según sus procedencias en diversas asociaciones (culturales, recreativas, asistenciales), pero poco a poco las resistencias a la asimilación fueron desapareciendo y a partir de la segunda generación se pudo advertir la progresiva integración de esas sociedades en una masa híbrida, descendiente a la vez de extranjeros y criollos.

Las colonias aisladas (alemanes del sur del Brasil, galeses del Chubut argentino) fueron las que presentaron mayor resistencia a la asimilación, que sin embargo se fue realizando. La integración cultural fue más acelerada en los sectores populares urbanos, donde hay mayor espontaneidad y menores prejuicios. El tango del Río de la Plata puede ser considerado como uno de los más característicos aportes creativos de esa sociedad aluvial urbana, en la que aprendieron a convivir el criollo con el "gringo" inmigrante luego de vencer las primeras dificultades. De mera expresión musical, pasó a recoger en sus letras una concepción entera del vivir colectivo que difería de la que pregonaba la sociedad oficial.

De las culturas marginales a las culturas populares

La europeización había sido más que nada un objetivo de las élites. Los prejuicios étnico-culturales y aquellos que se inspiraban en la situación de las clases sociales dominantes fueron demostrando a la postre que la ráfaga europeísta había sido poco creadora. En reacción se produjeron algunos casos de contraaculturación (se define como tal el sincretismo de elementos de las civilizaciones más primitivas que son dominadas y despreciadas por una cultura extranjera). Una muestra de este proceso sería el intenso crecimiento que experimentó, entre las capas bajas de San Pablo, el espiritismo, fusión de elementos africanos y europeos. Esa religión encontró la rápida adhesión de los descendientes de los esclavos africanos y de los inmigrantes humildes, que empezaban a constituir el naciente proletariado de esa ciudad. El rechazo oficial de los elementos indígenas o africanos no impidió la evolución de estas culturas, que fueron perdiendo la pureza de sus caracteres originarios. Mientras que las élites mantenían una actitud imitativa e identificaban la cultura como su poder de consumo, a niveles populares se iniciaban procesos lentos cuyo valor habría de ser reconocido más tarde. En relación con ellos, podría hablarse de un crisol popular urbano y de la subsistencia de reservas rurales, donde se conservaban intactas las culturas tradicionales.

7. La búsqueda del orden

Para abordar la evolución política del período, es preciso aclarar, en primer término, que en esta etapa hay coordenadas generales que establecen relaciones de dependencia de las transformaciones latinoamericanas respecto a los intereses europeos, pero no debe exagerarse esta circunstancia y traducirla a una imagen según la cual los gobernantes locales aparecerían siguiendo meramente los dictados de la diplomacia europea. Hemos de hallar matices más sutiles (y más reales). Determinados gobernantes locales y altos funcionarios del gobierno, ciertamente, no tuvieron escrúpulos en aceptar sobornos y órdenes de empresas y cancillerías extranjeras, y también es cierto que excepcionalmente se dio el caso opuesto. Pero lo general es algo distinto: el campo de acción de los gobiernos locales estuvo más restringido que el de los grandes estados de Europa a los que se pretendía imitar; aspectos fundamentales de la vida económica escaparon a su control y quedaron confiados al estímulo exterior. Lo habitual fue la despreocupación de los gobernantes latinoamericanos respecto a la vida económica (con lo que aceptaban, con algún retardo, los principios de la economía liberal pese a que éstos habían surgido en las diferentes condiciones ambientales del mundo industrial británico).

Otra aclaración preliminar al entrar a este capítulo debe ser hecha en referencia a las relaciones y correspondencias entre políticos y clases sociales. Durante un tiempo se hizo el análisis político en total divorcio de sus bases sociales, con notorio error. Pero después de ello se quiso corregir radicalmente esta omisión y, sin tener en cuenta que la estructura social americana difería mucho de la europea, se establecieron paralelos según esquemas importados. Tal gobernante aparecía, así, respondiendo a "fuerzas feudales", a "núcleos burgueses" y hasta llegó a hablarse de "representantes de sectores proletarios". También se exageró la interpretación de las supuestas tendencias sociales de los "libertadores", en función de una problemática que surge en realidad con posterioridad a su época, y sin darse cuenta de que con esto no se hacía más que seguir hipertrofiando una historiografía que daba demasiada importancia a la vida de los héroes.

Anarquía y caudillismo

Corresponde preguntarse ahora qué significó la vida política en la América Latina de los tiempos posteriores a la independencia. Debe establecerse algunas diferencias para el caso del Brasil, por la mayor continuidad del poder y otras peculiaridades, y a esto obedece que lo que sigue ha de tomarse como refiriéndose, en lo fundamental, a las repúblicas de origen hispánico. El caso de Haití, primera revolución de colonizados, se dio en un mundo aún no preparado para una transformación tan radical; el país era demasiado pequeño y carecía de cuadros para encarar con posibilidades de éxito la vida independiente. Si no cayó nuevamente en el *status* colonial se debió más que nada a la confluencia de circunstancias excepcionales de orden internacional.

Al desaparecer el dominio colonial hispánico los rebeldes no fueron capaces de crear un verdadero sistema sustitutivo eficiente. Fracasaron las tentativas unitarias y también la apresurada —y en último término ficticia— adopción de fórmulas políticas inspiradas fundamentalmente en la organización de los Estados Unidos. El fraccionalismo político en un principio siguió, en general, los límites de las divisiones administrativas de la colonia española, y a partir de allí derivó en fraccionamientos menores. La aparición del Uruguay se debió, como hemos señalado, a un pacto entre Argentina y Brasil, visto con complacencia por Gran Bretaña. Las divisiones centroamericanas fueron una resultante de la pugna de caudillos, con apoyo en diferentes regiones, y de la falta de elementos de unificación (factores geográficos favorables a un buen sistema de transportes, neto predominio de una ciudad sobre las demás, etc.). En los orígenes del Paraguay influyó su aislamiento mediterráneo y la fuerte herencia jesuítica en la organización de una economía y una sociedad relativamente autárquicas.

Si la independencia se había caracterizado por la lucha contra un poder exterior, ajeno al continente, lo que advino después —y que no fue precisamente la paz— debió resolverse en una serie de luchas interiores dentro de cada país. Digamos al pasar que, por regla general, y aunque era relativamente frecuente el trato cruel a los prisioneros, los combates no resultaron tan sangrientos ni asiduos como lo dejaban suponer los lentos preparativos adoptados: verdaderas levas en masa, extensos desplazamientos de las tropas a lo largo del territorio en disputa (los cuales unían a los atractivos de la vida de campamento las posibilidades de obtener botín). A la ciudad de Montevideo se la llamó la "Nueva Troya" por el largo sitio al que estuvo sometida (1843-1851) en una de esas guerras por las tropas de Rosas y Oribe, pero existen múltiples testimonios acerca del variado intercambio que mantuvieron sitiadores y sitiados.

Una importante consecuencia de las guerras por la independencia consistió en que una parte considerable de la población se había acostumbrado al uso de las armas, había mejorado su posición económica gracias a su ingreso en la milicia y encontrado jefes decididos a hacer respetar esa situación (y a disputarse entre sí el poder).

La modalidad de las luchas impuso un tipo de relación muy personal entre jefes y subordinados. Cada caudillo se debió preocupar por la protección de sus tropas, resolver sus pleitos internos, interesarse en el mantenimiento de sus familias. Los subordinados se mostraban orgullosos de las hazañas y del valor de sus jefes, cuyas órdenes seguían entusiastamente. Así nació el caudillismo, en medio de una anarquía que, por convertirse en forma de vida para muchos, no resultaba tan temible como se la ha querido presentar.

Las alianzas y conflictos entre esos caudillos, y no precisamente el libre juego de las constituciones recién importadas, determinaban qué manos —frecuentemente cambiantes— detentarían el poder. La guerra civil, aun cuando no básicamente, permitió alterar lo que el poder del latifundio tendía a hacer perenne e inconmovible: durante ellas se podía faenar reses ajenas, apropiarse de caballadas, o utilizar como reserva principal ganado requisado *manu militari*. No siempre estas expropiaciones forzosas se limitaban a los momentos decisivos de las luchas.

Las masas eran analfabetas y no existía periodismo político de significación. No obstante, hubo muchas formas sustitutivas de comunicación, como las que brindaba la vida de campamento o las reuniones en primitivos expendios de alcohol donde el cancionero popular y la temática de las discusiones reflejaban las alternativas de la vida política.

El orden basado en el respeto a la ley fue sustituido por la disciplina militar y el acatamiento a la voluntad de los caudillos. A esta época correspondió esa especie de democracia inorgánica en la cual la valentía y la iniciativa militar contaron mucho para el ascenso social.

El predominio del caudillismo como modo político no ha de explicarse solamente por el poder que concentraron algunos hombres; éste es meramente el resultado de un pacto no escrito según el cual ellos recibían, pero a la vez tenían que retribuir. El caudillo debía demostrar su coraje y la más amplia y continua solidaridad para con sus seguidores. Tenía que abandonar toda actitud de falsa superioridad y pedantería, convivir con ellos, hablarles en su lenguaje y de las cosas que les interesaban. Dadas las características del medio, se aceptaba con complacencia su presencia en fiestas y velorios, se le toleraban sus relaciones extramatrimoniales y sus múltiples hijos naturales.

Durante ese período y por esa vía indirecta la nueva sociedad ofreció mayores posibilidades de ascenso, amortiguando las limitaciones de clase y casta. De ahí el desprecio hacia quienes abogaran por otras formas políticas, expresadas en términos más cultos, pero que no llegaban a ocultar una mayor tendencia al inmovilismo social. Considerada desde este punto de vista, la guerra civil tuvo claros orígenes sociales. Entre sus oponentes se contaban, desde luego, minorías urbanas, principalmente de comerciantes y letrados, y muchos grandes propietarios, que en aquélla veían una amenaza perpetua para sus haciendas.

Si admitimos, pues, que en el origen de la revolución contra España hubo una "revuelta de la aristocracia criolla", debe tenerse en cuenta que los resultados no fueron inmediatamente los buscados por ella en un principio. La prolongada supervivencia de las guerras civiles y el fenómeno del caudillismo guardaron relación con la resistencia de sectores de población a someterse a un orden que ya no les era conveniente.

La guerra civil, en suma, no fue sino la consecuencia lógica de un estado social y político, frente al cual se revelaban impotentes los paliativos que los constitucionalistas intentaban aplicar.

Debe decirse que muchos políticos padecieron de una verdadera obsesión por la redacción de textos constitucionales, malas adaptaciones de los de Estados Unidos y Europa. Creían seguramente, como creyeron en su tiempo los autores de la legislación española de Indias, que la ley por sí sola podía cambiar la realidad. Uno de sus temas favoritos de polémica fue el relativo a la organización del poder en las jóvenes repúblicas; intentaron encontrar así una salida legal a los reiterados conflictos entre partidarios de soluciones centralistas o federadas, pero sin gran éxito, ya que finalmente fue en general por medio de guerras civiles que se zanjó el problema.

El federalismo fue la gran bandera izada por los que defendían la autonomía regional contra el centralismo hegemónico ejercido por algunas ciudades que aspiraban a heredar aquellos privilegios que, bajo el coloniaje, había tenido la metrópoli. Mediante un control rígido del comercio —en el que aparecían como intermediarios forzosos— y del manejo de los ingresos fiscales, ciertos núcleos urbanos (de los que tal vez Buenos Aires configure el ejemplo más puro) procuraron dirigir toda una vida nacional en la cual, en desmedro del interior, hicieron desaparecer las autonomías locales.

Muchas veces, sin embargo, el pretexto federal ocultó el fragmentarismo de hecho de los nacientes estados, debido a los caudillismos regionales. Esto debe ser considerado como factor debilitante frente a las presiones externas y las necesidades de unión interior y centralización del poder indispensables para sentar las bases de un Estado moderno y desarrollado.

El militarismo

Militarismo y caudillismo se confunden en más de un aspecto, y muchas veces estos términos se han usado indistintamente. Pero es conveniente establecer distingos, más en cuanto a las fuerzas sociales que representaban que en lo relativo al uso habitual de estos vocablos.

En un principio, una vez terminadas las luchas de la independencia, no eran tan señaladas las diferencias entre los ejércitos de línea y los que reclutaban los caudillos en el interior. No había grandes diferencias en la formación ni en el equipo bélico; reinaba la espontaneidad y las luchas se sostenían con medios muy rudimentarios. Era natural que, en las condiciones latinoamericanas, el vacío de poder creado por la desaparición del orden colonial provocara, entre los distintos grupos que habían participado en la obtención de la victoria, una pugna por recoger los frutos de ésta.

Poco a poco se fue diferenciando el poder armado de los caudillos del que emanaba de los ejércitos regulares, que comenzaron a adquirir mejor equipo, organización y disciplina. Lo que antes era adhesión de sectores populares armados a quienes les ofrecían ciertas posibilidades de ascenso (muy fácil de obtener —en condiciones normales— en la estructura social de la época), fue transformándose paulatinamente; la vida militar adquirió mayor singularidad e independencia. Pero todavía en lo que se refería a la toma del poder, caudillismo y militarismo eran formas muy afines. Con las notorias excepciones de Gaspar Rodríguez de Francia en el Paraguay y García Moreno en el Ecuador, de neta formación civil y absolutamente alejados de la vida militar, en casi todos los demás casos, los caudillos eran o habían sido militares. El ejército todavía no tenía cohesión suficiente como para sobreponerse a las luchas regionales; en la mayor parte de los casos se fragmentaba embanderándose en aquéllas.

Con el término de las guerras civiles y el predominio de las dictaduras unificadoras, junto con la expansión de ciertas zonas en donde el orden y el respeto a la ley cobraban una real importancia, el proceso se modificó sensiblemente. Las fuerzas armadas se fueron transformando en organismos más unificados y centralizados, que cada vez sirvieron menos como expresión de caudillos rivales o de regiones contrapuestas. La aparición de verdaderos ejéritos nacionales, regulares y permanentes, fue uno de los factores de estabilidad política en algunos países, y concluyó relegando a un plano secundario la importancia de los reclutamientos regionales de voluntarios. Otro factor que contribuyó al predominio de los ejércitos nacionales sobre los diversos grupos armados espontáneos fue la introducción, hacia fines del siglo XIX, de nuevas armas, como el fusil rayado de retrocarga, de transportes, como el ferrocarril, y de instrumentos de comunicación, como el telégrafo eléctrico.[36] Esta transformación no sólo no hizo desaparecer las pretensiones políticas de muchos militares, sino que les dio mayor aliento.

El poder de un Lorenzo Latorre en el Uruguay o el de Porfirio Díaz en México tuvieron mucho que ver con esta nueva situación.

Como señala Edwin Lieuwen, hacia fines del siglo se produjo una evolución importante en las fuerzas armadas, caracterizada por el surgimiento del profesionalismo. En esas condiciones, los cuerpos de oficiales dedicaron sus energías al ejercicio y desarrollo de sus capacidades militares. El ejército estaba cambiando, y en vez de representar la confluencia anárquica de todas las fuerzas (como en los tiempos de las guerras civiles), se disciplinaba, profesionalizaba y modernizaba en la medida en que iba asumiendo las formas que corresponden a un grupo de presión moderno que a la postre se transformó en un factor de poder muchas veces decisivo. Es cierto que la expansión económica y el progreso social ayudaron a una estabilidad política que rechazaba algunas veces al viejo militarismo, pero esto no significó que las fuerzas armadas se resignaran a perder su derecho a intervenir en la política.

Este período de profesionalización de los ejércitos fue marcado por la contratación de misiones militares francesas y alemanas en carácter de instructores. El ejército chileno invitó en 1885 a una misión alemana. Cuando el general Koerner llegó a Chile, este país acababa de ganar la guerra del Pacífico. Comenzó su programa de renovación en la Escuela militar, hizo enviar a Europa a destacados oficiales jóvenes, creó una Academia de Guerra para instrucción de los oficiales superiores y un estado mayor. Su influencia aumentó al contribuir a la derrota del presidente Balmaceda en 1891 y, como consecuencia, la prusianización se extendió a todo el ejército chileno: llegaron 37 oficiales alemanes más como instructores. A fines de siglo las fuerzas chilenas estaban completamente preparadas para la guerra que amenzaba estallar con Argentina. Este país siguió el ejemplo de Chile. Una misión alemana se encargó de la reorganización del Colegio Militar y del restablecimiento de la Academia de Guerra. Otros países introdujeron también la influencia alemana, sea directamente o por medio de Chile (Uruguay, Bolivia, Colombia, Venezuela, Paraguay, El Salvador, Ecuador, Nicaragua). A principios de siglo Brasil, Ecuador, Perú y Guatemala emplearon misiones de instructores militares franceses.

Mientras tanto, los rubros de una defensa nacional que

aparecía cada vez más innecesaria, pesaban duramente en los presupuestos de cada país. ¿Qué sucedía? Por un lado, ésta fue una consecuencia de la posición del ejército como factor de poder; por otro, y no es un elemento a desdeñar, el ejército representaba una salida más a la demanda de ocupaciones, al dar la posibilidad a los sectores medios de ingresar a la oficialidad, y a los estratos populares de llenar los cargos subalternos.

Naturalmente, el papel de las fuezas armadas tuvo significados muy distintos en las diversas regiones. Pero el cambio fue tendencialmente genérico, aunque con distintos grados de intensidad. La elevación de la carrera militar a la condición de profesión respetable atrajo nuevos elementos.

Significado del bandolerismo

El bandolero fue un personaje típico en la vida latinoamericana: lo encontramos en la historia y en el folklore de cada país, no siendo de extrañar —dada la asincronicidad de estos procesos— que sobreviva aún en estos momentos en un país como Colombia. Pero hay modos y formas de ejercer el bandolerismo. Nos interesan los que se vinculan al desarrollo político que venimos estudiando.

El proceso de ocupación de la tierra en el período colonial fue muy irregular y confuso. Hubo quienes recibieron sus tierras con los títulos en orden desde el primer momento, y hubo quienes las ocuparon *de facto*. (En cierto modo esto se continuó en algunos países hasta después de la independencia, como en el caso de Brasil.) En múltiples ocasiones los gobernantes coloniales procuraron reorganizar la propiedad enviando expertos y haciendo reformas, y es de reconocer que de ellos emanaron sabios consejos y proyectos que no solamente contemplaban la situación de los ocupantes *de facto*, sino que incluían planes de reparto de tierras a los sectores desposeídos de la campaña. Todavía hoy, al leer los escritos de Félix de Azara, que formuló proyectos de colonización agrícola en el Río de la Plata, se puede comprobar con sorpresa la agudeza de sus observaciones y lo avanzado de las propuestas, pese a haber sido formuladas a fines de la era colonial. Pero la evolución de la propiedad de la tierra siguió caminos divergentes de los aconsejados en esos trabajos: como hemos visto, en este aspecto el hecho dominante fue la expansión del latifundio. De modo que hubo en el campo muchos hombres sin tierra y muchos ocupantes *de facto* que poco a poco fueron desalojados de sus explotaciones (por lo que a veces quedaban al margen de la ley.)

Cierta forma de bandolerismo derivó a su vez de la guerra civil. Ésta implicaba una negación del orden establecido, no solamente en sus aspectos políticos sino también económicos y sociales, y favorecía la toma de las armas y la formación de grupos que debían autoabastecerse y actuar libremente durante un período; en esta situación fue frecuente el caso de bandidos que se transformaban en guerreros, o viceversa, según lo favorecieran las circunstancias. Por otro lado, a medida que avanzaba el latifundio y progresaban los medios de defensa de la propiedad, se consideró al margen de la ley a todos los que no se avinieran a comulgar con el nuevo orden. Si durante un tiempo ocupar tierras y poblarlas sin autorización no se había combatido, llegó el momento en que ese tipo de ocupante fue considerado precario y desalojado; si antes cualquiera podía, para saciar su hambre, degollar la primera res que encontrara, ahora esto constituía un delito.

La afirmación del poder exigía acatamiento; en el interior de sus países, el latifundio abandonaba cada vez más sus bases señoriales y paternalistas para adoptar progresivamente métodos más modernos de explotación de tipo capitalista. En la medida en que estos criterios imponían la obtención de mayores rendimientos, los latifundistas reclamaban el respeto de sus propiedades, y lo hacían mediante variados expedientes: delimitaciones más claras (alambrados), marcas a los ganados, introducción de una disciplina más estricta entre la peonada, persecución a los cuatreros. Desde los primeros tiempos posteriores a la independencia vemos aparecer una serie de leyes que en definitiva no se inspiraban sino en ese propósito. Se tipificó el delito de vagancia en las campañas; se dictaron diversas medidas para obligar a cada hombre a vender su fuerza de trabajo y estabilizar su posición. Ante estas disposiciones (que recuerdan las adoptadas en Inglaterra bajo Enrique VIII o Isabel I), una de las respuestas sociales de los inadaptados rurales fue la práctica del bandolerismo, es decir, el aceptar consecuentemente su posición al margen de una ley defensora de un orden que ellos no entendían ni querían.

Se dieron distintos modos de manifestación de esta actividad, según las características del terreno y de sus formas de explotación. En general, y aun en las regiones montañosas, el bandolero era un hombre a caballo, lo que le confería independencia y rapidez de desplazamientos. No solía ser repudiado por la población, salvo por los grandes propietarios, y muchas veces encontraba incluso franco apoyo en los sectores populares. Pronto, muchos de esos bandoleros se hicieron famosos y surgió un profuso anecdotario de sus encuentros —muchas veces exitosos— con los agentes del orden. Aún hoy, en Argentina, por ejemplo, viven en el recuerdo popular, y muy especialmente en el folklore, las hazañas del Chacho.

En México el bandolerismo presentó dos formas principales. En un caso fue la expresión de grupos mestizos independientes y en otro el de pueblos indígenas que luchaban duramente por la supervivencia. Un ejemplo de este último caso lo dieron las incursiones de los apaches y comanches, ora al sur, ora al norte de la frontera entre México y Estados Unidos. El abigeato había llegado a ser el medio de vida de muchos indios, quienes, con sólo negarse a pagar los abusivos arrendamientos, caían fuera de la ley. Los comanches, acosados en 1868 por el ejército de Sheridan dentro de Estados Unidos, comenzaron a pasar a México. Sus cabelleras fueron puestas a precio (el gobierno de Chihuahua pagaba primero 250 pesos, luego 150 pesos por cada una). En 1882 los gobiernos de México y Estados Unidos firmaron un convenio por el que autorizaban el paso recíproco de las tropas federales de cada país al territorio del otro para perseguir a esos indios. Pancho Villa, en México, mezcló la personalidad del bandolero clásico con la del soldado de la nueva revolución.

El bandolerismo creaba grandes dificultades para la expansión de las estructuras de poder exigidas por el nuevo período de expansión económica y crecimiento hacia afuera, así como para los intereses de los terratenientes, y por eso fue duramente combatido.

Esto no obstante, el bandolerismo, al amparo a veces de peculiares situaciones regionales, no desapareció por completo. Un caso notable por sus proyecciones fue el que se dio en el Nordeste brasileño a fines del siglo XIX y principios del XX. Allí múltiples crisis sociales contribuyeron a desencadenar la rebelión de millares de campesinos. La agitación que comenzó por la acción místico-religiosa de grupos de "fanáticos", continuó con los bandoleros "cangaceiros", derrotados definitivamente tan sólo a fines de la década de 1930. La situación del Nordeste se había empezado a agravar al acentuarse la decadencia económica desde mediados del siglo XIX. A los campesinos empobrecidos no les quedaban otras soluciones que vegetar en la más espantosa miseria, emigrar o rebelarse. El *rush* del caucho en el Amazonas ofreció una salida temporal a la población nordestina a fines del siglo XIX, y muchos se lanzaron a la riesgosa aventura (la participación del caucho en las exportaciones brasileñas pasó de un 10% en 1890 a un 40% en 1910).

Entre los que se quedaron, fue natural que muchos buscasen una salida en la formación de grupos de "fanáticos" y "cangaceiros", en torno a beatos, "conselheiros" y jefes que les prometían mejores condiciones de vida. Fueron dos las principales formas que asumió la rebelión campesina, empujada por la miseria: los "cangaceiros" lucharon con las armas en la mano asaltando haciendas y almacenes de víveres, a veces en las mismas ciudades, mientras que los "fanáticos" integraron sectas religiosas que con frecuencia se transformaban en movimientos abiertamente rebeldes, como el de "Canudos" (1896-1897); en éste, la prédica mística de Antonio Conselheiro, denunciada por la jerarquía eclesiástica como perturbadora de las conciencias y contraria a la iglesia, prendió de tal modo entre los campesinos que éstos finalmente se alzaron en armas contra el poder nacional. Para aplastar la insurrección éste tuvo que enviar cuatro expediciones sucesivas integradas por tropas de las tres armas. De la violencia de la lucha contra los mal armados campesinos da idea el hecho de que, de los doce mil soldados gubernamentales que tomaron parte en la campaña, perecieron cinco mil en acción. Otras zonas de Brasil conocieron movimientos similares: citemos el de "Contestado" (1912-1916) en el estado de Paraná; las palabras de un oficial del ejército brasileño respecto a esta rebelión, sirven para definir el carácter de todos estos movimientos, a los que por lo general se presentaba como enemigos del orden: "La revuelta de Contestado es solamente una insurrección de campesinos expoliados en sus tierras, en sus derechos y en su seguridad."

Paralelamente a estas explosiones colectivas se dieron diversas modalidades de bandolerismo, al que, por las duras condiciones económicas de la región, se hallaban particularmente predispuestos los vaqueros nordestinos. El apoyo que estos bandoleros encontraban en la población, el hecho de que, como en otros lados, también aquí el folklore recogiera y glorificara sus hazañas, erigiendo en héroes locales a quienes a riesgo de sus vidas desafiaban al orden imperante, son índices claros de que el bandolerismo era en el Nordeste una respuesta desesperada al abandono en que iba quedando esa región del Brasil, a la situación cada vez más difícil de sus masas campesinas.

El interés por consolidar el orden

Hemos dicho que no debe entenderse como influencia directa, sino atenuada, la acción de los grandes centros industriales sobre la América Latina de la época. Ahora bien, resulta claro que exigir mayor producción de materias primas y tener esperanzas de colocar más cantidad de artículos de sus fábricas, conceder empréstitos a los gobiernos, invertir capital y permitir el traslado de contingentes de emigrantes, sólo podría realizarse en la medida en que los países latinoamericanos superaran el estado de guerra civil y el bandolerismo crónicos, en que se redujera el papel y el número de los caudillos. ¿Cómo enviar viajantes y arriesgar mercaderías en el interior de países conmovidos por la acción de guerras y bandidos? ¿Cómo invertir fondos en nuevos reproductores o métodos de cultivo más adecuados, si no había seguridad de percibir los beneficios de ellos?

En ese sentido, puede interpretarse la aparición de gobiernos fuertes, capaces de lograr estos objetivos, como la respuesta a una necesidad de satisfacer las aspiraciones de esos centros externos que impulsaron el cambio. Pero casi nunca esa respuesta fue el resultado de una intervención directa. Por otra parte, esas aspiraciones coincidían, como hemos dicho, con los intereses del comercio urbano latinoamericano y de los grandes terratenientes.

La primera consigna fue la total pacificación del campo y el establecimiento allí del imperio de la ley, particularmente en lo atinente a la propiedad privada y al respeto a viajantes y extranjeros.

En los distintos países difiere mucho la fecha en que se produjo este cambio, que se caracterizó, en esencia, por un nuevo papel que le tocó asumir al Estado nacido de la revolución; en el caso argentino esta etapa arranca desde la época de Rosas; en Chile desde el ascenso de Portales al poder (1830). Pero es probable que un mexicano como Porfirio Díaz (desde 1876) y un uruguayo como Lorenzo Latorre (desde 1875) sean mucho más representativos de este proceso, por combinar un poder fuerte con una serie de reformas modernizadoras muy a tono con las aspiraciones extranjeras y favorables al crecimiento económico (en provecho también de los comerciantes y terratenientes locales). Más allá de estas consideraciones generales, el estudio aislado de cada caso revela sin embargo contradicciones: un García Moreno en Ecuador (1869-1875), por ejemplo, aparece como un religioso intolerante, pero un progresista en el sentido económico; un Guzmán Blanco en Venezuela (1870-1890) fue menos intolerante y más moderno, pero también mucho menos honesto en cuanto al uso del poder en su beneficio personal.

Creemos que se puede afirmar sin error que este proceso se adelantó en las zonas de mayor expansión económica, vinculadas a los intereses europeos. El orden era necesario para el buen funcionamiento de las haciendas, la defensa de las inversiones en las minas y ferrocarriles, la colocación de líneas telegráficas, elementos que, a su vez, contribuyeron a afianzarlo.

La extensión de los servicios policiales en el interior sirvió tanto para reforzar el orden y el acatamiento a las leyes como para debilitar el poder de los caudillos locales. Éstos fueron exterminados con saña (como hizo Rosas en Argentina) o se les indujo poco a poco a un cambio. Algunos resistieron hasta el final. Un caso digno de mención es el del uruguayo Aparicio Saravia, último representante del caudillismo popular de la democracia inorgánica, que murió en acción, en plena guerra civil, ya entrado el siglo XX. Por lo general, sin embargo, el caudillismo tradicional inició un lento cambio, se volvió menos belicoso y menos radical; su prestigio político se transformó en un valor a emplear en otros términos, y como sus propios prohombres habían adquirido tierras, disminuyó su hostilidad contra los grandes propietarios. Al imponerse el hábito del voto en las zonas rurales, estos nuevos caudillos, junto con los grandes terratenientes, pondrán su fuerza política al servicio de intereses conservadores.

Durante este período de gobiernos autocráticos fueron duramente combatidos los bandoleros. El alistamiento en la policía o en el ejército de línea ofreció algunas posibilidades de trabajo a los inadaptados del campo. Éstos pudieron optar también por incorporarse a cuadrillas que construían caminos, ferrocarriles, telégrafos. Durante un tiempo, todavía pudieron subsistir en las distintas explotaciones rurales, en calidad de "agregados" (se llamaba "agregados" a las personas que, con anuencia del gran propietario, vivían en la finca o levantaban en ella su rancho, colaborando en las tareas y sin percibir salario). Pero poco a poco este tipo de mano de obra fue desplazado por el peón asalariado. Entre algunas grandes estancias se formaron pequeñas poblaciones miserables que por generaciones enteras arrastraban su pobreza y vivían malamente del cultivo en minifundio y del ocasional trabajo zafral en el latifundio.

Las dictaduras unificadoras fueron capaces de imponer reformas que tal vez habría costado mucho introducir por vía parlamentaria. Durante el régimen de Latorre, en el Uruguay, Varela dirigió la reforma del sistema educativo: mejoró sus objetivos y la formación de maestros y sobre todo permitió una enorme expansión de la escuela al hacerla gratuita y obligatoria (esto, sin embargo, tuvo validez sólo en la medida en que se habilitaron los establecimientos indispensables). En México, Porfirio Díaz abandonó la política económica a Limantour y al grupo de técnicos positivistas que bregaron por la modernización del país, rindiendo un verdadero culto a las innovaciones técnicas (aunque con un lamentable desprecio por las posibilidades del indígena, a quien juzgaban de raza inferior).

A diferencia de las oligarquías liberales, que en general actuaron contra los intereses de la Iglesia, las dictaduras unificadoras siguieron una política muy variable a este respecto. La religiosidad de García Moreno en el Ecuador llegó hasta consagrar el país al corazón de Jesús y retirar el derecho de ciudadanía a los no católicos. Guzmán Blanco, en cambio, laicizó la instrucción pública y adoptó diversas medidas contra la iglesia venezolana, gran terrateniente. Latorre actuó con moderación: la nueva escuela uruguaya, que según el proyecto inicial de Varela debía ser laica, en la práctica mantuvo su carácter religioso.

La importancia creciente de las ciudades y la aplicación moderada del sistema del sufragio permitieron en algunos casos el acceso al poder de las oligarquías liberales. En relación al caso anterior, no hubo siempre una continuidad de la dictadura unificadora a la oligarquía liberal; el proceso pudo darse a la inversa, o como en el caso de México, pasar de la dictadura de Porfirio Díaz a la revolución, o en el de Paraguay, no salir nunca, en realidad, del dominio de los gobiernos autocráticos. Pero aunque no siempre confirmado por la historia, hemos querido mantener este esquema de tránsito de autocracia unificadora a oligarquía liberal por razones de orden lógico, para hacer más inteligibles los cambios más profundos.

¿Qué venía ocurriendo en América Latina, principalmente en aquellos países más afectados por la europeización y la expansión económica? Poco a poco, crecía la población de las ciudades. La liquidación de las guerras civiles redundó en una hipertrofia del personal del Estado. Se extendieron los procesos de instrucción popular elemental y la formación universitaria de una minoría selecta que aspiraba a participar de un modo u otro en la conducción del poder. Con el pretexto de viejas disensiones surgidas de episodios de la historia de cada país, se organizaron partidos que se presentaron a elecciones. Fue ésta la época en que los "doctores" competían en la dirección de la cosa pública con militares y caudillos tradicionales. Estos "doctores", generalmente abogados, en algunos casos médicos, que se veían impulsados a la política por la adhesión personal de su clientela, a veces ni siquiera graduados (pero erigidos en tales por la consideración social que conllevaban —y todavía conllevan— esos títulos en América Latina), fueron los herederos del papel de otros letrados, activos en los orígenes del movimiento revolucionario contra España. Nunca ese grupo se había alejado totalmente de la actividad política, principalmente en las ciudades, pero sus integrantes habían sido desplazados de los principales cargos dirigentes por su demostrada incapacidad de comunicación con las masas, su tendencia al constitucionalismo abstracto y su poca comprensión de la realidad en que vivían.

No significa esto que la de la oligarquía liberal haya constituido una etapa más avanzada ni más radical que la anterior; solió ser, por el contrario, mucho menos osada en las reformas y conservadora de un *status* en el que la dependencia del extranjero y el poder local del latifundio aparecían como dogmas indiscutidos.

Pero para que funcionara, fue necesario que la sociedad adquiriera cierta consistencia y se produjeran nuevos cambios. En las oligarquías liberales fueron representados los principales intereses que antes actuaban de manera más directa: el poder de los caudillos, ahora volcado al arrastre de votos a las urnas y a la preocupación paternalista por sus clientelas electorales; los intereses del latifundio, fortalecidos con el voto de los sectores rurales y con una abundante promoción de hijos de familias propietarias que generalmente hacían su pasaje por la universidad. Pueden ser considerados representativos de este nuevo tipo de régimen el de la Argentina posterior a Rosas y anterior a Irigoyen (y muy particularmente el de la llamada generación del 80); el que se insinuó en el Uruguay con el gobierno de Ellauri y perduró después de las dictaduras hasta el primer gobierno de Batlle, el de Chile entre Portales y Balmaceda, aproximadamente; en Brasil, con variantes, entre el Segundo Imperio y la revolución de 1930 y en Colombia entre 1861 y 1886.

Las épocas de predominio político de las llamadas oligarquías liberales fueron épocas de remanso, en que las turbulencias de la vida política aparecieron contenidas. Y como ya hemos explicado, estas turbulencias no eran la resultante de alteraciones en profundidad, sino de la inadecuación de las normas adoptadas constitucionalmente para resolver una serie de situaciones que incidían en la falta de estabilidad política, aunque no alterasen de modo alguno las estructuras económicas y sociales.

La aparición en el poder de las oligarquías liberales dio un complemento culto y una apariencia democrática a esa serie de cambios que ocurrían en algunas zonas del continente como resultado de los nuevos vínculos con Europa. Fueron períodos más aptos para el desarrollo de una literatura y una oratoria de carácter político: tan fue así que, por ejemplo, se llegó a llamar a Bogotá la "Atenas de América Latina". Eran frecuentes las discusiones teóricas acerca de los derechos del ciudadano, de las relaciones con la Iglesia, de la necesidad de reformas en el orden constitucional. En general todas esas controversias revelaban atenta lectura de autores europeos de la época, gran confianza en el ejemplo de Europa y en la posibilidad de asegurar la venida de emigrantes de esa procedencia en cantidad suficiente como para fomentar el progreso.

En el período de las oligarquías liberales las luchas entre católicos y anticlericales se hicieron más visibles. Las organizaciones masónicas conocieron un auge inusitado.

Si bien el liberalismo político llevó a una defensa de las libertades y a una preocupación por el desarrollo institucional, en su faz económica hizo de estos países regiones cada vez más dependientes del extranjero. La práctica de la vida parlamentaria permitió que alguna vez se alzaran voces discordantes, entre las cuales cabe destacar algún intento de proteccionismo a las nacientes industrias nacionales; aparecieron, además, los primeros representantes socialistas. Éstos, por curiosa paradoja, habían heredado de los inmigrantes europeos socialistas la visión de las luchas de clase de los países industriales, y, sin embargo, fueron incapaces de comprender que la principal tarea en pro de la elevación del bienestar local consistía en la supresión del libre cambio y la lucha por superar las condiciones de la dependencia económica.

En general, podría atribuirse a las oligarquías ilustradas el mérito de su entusiasta adhesión a los planes de progreso económico y social de sus países, pero a la vez la ingenuidad de no haber comprendido que estos planes no podían realizarse mediante la mera imitación de lo realizado en otros países de Europa o en Estados Unidos, ni que era justamente en las estructuras que ellos representaban en donde había que empezar por hacer las reformas.

La adopción de la ideología liberal y, en algunos casos, la ciega adhesión al positivismo, ofrece un motivo para estudiar las razones de la ineficacia de la acción cuando no hay estricta correspondencia entre actitudes ideológicas y el medio al cual se quiere transformar.

Los representantes más ilustres de tales ideologías eran hombres de gran cultura, poseedores de admirables bibliotecas, pero cuya formación intelectual predisponía más al trabajo erudito y al estar al día de las últimas novedades europeas que a enfrentar las realidades locales. Cuando miraban a sus propios países, percibían la existencia de sectores de población en los que no confiaban demasiado, y síntomas de atraso cuya etiología fueron incapaces de descubrir.

Con todo, estas observaciones, si tomamos en consideración el período estudiado, corresponden a casos de excepción. Lo dominante en él fue que la actividad política estuviese más que nada vinculada a propósitos de progreso personal; que la pacificación sirviera para disimular las motivaciones profundas de las guerras civiles, lo que encarecería y debilitaría la acción del Estado en el período posterior; que la aplicación del sufragio resultara totalmente desvirtuada por el paternalismo oligárquico y los sectores sociales que contribuyó a fortalecer (sin tener en cuenta los casos ya más escandalosos de coacción electoral, compra de los votos y fraude liso y llano en el recuento de los mismos).

8. La política internacional y los nuevos estados durante el siglo XIX

Vimos en el período anterior que la ruptura de los vínculos coloniales hispano-portugueses había despertado una creciente atención por los nuevos Estados en la política internacional de la época. Solamente que la problemática cambia: antes, el tema dominante había sido el problema de la independencia; ahora, los intereses de las grandes potencias se manifiestan de manera más evidente, y se acentúan las controversias entre ellas.

Imperialismo e "influencia": la diplomacia al servicio del comercio

La diversidad de opiniones acerca de la expansión imperialista de fines del siglo XIX ha ido produciendo una especie de fatiga intelectual que deriva muchas veces en el olvido de lo esencial en este fenómeno. Es cierto que no debe confundirse la vieja política colonial con el nuevo imperialismo, y también que capitalismo financiero e imperialismo son términos cuya asociación es controvertida, pero esto no quita significación al hecho real del beneficio que produce a algunos países su política exterior, en detrimento de otros. Este fenómeno puede presentar formas muy diversas; de ahí las distintas maneras de explicarle. Lo que se percibe como desarrollo "inducido" o "hacia afuera", imperialismo o "efecto de dominación", existencia de países coloniales y de "polos de desarrollo", es parte de un mismo complejo de factores que explica el desequilibrio entre la acción de las zonas industriales y las regiones periféricas. Ha contribuido a oscurecer el panorama anterior la construcción de algunas teorías destinadas a explicar este proceso que, de manera fragmentaria y parcial, sólo han tomado en cuenta algunas de sus características. Si se observa la historia latinoamericana posterior a la independencia, se puede advertir que complementariamente con la gran transformación motivada por el impacto del capitalismo industrial hay manifestaciones concretas de acción imperialista de las grandes potencias europeas y que ésta va desde las simples gestiones diplomáticas a la intervención armada.

La simple expansión de la economía capitalista fue un factor de grandes cambios en el mundo: modificó sistemas de producción y determinó el traslado de poblaciones enteras. Poco a poco, irán cayendo en el desprestigio las fórmulas que el liberalismo británico había elaborado en su enfrentamiento al viejo colonialismo hispánico; en efecto, aparecen más naciones industriales en el plano de la competencia económica internacional y se va abandonando el libre cambio para retornar lentamente al proteccionismo. Se podría decir que hay una inversión de la tendencia: lo que a fines del siglo XVIII y principios del XIX desacreditaba los monopolios coloniales, se trocará poco a poco en una nueva forma de colonialismo que llevará al reparto de África y a la penetración en Asia.

En la base de las justificaciones teóricas del imperialismo, había un denominador común, compartido las más de las veces por las élites locales: la creencia en la superioridad europea. En efecto, se había difundido en esos tiempos la creencia de que el europeo tenía la dura tarea de velar por los demás pueblos hasta que éstos se hallaran en condiciones de hacerlo por sí mismos. El europeo debía curar las plagas de éstos, educarlos, organizar su economía y construir sus ciudades, impedir el bandolerismo y las guerras fratricidas. Debía evitar que en la India se quemara a las viudas, que en China se deformase el pie a las niñas, que en África o Nueva Zelandia hubiera canibalismo y en América Latina guerras civiles y saqueos. Esta idea puede presentar ribetes racistas o religiosos; en otros casos se manifiesta meramente como defensa apasionada del libre cambio y de la importancia de no oponer barreras a la expansión del capitalismo industrial, pero el resultado suele ser siempre el mismo.

En lo que se relaciona con América Latina, pese a algunos conatos de intervenciones armadas y conquistas militares, la acción imperialista fue más sutil. Los grandes estados se preocupaban sobre todo por tener una diplomacia eficiente, bien informada, con capacidad para intervenir en las cuestiones económicas y políticas más candentes.

Como hemos dicho, es difícil diferenciar la defensa de intereses comerciales y la acción imperialista. Las tentaciones eran muchas y sobraban oportunidades para que de una se pasara a la otra. Tal orientación de las potencias dominantes queda plenamente demostrada, entre otras pruebas, por la documentación de sus archivos diplomáticos.

La nutrida correspondencia diplomática y las más variadas documentaciones que se conservan como fruto de esta actividad prueban la importancia que se asignó a los problemas económicos y políticos y constituyen a la vez, por su carácter, una de las fuentes más valiosas para conocer la historia de esa época. Allí se ve a los cónsules interesarse por fomentar los fletes para sus marinas mercantes, y dispuestos a apoyarse en la marina de guerra cuando las circunstancias lo requieran; se les observa procurando ampliar las condiciones favorables a la colocación de sus productos y obtener materias primas forzando las resistencias oficiales por todos los medios posibles.

Una muestra del espíritu intervencionista de los diplomáticos europeos nos lo brindan las observaciones siguientes, que extraemos de la correspondencia de la representación francesa en el Uruguay. En una nota del 9 de marzo de 1888 se comentaba, a propósito de la creciente influencia económica argentina en el Uruguay, que faltaba poco para que se efectuara la unión política de estos dos países: "Ese día se constituirán los Estados Unidos de América del Sur, y Europa se encontrará frente a otra gran potencia en el nuevo mundo, con la cual habrá que contar antes de cincuenta años o algo más. Mientras tanto, ¿el papel de los estados europeos es dejar al tiempo cumplir tranquilamente su obra y no preocuparse del Plata? No es tal la opinión de mis colegas; tenemos en estas regiones, en efecto, un movimiento de negocios demasiado considerable como para poder desinteresarnos de los acontecimientos que parecen prepararse. . . Dejar a la República Argentina apoderarse de Montevideo sería entregarle la llave del Plata." Y el diplomático francés concluye: "He creído necesario participar mis sentimientos a V.E. Le determinarán quizás a hacer más efectiva nuestra vigilancia marítima en estos parajes. Lo cierto es que los ingleses sabrán defender solos, si nosotros no queremos o no podemos unirnos a ellos, la libre navegación del Plata y del Paraná. Y que, si se produce el caso, no dejarán de asegurarse una preponderancia siempre útil a su comercio y a sus relaciones económicas con América del Sur."[37]

Esta mentalidad intervencionista queda aún más al descubierto en las consideraciones publicadas en París en 1861 por E. Grandidier, quien había viajado por Suramérica en misión oficial de estudios encomendada por el Segundo Imperio francés. Grandidier explica el atraso de Bolivia, fundamentalmente, por la carencia de un buen puerto oceánico (ya que Cobija era muy pequeño y estaba separado de las provincias interiores por un mar de arena) y sugiere que a ese país se le entregue el puerto de Arica. Pero súbitamente nos revela que su proyecto no sólo está animado por el deseo de terminar con el atraso de Bolivia, sino además por el de ponerla al alcance de la artillería naval europea: "Hay todavía otra consideración que debe tenerse en cuenta y que ha impedido al comercio tomar toda la extensión deseable; es la imposibilidad en que se encuentran Francia y los otros gobiernos de hacer respetar los intereses de sus nacionales, a menudo heridos y comprometidos por las revoluciones o los abusos del poder; ninguna garantía seria se ofrece a los extranjeros que querrían establecerse en este territorio y nuestros cañones serían inútiles para apoyar las reclamaciones de los negociantes franceses, injustamente despojados de sus fortunas. Si Arica fuese cedida a Bolivia, este país dejaría de ser casi invulnerable y un desierto de cincuenta leguas no protegería más ese molesto estado de cosas."[38]

De los métodos empleados muchas veces por las compañías extranjeras en su trato con los funcionarios latinoamericanos, nos brindan un claro testimonio, por ejemplo, los interrogatorios a que fueron sometidos en Inglaterra, en mayo de 1897, varios directores de la Compañía del Ferrocarril Salitrero por un comité de accionistas que deseaba averiguar en qué se había gastado una gruesa suma. El "Railways Times", de Londres, reprodujo entre otras esta respuesta de Sir Ashmead Bartlett, miembro del Parlamento: "No podría distinguir exactamente entre lo que se puede llamar gastos legales legítimos y gastos legales de carácter privado, lo que, por supuesto, y no es un secreto para nadie, consistía en dinero regalado a gente en Chile que se creía pudiera ser útil al ferrocarril. La administración pública en Chile es, como usted sabe, muy corrompida, y como se nos atacaba de todos modos, se nos aconsejó hacer ese gasto para resguardar los derechos del ferrocarril."

Así es como la correspondencia diplomática nos permite reconstruir los fines y las modalidades de la acción de las potencias europeas para con América Latina. En resumen, queda en evidencia en ella que el primer objetivo de la política europea fue la intensificación del comercio. Procurando mejorar sus condiciones exploraron las regiones, buscaron conseguir facilidades arancelarias y la cláusula de nación más favorecida, obtuvieron la libre navegación de los ríos y el rechazo de las ofertas comerciales de los rivales. Otro objetivo primordial en la política exterior de las grandes potencias se centraba en la defensa de sus súbditos y empresas.

De un modo más sutil, pero no menos persistente, las grandes potencias lucharon por afirmar una influencia que se iniciaba en el terreno cultural y terminaba en el campo más estrecho del beneficio económico, sin encontrar mayores resistencias. Consiguieron convencer o comprar a los gobernantes más reacios y conquistar a las élites con la superioridad de los patrones de vida europeos, logrando puertas abiertas para la inversión de capitales. Las dificultades eventuales, que fueron suscitadas más por la rivalidad de los competidores extranjeros que por la resistencia latinoamericana, se fueron resolviendo paulatinamente. La independencia política había dado lugar a nuevas formas de dependencia. Del conjunto de naciones industriales, Inglaterra fue la primera en detentar la hegemonía, aunque luego se comenzaron a afirmar en el Caribe los intereses norteamericanos. Compañías navieras, de cables telegráficos, empresas de producción, comercio y crédito, sociedades científicas y diversos institutos de intercambio, todo ayudaba a consolidar esta influencia. Su constante preocupación por los inmigrantes, aunque no fueran sus propios súbditos, se explicaba porque éstos constituían un ingrediente fundamental para la expansión económica y, por otra parte, acrecentaban los beneficios en los fletes transatlánticos.

Estados Unidos, que debía su nacimiento a la ruptura de los lazos coloniales, fue poco a poco asumiendo una posición imperialista. Para explicarlo se ha señalado reiteradamente que la suya había sido una rebelión de colonos, no de colonizados, y por otra parte que su crecimiento económico y político los llevaba inevitablemente a esa posición.

Mientras tanto América Latina se resignaba a la dependencia y la mejor defensa de su autonomía política era la existencia de intereses rivales entre las potencias extranjeras.

El imperialismo inglés

Después de la independencia, los británicos procuraron sin éxito que los nuevos estados adoptaran la monarquía como forma de gobierno. No ocultaron su hostilidad a los planes bolivarianos cuando la convocatoria del Congreso de Angostura (Panamá) en 1826, y procuraron siempre evitar la formación de grandes estados, por considerarlo contrario a sus intereses. Su insistencia en resolver el pleito entre Argentina y Brasil mediante la creación de un pequeño estado independiente en la Banda Oriental, ilustra esta política y el deseo de asegurar sus intereses en el Río de la Plata.

La hegemonía británica sobre América Latina llegó, en esa época, a transformarse en modelo de dominación económica sin lazos coloniales. La mayor parte de los intereses británicos estaban suficientemente protegidos por la simple posibilidad de competir libremente en los mercados del mundo, ya que la temprana revolución industrial operada en la isla los había colocado en la más ventajosa posición para vender a precios bajos. No obstante, en muchos casos la acción de su diplomacia o de sus hombres de negocios logró ventajas complementarias a las que nacían del libre juego de la oferta y la demanda. En el tratado de 1810 concertado con la corte portuguesa en Río, por ejemplo, habían obtenido que el impuesto general *ad valorem* del 24% aplicado a toda mercadería extranjera, que bajaba al 16% cuando se trataba de mercancías portuguesas, fuera tan sólo del 15% para las de origen británico.

Los empréstitos británicos eran cuidadosamente calculados. La diplomacia velaba celosamente por que, en los hechos, las economías latinoamericanas fueran tan sólo un complemento de la británica. "En América Latina el inglés es todavía, en cierta medida, un 'milord'. . . Han venido como representantes de firmas, compañías, sindicatos poderosos. Son gerentes de casas filiales, ingenieros, viajeros, deportistas, financistas. El británico de clase baja es difícil de encontrar, al revés de lo que ocurre con inmigrantes de otros países europeos y americanos. No ha habido afluencia de inmigrantes ingleses de las clases pobres. Inglaterra es el país que en gran parte ha financiado los ferrocarriles, y éstos, en los países latinoamericanos, son cosas que llegan más al corazón del habitante de lo que es imaginable en Inglaterra, Francia o Alemania. . . En las ciudades de México y en Sudamérica se encuentran ferreterías y otros comercios alemanes, así como merceros y sastres franceses, junto a almaceneros, hoteleros y dueños de restaurantes españoles e italianos; todos ellos valiosos agentes de comunidades en desarrollo, pero de menor reputación que aquellos extranjeros que dirigen bancos o grandes establecimientos mayoristas, construyen minas y fundan grandes haciendas azucareras, ganaderas o algodoneras. Inglaterra no necesita esforzarse: la tradición, el tiempo y su buen nombre trabajan para ello."[39]

El sistema británico tenía varios elementos fundamentales. La aplicación del vapor había colocado a la marina inglesa en condiciones de superioridad, no solamente en el campo bélico sino también en la competencia comercial del transporte marítimo en todos los mares del mundo. La revolución industrial le dio para ofrecer una abundante producción fabril cuyas cantidades y precios le aseguraron el predominio en los mercados. Su eficaz organización financiera y bancaria le permitió acumular e invertir sus capitales en el fortalecimiento de su propio sistema. Y por cierto que las empresas de la época exigían emplear sumas cuantiosas y hasta entonces inusitadas en la lucha por los fletes o la competencia de productos, así como en la formación de existencias de artículos alimenticios y materias primas procedentes del mundo colonial. Inglaterra dispuso asimismo de personal competente para el funcionamiento de esos complejos mecanismos de empresa.

Fue la anticipada defensa de ese orden lo que llevó a Inglaterra a la más firme oposición contra los planes favorables a la restauración del colonialismo español formulados por la Santa Alianza, y a la misma causa obedecen la intervención británica en el Río de la Plata contra la política de Rosas (conjuntamente con Francia) y la persecución cada vez más severa de los navíos negreros que, no sin lucha, culminó con la eliminación absoluta del pasaje de esclavos por el Atlántico al mediar el siglo XIX.

Esa lucha de Inglaterra por la supresión de la trata de africanos y la abolición del trabajo esclavo no fue ajena a la facilidad con que había resuelto el problema de la mano de obra en sus posesiones (por su abundancia en la India, principalmente) ni a su designio de expandir el régimen del trabajo asalariado, con el fin de provocar un aumento de la demanda de sus productos, aprovechando la expansión de las economías de mercado bajo el impulso del capitalismo industrial.

La acción de Inglaterra en América Latina, no obstante, no fue sólo diplomática y económica sino que se tradujo también en intervenciones armadas que emprendió a solas o en conjunto con otras potencias. Ya en 1833 tropas inglesas habían ocupado las islas Malvinas, a las que declararon propiedad de la corona británica pese a las reiteradas protestas argentinas. En 1861, conjuntamente con España y Francia, Gran Bretaña inició una intervención en México, aunque las tropas inglesas y españolas se retiraron después de la ocupación del puerto de Veracruz, al verse claramente que Francia aspiraba a algo más que a un simple cobro de deudas. Al año siguiente, Gran Bretaña y Francia presionaron a Argentina y Uruguay para exigir el pago de las deudas contraídas en la guerra contra Rosas. La intervención inglesa, mal encubierta en la guerra del Pacífico, en la cual Chile derrota a Perú y Bolivia (lucha por la apropiación de las explotaciones salitreras), hizo decir a muchos que se trataba de una guerra británica. En 1895 se registró un nuevo intento de intervención británica en Venezuela, y otro más en 1902, esta vez de consuno con Alemania e Italia, pero ambos intentos fueron frustrados por la presión norteamericana.

Por estas fechas, ya la hegemonía británica había encontrado rivales poderosos. Estados Unidos obstaculizaba sus reclamaciones y minaba su sistema. La paulatina afirmación de los norteamericanos en el Caribe culminó con el desconocimiento del tratado de Clayton-Bulwer y la intervención decisiva en Panamá (1903): por primera vez, el león británico cedía paso a otra potencia en la puja por el dominio de un centro estratégico, de importancia tan grande para las comunicaciones mundiales.

En su política de acción e influencia sobre América Latina, Inglaterra no sólo hubo de aceptar la compañía de Estados Unidos. Había otras potencias rivales; entre ellas, Holanda representaba más que nada una supervivencia del pasado. No obstante, sus intereses en Guayana y en múltiples islas del Caribe (de las cuales Curaçao es la más importante) trascendían el valor económico de sus posesiones, dada la posición singularmente estratégica ocupada por éstas. Base de traficantes y piratas, como Tánger en África, Curaçao transitará lentamente hacia formas de actividad más modernas, pero igualmente ilegales y rendidoras, hasta llegar a ser hoy uno de los centros internacionales de tráfico de divisas y actividades bancarias tendientes a evadir los impuestos de diferentes estados.

También debe señalarse el papel del naciente estado de Bélgica en la promoción de actividades comerciales y financieras en territorio latinoamericano.

En cuanto a Francia, la acción directa que quiso desempeñar resultó en cierto modo inversamente proporcional a la enorme influencia cultural que estaba destinada a ejercer.

La monarquía burguesa del año 1830 inició relaciones con algunos estados latinoamericanos y participó activamente en la intervención contra Rosas en el Río de la Plata. La Revolución francesa de 1848 fue muy celebrada en América Latina, donde tenían cierta influencia los grupos de emigrados franceses (muchos de ellos sansimonianos y republicanos de tendencia radical). La contrarrevolución en Francia y el advenimiento de Napoleón III (1851) aceleraron justamente este tipo de emigración, al tiempo que aquélla enviaba a la "guillotina seca" de la Guayana un considerable número de opositores al régimen. Los sueños de grandeza de Napoleón III contribuyeron al fallido intento de crear un imperio vasallo en México, con lo que el prestigio francés se vio afectado en América Latina. La Tercera República concedió mayor interés al mantenimiento de la influencia cultural y a la acción de los emigrantes como medios de fortalecer los vínculos económicos que el nuevo capitalismo francés buscaba desrrollar. En esa época se dio preferente atención al establecimiento de bancos y de compañías navieras y empresas subsidiarias.

En contraste con esa frustrada vocación imperial, resulta curioso comprobar la importancia de la penetración cultural francesa en el ámbito latinoamericano; los grupos de élite de América Latina fueron adoptando cada vez más la educación y los patrones de vida franceses; la calidad de los productos galos ejerció un atractivo especial en las clases altas; al consumo suntuario se unieron múltiples lazos intelectuales en un momento en que España tenía poco que ofrecer y cuando todavía pesaba respecto a ella el recuerdo de las luchas de la independencia. Mientras que los británicos disfrutaban de las ventajas de su predominio económico, los franceses robustecían su influencia en el frente cultural.

En cuanto a la política italiana, su drama consistió en la contradicción entre la tendencia a organizar su estado nacional y la deserción masiva de su población hacia tierras americanas. En 1861, Víctor Manuel, al triunfar el movimiento de unidad, fue proclamado rey de Italia. De 1862 en adelante, habrá en América Latina delegaciones italianas que no dejarán de desempeñar un papel importante. Así, por ejemplo, ante la acción conjunta franco-inglesa contra Rosas, para el cobro de indemnización por los perjuicios de la guerra, el representante italiano Barbolani llegó a gestionar un protectorado italiano como garantía de la neutralidad uruguaya, aprovechando la presencia de la corbeta regia Iride en la rada de Montevideo. Pero eligió mal momento, porque a raíz de la intervención francesa en México y Perú existía una prevención general antieuropea y hasta se habían entablado conversaciones tendientes a lograr una alianza americana. En consecuencia, los representantes italianos debieron limitarse a velar por sus súbditos y los intereses generales de su comercio.

La posición española estuvo marcada por el antecedente colonial y el recuerdo de las luchas de la emancipación. La afluencia de emigrantes y las múltiples declaraciones fraternas, que encubrían mal un tono paternalista, no impidieron algunas medidas más drásticas hacia América Latina. En 1829 se registró una fracasada expedición española contra México dirigida a restaurar en el antiguo virreinato la dominación de la metrópoli. En 1861 España participó en los comienzos de la expedición francesa a México, mas se retiró pronto. El mismo año, por invitación del dictador dominicano general Santana, volvió a hacerse cargo de ese territorio, situación que durará cuatro años. En 1864 ocupó las islas Chinchas y entró en guerra con Perú (cuya independencia no había reconocido); Chile, Ecuador y Bolivia respaldaron a Perú y las islas fueron devueltas previa satisfacción de las reclamaciones españolas.

Después de la guerra contra Estados Unidos en 1898, España perdió las dos últimas posesiones americanas que conservaba, Cuba y Puerto Rico, así como las Filipinas. No obstante, entre España y América Latina, la fuerza de los vínculos históricos y de los intereses de comerciantes y emigrantes incitaban a procurar mejorar y robustecer las relaciones; lo que se hace hoy día en nombre de la hermandad de raza y la defensa de la hispanidad.

Alemania, por su lado, tardíamente unificada y con una emigración relativamente escasa (si se exceptúa la que se dirige a Brasil y Chile), no por eso dejó de interesarse activamente por América Latina, estableciendo líneas de navegación y mejorando sus vínculos comerciales. Los intereses alemanes recibieron fuerte impulso debido al carácter expansionista de su economía hacia fines del siglo XIX. Practicando una política inteligente de crédito a muy largos plazos y adaptando su oferta de productos exportables a las necesidades regionales, desempeñaron un papel importante, principalmente en la región del Caribe, donde llegaron incluso a desplazar a otros competidores extranjeros instalados desde hacía ya tiempo.

Establecimiento de las bases del imperialismo norteamericano

Al independizarse América Latina, Estados Unidos no disponía de un plan político específico para la región. Las instrucciones dadas por el secretario de Estado a sus representantes ante los nuevos gobiernos se limitaron durante muchos años a reclamar en el plano económico y comercial la igualdad de trato frente a las otras potencias y a pregonar las excelencias de la democracia republicana y del sistema político norteamericano. Fue sólo a partir de la segunda mitad del siglo XIX, cuando Estados Unidos hubo solucionado sus problemas internos, que fueron echadas las bases económicas, políticas e ideológicas del imperialismo que iba a caracterizar sus relaciones con Latinoamérica en el siglo xx.

Afirmar que Estados Unidos no tenía ninguna política hacia América Latina en los años posteriores a la independencia puede parecer algo contradictorio con la existencia de la "doctrina Monroe", formulada en 1823. No lo es tanto, sin embargo, porque lo que actualmente se conoce bajo ese rótulo es un conjunto de interpretaciones y deformaciones añadidas en el siglo xx. En su formulación original, la declaración de Monroe tuvo un contenido esencialmente preventivo y defensivo: fue el reflejo de la inquietud norteamericana frente a las veleidades intervencionistas de las potencias europeas en el continente americano; se trataba de poner coto a las ambiciones territoriales de los rusos en Alaska, de los ingleses en la frontera canadiense y de impedir una reconquista de América Latina por España, apoyada en la Santa Alianza. La mal llamada "doctrina" Monroe fue expuesta en el mensaje anual del presidente Monroe al Congreso norteamericano en diciembre de 1823; refiriéndose al peligro de ver a los europeos tratar de reinstalarse en el continente, el presidente declaró sustancialmente: ". . .Los continentes americanos, por la condición libre que han asumido y mantienen, no deben ser considerados en adelante como sujetos a la futura colonización por potencia europea alguna. . . Debemos, por lo tanto, en honor a la sinceridad y a las amistosas relaciones que existen entre los Estados Unidos y esas potencias, declarar que consideraríamos cualquier intento por su parte, de extender su sistema político a cualquier lugar de este hemisferio, como peligroso para nuestra paz y seguridad. . . Con respecto a los gobiernos que han declarado su independencia y la han mantenido y cuya independencia nosotros, basándonos en una gran consideración y principios justos, hemos reconocido, no podríamos ver cualquier interposición que tenga por propósito oprimirlos, o controlar de cualquier otra manera su destino, por cualquier potencia europea, de otro modo que como la manifestación de una disposición inamistosa con respecto a los Estados Unidos." De este modo, la declaración no establecía más que una serie de principios, el de no intervención, de no colonización, el de aislacionismo, valederos para el futuro y oponibles sólo a las potencias europeas. Así lo entendieron los países como Chile y Colombia que la apoyaron, proponiendo a Estados Unidos la conclusión de una alianza basada en los términos de la doctrina, o los que en vano reclamaron su aplicación. Hasta fines de la guerra de Secesión, preocupado por sus problemas interiores, Estados Unidos no dejó de ver en este discurso más que una simple declaración de principios; es así como no fue recordada ni aplicada, entre otros casos, durante las evidentes intervenciones británicas en América central en la década de 1830 (tendientes a ampliar el territorio de Honduras británica), ni cuando Gran Bretaña ocupó en 1833 las islas Malvinas, ni cuando el bloqueo francés de México y Argentina en 1838 o las operaciones anglofrancesas en el Río de la Plata en 1845.

Si Estados Unidos mostró una relativa indiferencia frente a estos sucesos, fue porque estaban acaparados por problemas internos, por la consolidación de su sistema político y, sobre todo, por la definición de sus fronteras. Esta preocupación por la frontera fue quizás la que predominó en la política de Estados Unidos durante el siglo y se explica por la convicción, generalizada en esa época, de que el poder económico y político se asentaba en la posesión directa de la tierra. El hambre de tierras que llevó a los colonos norteamericanos cada vez más hacia el oeste y hacia el sur en persecución de unas "fronteras naturales" que retrocedían a medida que ellos avanzaban, se aplacó recién a finales de siglo. La expansión territorial de Estados Unidos se efectuó en una serie de etapas y por diferentes vías, pacíficas o bélicas. En un principio, predominó el sistema de compra directa: de la Luisiana a Francia en 1803 (lo que constituye casi el tercio de la superficie actual de Estados Unidos) y de la Florida a España en 1819. Posteriormente, salvo en el caso de Alaska, comprada a los rusos en 1867, la conquista de nuevos espacios se hizo por las armas. En 1835-1836, Texas se separó de México, proclamándose independiente a instigación de los colonos norteamericanos y pasó a integrar la Unión en 1845; al estallar, a consecuencia de esto, la guerra entre México y Estados Unidos, éste se impuso y se anexó definitivamente (1848) una inmensa franja de territorio constituida por Texas, Nuevo México, Arizona, California, Nevada y Colorado, cuyos nombres españoles son lo suficientemente elocuentes respecto a su origen. Alrededor de la mitad del territorio mexicano había pasado a Estados Unidos y la frontera quedaba fijada por el Río Bravo.

A la vez causa y efecto de esa expansión territorial, el crecimiento económico de Estados Unidos se hizo notable: entre 1790 y 1860, la población aumentó 8 veces; se establecieron las bases de una infraestructura de transportes con la construcción de una vasta red de canales y de las primeras vías de ferrocarril; apareció la industria pesada, mientras que la ligera (textil en particular) se desarrollaba considerablemente; la mecanización tendió a generalizarse tanto en la industria como en la agricultura. Al amparo del libre juego de la competencia y de los precios, creció un capitalismo industrial y mercantil con base en numerosas empresas medianas que fueron organizándose cada vez más en forma de sociedades anónimas.

Sin embargo, fue sobre todo a partir de 1860 cuando la economía norteamericana experimentó sus mayores cambios y una formidable aceleración de su desarrollo. El fin de la guerra civil, que vio el triunfo del norte industrial sobre el sur agrario y esclavista (1865), fue determinante en esa nueva fase de expansión. El país se dedicó de lleno a organizar y colonizar su espacio interior como lo prueba por ejemplo el progreso de la red de ferrocarriles, que pasa de 35 000 millas en 1865 a 320 000 en 1900. La producción agrícola del país creció de tal manera que duplicó su valor entre 1870 y 1900 y que la exportación de cereales aumentó casi 15 veces entre 1860 y 1880. En cuanto a la producción industrial, se desarrolló notablemente, al amparo de tarifas aduaneras muy proteccionistas y su valor pasó de 1 886 millones de dólares en 1860 a 9 372 millones en 1890. A fines de siglo, Estados Unidos estaba sobrepasando el nivel de producción alcanzado por Gran Bretaña, Francia y Alemania. Al mismo tiempo, el rasgo fundamental de la economía pasó a ser el de la concentración de empresas industriales; grandes consorcios tendieron a sustituir a las empresas medianas existentes. A partir de los años 70, a medida que fueron estrechándose los lazos entre el capital industrial y el financiero, el sistema de competencia irrestricta antes imperante cedió el paso al juego de los monopolios y de los trust. En la época (1901) cuando un Carnegie funda la United States Steel Corporation, con un capital de 1 400 millones de dólares, suma que, según se ha estimado, supera a la riqueza total de Estados Unidos un siglo antes; cuando Rockefeller da origen a un verdadero imperio económico que, iniciado en el petróleo, se extiende a otras actividades apoyándose además en el National City Bank de Nueva York; cuando el banco de Morgan concentra empresas ferroviarias, establecimientos de crédito y seguros. F.D. Armour y G.F. Swift crean el trust de la carne, Guggenheim controla la mayor parte de la producción de cobre. Poco a poco, todas las actividades caen bajo el control de los trust, pese a tentativas como la de la ley de Sherman (1890) de declarar ilegales todos los contratos, combinaciones y conspiraciones para restringir el comercio, incluidos los monopolios. La trustificación hizo posible la centralización de las funciones directivas y administrativas, la eliminación de empresas menores, la imposición de situaciones de virtual control de precios y mercados y brindó capacidad de expansión para salir al exterior a aumentar las ganancias (muy representativo de este proceso es la Standard Oil Company, por ejemplo). Y aunque hasta cierto punto, y no siempre, dentro de Estados Unidos se combatía y vigilaba a esos trust en relación con su actividad monopolista, en su acción exterior actuaban absolutamente libres de controles.

Se puede decir que el fin de la expansión de la frontera interna dio la partida a la aventura imperialista norteamericana. En efecto, durante largo tiempo, aquel proceso había absorbido contingentes humanos, capitales e iniciativas en la ampliación de las áreas de explotación; a fines de siglo, al no quedar tierras vacantes ni territorios contiguos por colonizar, estas mismas fuerzas quedaban libres de volcar sus energías hacia otros campos, más allá de las fronteras nacionales.

A mediados de siglo, Estados Unidos ya se había asociado exitosamente a los intentos europeos para abrir los puertos chinos y japoneses al comercio occidental. Terminado el período de aislamiento forzoso provocado por la guerra civil, será sin embargo más bien hacia América Latina que volcarán su atención; por su proximidad geográfica y sus abundantes recursos en materias primas, ésta aparecía en efecto como el proveedor y el cliente ideal, "predestinado", de la joven industria nórdica. Prueba de ese renovado interés fueron las repetidas tentativas norteamericanas, a partir de 1880, por hacer revivir el antiguo proyecto de unión de las repúblicas americanas. Esta vez ya no se trataba, como entre 1826 (Congreso de Panamá) y 1865, de crear una confederación política o una organización de seguridad colectiva, como había sido la ambición frustrada de muchos países latinoamericanos (que la habían concebido ora con, ora sin, la participación de Norteamérica); el hincapié se ponía ahora en el establecimiento de un sistema de concertación en el área económica fundamentalmente. Desde 1870 aproximadamente, los hombres de negocios norteamericanos habían empezado a demostrar un interés creciente en América Latina, viendo en este continente un gran mercado potencial para su producción y aspirando a conquistárselo.

James G. Blaine, el secretario de Estado norteamericano, se hacía eco de esta preocupación en 1882, después de un primer intento fallido de reunir en Washington una conferencia de todas las naciones de América; en una carta dirigida al presidente de Estados Unidos, escribía: ". . .Más allá de los fines filantrópicos y cristianos de esta Conferencia. . . bien podríamos esperar ventajas materiales como resultado de un mejor entendimiento y mayor amistad con las naciones de América. Actualmente las condiciones de comercio entre Estados Unidos y sus vecinos americanos son insatisfactorias y aun deplorables para nosotros. . . No digo. . . que la reunión de un congreso de paz habrá de cambiar necesariamente las corrientes de comercio pero. . . será en todo caso un paso amistoso y auspicioso dado hacia el aumento de la influencia y del comercio americanos en un campo extenso que hemos descuidado hasta ahora y que ha sido monopolizado por nuestros rivales comerciales de Europa."[40] En realidad, la primera tentativa hecha por Blaine en 1881, para convocar la conferencia panamericana, fracasó en parte por temor a las reacciones que hubiese podido suscitar entre las potencias europeas. Levantada esta hipoteca, se reunió finalmente la Conferencia en Washington en 1889, con asistencia por primera vez de países latinoamericanos de habla no española (Brasil y Haití). Allí, el 14 de abril de 1890, se creó la Unión Internacional de las Repúblicas Americanas, encargada de reunir y difundir entre sus miembros las informaciones comerciales, y cuyo órgano principal, el buró comercial, funcionaba en Washington bajo la dirección del secretario de Estado norteamericano; un magro resultado, si se piensa que en el orden del día de la conferencia figuraban un proyecto de unión aduanera y un tratado de arbitraje obligatorio. . . No obstante, al correr del siglo XX, esta misma asociación se transformará en una poderosa herramienta de dominación política de Estados Unidos sobre sus vecinos del Sur.

Finalmente, deben considerarse una serie de elementos de orden intelectual que fueron preparando el nacionalismo expansionista. Ya en 1855, en un artículo en el "Hunt's Merchant's Magazine", llegó a sostenerse que "así como en la sociedad moderna el capitalista tiene al indigente en su poder, así entre las naciones, las ricas requerirán el servicio de las pobres, o causarán su destrucción. No debe ser lamentada la vigencia universal e irresistible de esta ley. . . Es mejor que de este modo una raza inferior se extinga, y no que resulte frustrado el desarrollo de una raza superior."[41]

A fines de siglo aparecieron los teóricos más importantes del imperialismo norteamericano. El primero de ellos fue Josiah Strong, autor de *Our country* (1885), que desarrolló la idea de la superioridad innata de la raza anglosajona y denunció los peligros derivados del agotamiento de las tierras libres, la excesiva urbanización y la inmigración incontrolada. El mismo año se publicó el *Manifest destiny*, de John Fiske, quien abogó por la expansión ultramarina, comercial y colonial de Estados Unidos. En 1890 vio la luz *The influence of sea power on history*, del capitán Alfred Mahan. Este oficial naval sostenía que Estados Unidos debía cumplir su misión cristiana y civilizadora sobre los pueblos inferiores mediante una fuerte marina de guerra y mercante, el comercio y las posesiones coloniales. Ideas de este tipo eran divulgadas exitosamente por los periódicos sensacionalistas de Hearst y Pulitzer.

Theodore Roosevelt, amigo y admirador de Mahan, transformó en acción la nueva opinión preparada por esas prédicas. En la guerra hispanoamericana, ganada en tres meses, la escuadra norteamericana aplastó en Manila y Santiago de Cuba a la flota española. Misioneros y capitalistas celebraron las nuevas perspectivas que la posesión de las Filipinas les abría en oriente. Roosevelt había ido en persona a combatir a Cuba, y a su regreso se le recibió como un héroe; al poco tiempo llegó a gobernador de Nueva York y fue electo vicepresidente; el asesinato de McKinley por un anarquista le llevó inesperadamente a la primera magistratura. Durante su período demostró que no bromeaba al aconsejar: "Hablad dulcemente y llevad un gran garrote; iréis lejos."

Hacia fines del siglo, Estados Unidos se había transformado en una potencia que reclamaba un sitial en el concierto internacional y un papel hegemónico en el mar de las Antillas y sus aledaños.

En una correspondencia comercial de la legación francesa en Montevideo, se comentaba el 17 de julio de 1894: "...El Congreso Panamericano de 1889 y las propuestas de unión aduanera que allí han nacido, después el proyecto de línea central de ferrocarril desde Nueva York a Montevideo, me han proporcionado ya numerosas ocasiones para informar al departamento de las gestiones por las cuales el gobierno de Washington tiende a enfeudar a las repúblicas latinas del sur a su política comercial y financiera, con vistas a establecer su hegemonía sobre las tres Américas. En sus comienzos, esas gestiones parecían no producir más que pocas consecuencias prácticas en los países de mi residencia. A juzgar por ciertos indicios, las desconfianzas instintivas comenzarían a atenuarse. El Uruguay se inclina a imaginarse que sus productos encontrarán facilidades de colocación en un país de industria tan emprendedora como Estados Unidos. Los hombres de negocios y los especuladores uruguayos muestran ya algunas veleidades, buscando sacar partido de la buena voluntad que les testimonian los capitalistas, los grandes industriales y el comercio mayorista norteamericano; consideran menos que antes la ruina a la cual estarán probablemente expuestas sus industrias nacientes desde que, a cambio de las ventajas ilusorias para sus exportaciones, ofrezcan facilidades particulares a la invasión de productos manufacturados de importación norteamericana..."[42]

Para entender las proyecciones de esta política, denunciada por los temores franceses, es preciso tener en cuenta por lo menos dos áreas definidas en la expansión de los intereses americanos: la región del Caribe y la zona del sur. En la primera la penetración fue total y el mar de las Antillas, como bien se ha dicho, llegó a convertirse en un "Mediterráneo americano"; en los territorios del sur la situación fue diferente.

Por lo pronto, no fue fácil transformar las economías de ciertas zonas en economías dependientes porque en ciertos casos eso iba en contra de intereses económicos internos; así, las demandas proteccionistas de los ganaderos norteamericanos contribuyeron a salvar de este proceso a las regiones ganaderas de Argentina y Uruguay. Allí, como en Chile o Brasil, se encontraban territorios alejados y de mayor madurez política que en la zona del Caribe, y no pudo operarse de una manera tan abiertamente intervencionista como en las Antillas.

Tercer período
El comienzo de la crisis

Como en los casos anteriores, los límites cronológicos de este período (principios del siglo XX-segunda guerra mundial), son aproximativos. Adoptando otro punto de vista se podría haber rechazado este criterio para dar más realce a las consecuencias de la crisis mundial de 1929-1934 como fecha de comienzo, pero si no lo hicimos fue con la intención de abarcar ciertos cambios políticos muy definidos, como por ejemplo la Revolución mexicana y la evolución posterior de este país. En los estados del sur: Argentina, Chile y Uruguay, se dan tempranas transformaciones en la vida política, aunque en forma evolutiva y no, como en México, revolucionaria. También Brasil presenta grandes cambios, después de 1930.

Una aclaración se impone en cuanto a la técnica de la exposición del tercer período: las citas de fuentes serán más reducidas por la dificultad de acceso a una documentación coherente y de valor sostenido, como por ejemplo la que presentan los archivos y viajeros franceses con relación al siglo XIX.

Esas deficiencias resultan ampliamente compensadas por la existencia de una más abundante información estadística y por los frutos de investigaciones realizadas por instituciones como la CEPAL, la UNESCO y la FAO. Por otra parte, a medida que el enfoque histórico aborda los períodos más recientes encuentra mayor apoyo de estudios paralelos efectuados por economistas, sociólogos, antropólogos y otros científicos sociales, que ponen en evidencia hechos hasta ahora ignorados e incrementan la necesidad de darles la perspectiva temporal adecuada como para facilitar su análisis.

En relación con este período, se debe destacar que sus límites cronológicos son sobrepasados por procesos más profundos. Así es, por ejemplo, que en los capítulos 13 (vida cultural) y 14 (características del poder) se llega a hacer referencia fragmentaria a personajes y acontecimientos posteriores a la segunda guerra mundial. Lo justificamos por el deseo de abrir el análisis a manifestaciones cuya importancia es fundamental para la comprensión de fenómenos contemporáneos.

Fig. 11: América Latina en el siglo xx

9. Afirmación del imperialismo norteamericano

A medida que avanza el siglo XX se hace más notorio el desplazamiento de los intereses británicos, antes hegemónicos en América Latina, por los norteamericanos. La influencia norteamericana conoció diversos períodos y formas de manifestación. De la cruda intervención en la época del "big stick" de Theodore Roosevelt, se pasó a una época en la que, si bien disminuyeron las intervenciones directas, las grandes empresas adquirieron un predominio decisivo sobre la política del Departamento de Estado, y más tarde a otra etapa —la de la "política del buen vecino" de Franklin D. Roosevelt— en la que disminuyó esa influencia.

Paralelamente, la disminución de las intervenciones directas permitió a Estados Unidos insistir en el fortalecimiento de la Unión Panamericana, particularmente cuando la segunda guerra mundial se volvió inminente e inmediatamente después del ataque de Pearl Harbor.

El problema de Panamá fuc cn parte consecuencia de la política de afirmación del predominio norteamericano en el Caribe y en parte un problema de estrategia de comunicaciones. El istmo de Panamá adquirió singular relevancia para los viajes hacia California, recobrando la importancia perdida desde la Colonia, ya que por temor a los saqueos de sus galeones España había abandonado esta vía, prefiriendo la marcha tierra adentro desde el Perú a Cartagena. Se trataba de una zona particularmente castigada por las epidemias, y en especial por la fiebre amarilla; sin embargo, el descubrimiento de oro en California aumentó extraordinariamente el tránsito de viajeros por el istmo, ya que, a pesar de todo, resultaba menos arriesgado recorrer esta ruta que afrontar los peligros de la travesía de los inmensos territorios estadunidenses, todavía dominados por el indio. La intensidad del tráfico fue tal que una empresa norteamericana emprendió la construcción de un ferrocarril transoceánico —durante la cual murieron millares de obreros— que permitió acortar en algunas semanas el viaje a San Francisco. Después se establecieron comunicaciones regulares con barcos a vapor de Inglaterra, Francia, Italia, Alemania, España y Holanda.

Gracias al ferrocarril de Colón a Panamá, Estados Unidos había puesto un pie en el istmo, provocando la intranquilidad británica. Por eso se llegó a la firma del tratado de Clayton-Bulwer (1850), que preveía la neutralización del istmo y del futuro canal interoceánico y prohibía a las potencias contratantes adquirir territorios en América Central. Con Ferdinand de Lesseps surgió la competencia imprevista de Francia, pero esos esfuerzos estaban condenados al fracaso. Merced a la gestión personal del presidente Theodore Roosevelt, Estados Unidos compró los materiales y derechos de la compañía francesa del canal, provocaron la escisión de Panamá —que en 1903 se declaró independiente de Colombia— y terminaron la empresa, ahora a cargo del Estado norteamericano. Se calcula que en el período francés murieron cerca de 22 000 obreros en los trabajos del canal. Un factor importante para su terminación fue el hallazgo de métodos eficientes para combatir la fiebre amarilla; también, el que se hiciese cargo de las obras el ejército norteamericano y que los gastos fuesen pagados en su totalidad por el gobierno de Estados Unidos, con lo que este país quedó en una posición privilegiada para controlar el canal y extender su influencia en la región. La nueva vía de comunicación se inauguró el 14 de agosto de 1914, treinta y cinco años después de la primera tentativa de Ferdinand de Lesseps.

Las intervenciones

1) *Panamá*. Roosevelt provocó la escisión de esa región colombiana y la protegió con la marina de guerra (ya se había obtenido de Inglaterra el reconocimiento del derecho norteamericano al exclusivo control del futuro canal interoceánico). El nuevo Estado concedió a Estados Unidos, por tiempo indeterminado, diversas bases y una zona en las márgenes del Canal. ("Yo he tomado Panamá, sin consultar al gabinete", llegó a confesar Roosevelt en sus memorias.) En distintos momentos (1917, 1918, 1925) Estados Unidos intervino directamente en Panamá con la infantería de marina, de modo de consolidar su influencia.

2) *Cuba.* El pretexto de intervenir contra España para asegurar la independencia de la isla, no permitía el simple sometimiento de ésta. Pero la presión de los inversores norteamericanos en minas y azúcar, los intereses comerciales, los misioneros protestantes y el nuevo espíritu de conquista, hicieron que Estados Unidos asegurara su posición mediante la aprobación por el Congreso de la llamada "Enmienda Platt" (que habría de insertarse en la constitución cubana). Según esa enmienda, Estados Unidos se reservaba bases y el derecho a intervenir en cualquier momento para "proteger la independencia de Cuba y mantener un gobierno estable". El ejército norteamericano se retiró en 1902, pero de 1906 a 1909 volvió a ocupar la isla. Durante esta segunda ocupación procuró organizar una fuerza militar cubana, que tuvo un deslucido papel al servicio de sucesivos gobiernos arbitrarios hasta la rebelión en 1933 de los suboficiales de la misma encabezados por Fulgencio Batista.

3) *Haití.* Estados Unidos ocupó esta república con su infantería de marina entre 1915 y 1934. Como pretexto se adujo la necesidad de evitar el caos interior e impedir otras intervenciones de procedencia europea. El New York City Bank y técnicos norteamericanos participaron en la reorganización de las finanzas y se aseguraron el control económico del país. Se entrenó una guardia civil para remplazar al antiguo ejército. La república era muy pobre y víctima del minifundio. Poco a poco se diferenciaron dos grupos, en lucha por el poder: los identificados como negros y una élite mulata que aparecía como más culta y que obtuvo el apoyo norteamericano. Bajo la égida de los norteamericanos se eligió como presidente a Sténio Vincent, en cuyas manos, y con el apoyo de la nueva fuerza armada, dejan los Estados Unidos la misión de mantener el orden una vez que se retira la infantería de marina. Vincent se mantuvo en el poder hasta 1941, pero aunque su sucesor, Elie Lescot, también perteneciera a la élite mulata, la agitación de los grupos negros (antimulatos y, por momentos, también antinorteamericanos) creció progresivamente. Lescot fue depuesto y lo remplazó un negro, Dumarsais Estimé, quien fue limitado en su acción por las fuerzas armadas, controladas por los mulatos.

4) *República Dominicana*. Con pretextos análogos a los del caso anterior, y en ejercicio de la función de vigilancia policial que se habían atribuido en el Caribe, los Estados Unidos ocuparon este país desde 1916 hasta 1924. Entre sus objetivos figuró el de crear una fuerza militar moderna y adicta, a cuyo frente pusieron a Rafael Leónidas Trujillo. Éste ascendió al poder en 1930 y estableció una de las dictaduras más prolongadas y características de las "repúblicas bananeras". El régimen permitió a la familia Trujillo acumular una enorme fortuna, organizar un culto inverosímil en torno al dictador y terribles asesinatos, algunos de ellos ejecutados en el extranjero por sus agentes. Entre sus víctimas se contó el infortunado profesor Jesús de Galíndez, que en Estados Unidos se había destacado por estudiar y divulgar algunas de las peores características del trujillismo.

5) *Nicaragua*. La intervención indirecta de los Estados Unidos se transformó en un desembarco de dos mil infantes de marina en 1912, que decidieron la lucha por el poder entre los partidos locales a favor del grupo pronorteamericano. Retirados en 1925, los *marines* volvieron al año siguiente para imponer nuevamente un gobierno títere. Como en otros lados, la solución final fue el surgimiento de una dictadura pronorteamericana de las filas de las fuerzas armadas, organizadas y equipadas por la infantería de marina de Estados Unidos. Llegó al poder el general Anastasio Somoza, responsable del asesinato de muchos de sus enemigos políticos, y entre éstos el general Sandino, quien había opuesto una tenaz resistencia guerrillera a la dominación norteamericana. Como Trujillo, Somoza aprovechó la permanencia en el poder para acumular una fortuna colosal. La corrupción administrativa y la represión brutal de toda oposición llegaron a límites extremos.

6) *México*. A medida que se desarrolló la revolución mexicana, se registraron múltiples intervenciones, indirectas y directas. Entre estas últimas debe anotarse el desembarco norteamericano en Veracruz (1914) y la expedición represiva del general Pershing en Chihuahua (1916). Pero mucho más importante fue la constante presión diplomática ejercida para influir en el curso de la revolución.

Esto es, en apretado resumen, algo de lo que sucedió en el Caribe a medida que se extendía la *pax americana.*

The United Fruit Company

Un ejemplo típico de compañía extranjera que recurrió a los peores métodos en la explotación económica y a la intervención desembozada en la vida política de los pequeños estados latinoamericanos del Caribe es el de la United Fruit Company.

Su historia empieza en 1870, cuando el capitán de navío Lawrence Baker cargó en su goleta unos cachos de bananas; descubrió que se vendían tan bien en Estados Unidos que poco a poco fue dedicándose a este comercio.

Quince años después se unió con Andrew Preston y otros para formar una compañía, la Boston Fruit Company, con un capital que, en 1890, se valoró en 531 000 dólares y que operaba principalmente en Cuba, Jamaica y Santo Domingo. Paralelamente, los hermanos Keith desarrollaron compañías para la producción de banana en Costa Rica y Colombia.

Hacia fines del siglo XIX había alrededor de 20 compañías ocupadas en la comercialización de la banana, en cuya producción figuraban muchos cultivadores independientes. La fusión de la Boston Fruit Co. con el grupo de los Keith dio origen en 1899 a la United Fruit Co., que luchó por asegurarse condiciones de monopolio. En 1900 su capital ascendía a 11 230 000 y en 1930 a 205 942 581 dólares: se estima que quince años después ese guarismo se había duplicado, y luego ha seguido aumentando.

En su proceso de crecimiento, luchó arruinando o incorporando numerosas compañías rivales. El caso más notorio es el de su lucha con la Cuyamel, fundada por un inmigrante de Besarabia, Sam Zemurray. La contienda se prolongó durante dos décadas, durante las cuales los intereses contrapuestos de las compañías en América Latina provocaron golpes de palacio, conflictos fronterizos y construcción de ramales ferroviarios rivales, hasta que la United compra a la Cuyamel y, más tarde, Zemurray se transforma en un alto dirigente de la primera.

En su política de monopolio, la United impuso precios al productor independiente y desarrolló intensamente sus propias plantaciones.

Es ya clásico el método que aplicaba respecto a los gobernantes de esos pequeños estados: para ganárselos apelaba al soborno, y en caso de resistencias provocaba revoluciones; de uno u otro modo se aseguraba sus objetivos. La compañía prometía, a cambio de prebendas, construir ferrocarriles para el progreso nacional, pero solamente tendía líneas paralelas a la costa o que describían círculos en sus plantaciones. El control de las tarifas en esos ferrocarriles le daba un medio más de realizar ganancias y perjudicar otras explotaciones, como las del café, cuyos productos debían seguir recorridos costosos e ilógicos, según el trazado de líneas al servicio de otros objetivos. La United obtuvo también a precios irrisorios enormes extensiones de tierras fiscales, para su cultivo inmediato, como reservas de futuro o, en algunos casos, para impedir su explotación por empresarios independientes o compañías rivales.

Finalmente, una flota moderna (la Gran Flota Blanca) a cargo de una compañía subsidiaria, le permitió completar el control y aumentar los beneficios.

Del virtual monopolio de la banana, la United Fruit pasó a la explotación de otras frutas tropicales; el enlatado y los nuevos métodos de producción de jugos y esencias agregaron otras ramas de explotación.

A medida que avanza el siglo XX esta compañía ha demostrado cierta preocupación por modernizar sus métodos de explotación y mejorar la situación de sus obreros (lo que divulga mediante una constante y costosa propaganda).

En cuanto a su injerencia en la política de los países en que operaba, debe agregarse que el gobierno norteamericano opuso una violenta resistencia al movimiento revolucionario de Guatemala fundamentalmente por juzgar que habían sido afectados los intereses de la United Fruit. En ese sentido, el "imperio del banano" sigue siendo una organización más poderosa que muchos estados del Caribe; su presencia explica en parte el atraso de los mismos y la dificultad de alterar esa situación.[43]

Franklin Roosevelt y la "política del buen vecino"

La línea política de intervención directa que durante la presidencia de Theodore Roosevelt se había denominado del "big stick" y bajo su sucesor Taft recibiera el nombre más morigerado de "diplomacia del dólar", despertaba reservas en algunos sectores norteamericanos y enconadas reacciones en la opinión pública de América Latina. A fin de evitar unas y otras, se procuró modificar esa política, con cierta lentitud durante la administración de Hoover y de un modo mucho más señalado durante la era de Franklin Delano Roosevelt, que comienza en 1933. Se trata de la "política del buen vecino", que no fue tan radical como para que el gobierno norteamericano abandonara el trato amistoso dispensado a los dictadores del Caribe (llegados al poder gracias a la intervención y ayuda norteamericana), ni tampoco para que aplicara exteriormente medidas de control a ciertas empresas norteamericanas (pese a que dentro de Estados Unidos inicialmente se hizo un esfuerzo serio para hacer efectivas las leyes antitrust), pero durante la cual por lo menos se evitaron las intervenciones y se procuró mejorar el nivel de las relaciones interamericanas. Precisamente en la época de Roosevelt, México, bajo la presidencia del general Lázaro Cárdenas, nacionalizó el petróleo y, pese a las presiones ejercidas, pudo salir adelante. Durante este período cesaron los desembarcos de la infantería de marina norteamericana y se procuró fortalecer el sistema panamericano. Estados Unidos propició, en sucesivas conferencias panamericanas y reuniones de cancilleres, una serie de medidas para asegurar el continente ante las tensiones internacionales provocadas por el desencadenamiento de la segunda guerra mundial.

Mientras tanto, la política de inversiones fue cambiando. Se estima que hacia 1913 la inversión privada norteamericana en América Latina era aproximadamente de 1 250 000 000 de dólares (de los cuales, más del 80% en México). A raíz de la expropiación del petróleo en México, la inversión en este rubro se canalizó hacia Venezuela. Durante la segunda guerra mundial los norteamericanos estimularon la explotación de minerales: la producción de estaño de Bolivia, por ejemplo, se duplicó para suplir el mismo metal procedente de la Malasia británica, entonces ocupada por los japoneses. También se invirtió en Brasil, en plantaciones de caucho, por el mismo motivo.

La necesidad de estimular la industria destinada a fines bélicos y sus derivados hizo que a fines de este período las grandes empresas privadas volvieran a adquirir considerable desarrollo y mayor influencia en el gobierno norteamericano, en contraste con la orientación inicial del New Deal.

En su conjunto, se nota el desplazamiento de las antiguas corrientes de opinión que habían favorecido las intervenciones imperialistas de los primeros tiempos. A ese retroceso contribuyó no poco el enfrentamiento de las secuelas más crudas del fascismo europeo. En cambio, se dio una mayor intensidad en la inversión de capitales y el intercambio comercial, en gran medida a causa de que la guerra había cerrado muchas de las fuentes asiáticas de materias primas y cortado gran parte de las relaciones comerciales con Europa. Como veremos, el advenimiento de la paz trajo consigo un brusco cambio en esta tendencia.

La política internacional y América Latina

La afirmación de la tutela norteamericana fue muy poco resistida por las demás grandes potencias. A medida que avanzó el siglo XX las inversiones británicas comenzaron a retroceder frente al aumento de las de procedencia norteamericana. En vísperas de la crisis de 1929 las primeras ya habían sido prácticamente igualadas en su cuantía, y a partir de allí empezaron a decaer considerablemente. La aceptación del dominio norteamericano sobre Panamá fue el primer síntoma de retroceso de Gran Bretaña, cada vez más absorbida por los problemas internos de la Commonwealth y apremiada por una crisis europea que le obligaba a buscar la colaboración de Estados Unidos.

El conflicto con el Eje no tuvo en América Latina sino las alternativas de una lucha económica con propiedades y empresas principalmente alemanas, que fueron neutralizadas mediante su inclusión en listas negras o la simple expropiación. Algunos grupos nazis aislados fueron objeto de una cuidadosa vigilancia. Las tentativas de Mussolini de ejercer influencia sobre la numerosa inmigración italiana no hallaron eco. La índole racista del nazismo hacía que la propaganda germánica no encontrara la menor receptividad en un continente mestizo.

España había iniciado, desde fines del siglo XIX una intensa propaganda cultural que se apoyaba en el hispanismo y en la comunidad de tradición cultural, pero aquel país no logró superar sus propias crisis internas ni detener su prolongada decadencia. Un hecho de interés fue la enorme repercusión que tuvo la revolución española (1936-1939) en la opinión latinoamericana, la conmoción y el apasionamiento que provocó, no solamente entre los núcleos migratorios de esa procedencia, sino también en vastos sectores intelectuales y políticos locales. La decidida posición de México en favor de la República española culminó con la recepción de los mayores contingentes de exilados que se dirigieron hacia tierra latinoamericana.

También la naciente Unión de Repúblicas Socialistas Soviéticas procuró influir en América Latina (mediante la formación de la Tercera Internacional y a través de los pequeños partidos comunistas locales), pero nunca alcanzó éxitos de importancia, pese a que muy a menudo se invocó el pretexto de la amenaza comunista para suprimir las libertades políticas y frenar tendencias democráticas y reformistas. Ya en un libro publicado en 1928, un agudo observador francés —nada inclinado al comunismo— señalaba que la denuncia del secretario de estado norteamericano Kellog ante la Comisión de Asuntos Exteriores del Senado, en el sentido de que las repúblicas latinas del sur obedecían a las influencias del sovietismo moscovita, no se ajustaba a la verdad, pues la revolución social mexicana databa de 1910 y la rusa de 1917: las persistentes perturbaciones y desórdenes tenían otro origen.[44]

10. Deficiencias en el desarrollo y comienzos de la crisis de estructuras

Aproximadamente desde los comienzos de la primera guerra mundial, y muy particularmente a partir del impacto de la crisis de 1929-1934, se empezó a comprobar que las zonas de América Latina hasta entonces más beneficiadas por los progresos de la expansión económica, por la aplicación de los avances de la técnica, el crecimiento urbano y los progresos políticos (y también, en algunos sitios, por una abundante emigración europea), veían amenazado su progreso. De un modo o de otro se buscaron paliativos; en muchos casos se practicó la intervención del Estado para subsanar los males más visibles; en otros, el auge de una nueva riqueza, como la que proporcionó el petróleo en Venezuela, distrajo la atención de los problemas de fondo.

Se registró una fuerte influencia de las alteraciones de la economía internacional, que, como vimos, había sido anteriormente el gran agente de la rápida expansión de las economías regionales exportadoras.*

Rivalidades entre las grandes potencias, alteraciones en el comercio mundial y en la demanda de materias primas

Hasta el comienzo de esta crisis el intercambio había sido mucho más intenso entre los países industrializados, por un lado, y las zonas productoras de materias primas, por el otro. La primera industrialización, la inglesa, había funcionado totalmente a expensas de una división internacional del trabajo en la que Inglaterra producía los objetos manufactu-

* Algunas de las ideas aquí expuestas se inspiran en el clásico libro de Jorge Ahumada: *En vez de la miseria.*

rados y el resto del mundo le suministraba materias primas y alimentos. Pero después se industrializaron otros estados, con mayor área para obtener productos alimenticios y materias primas mediante procesos de tecnificación cuyos rendimientos eran cada vez mayores, especialmente en el caso de Alemania y más aún el de Estados Unidos. Disminuyó entonces el volumen del comercio internacional, y los países industrializados debieron dedicarse a paliar los efectos de la reducción de su producción, ingreso y ocupación. Procuraron resolver el problema por distintos caminos, pero siempre con una disminución de sus importaciones. El viejo sistema de comercio internacional libre de restricciones y con régimen multilateral de pagos cayó así totalmente en desuso. La devaluación monetaria y el abandono del patrón oro en Europa, se vieron acompañados por la adopción de controles cambiarios, fijación de cuotas de importación, proteccionismo y en algunos casos cierta tendencia a la autarquía. Poco a poco las industrias químicas introdujeron nuevos sustitutos sintéticos de las producciones del mundo periférico, proceso que se hizo más notorio a medida que avanzó el siglo XX. Al abandonar en 1931 el patrón oro, Inglaterra a su vez acentuó la tendencia a limitar su comercio exterior preferentemente al área de sus dominios y colonias.

Las diferencias en la demanda de *materias primas* siguieron alteraciones muy variables. La expansión de los cereales argentinos se vio frenada externamente por la competencia de la producción cerealera norteamericana, cuyo alto índice de mecanización había logrado rendimientos enormes, e internamente por la presión del latifundio ganadero, que terminó por arrojar hacia las ciudades gran parte de los inmigrantes que habían venido para dedicarse al cultivo. La carne como producto de exportación entró en crisis por el aumento de la demanda interna de consumo y la menor receptividad de Inglaterra, que había sido el cliente tradicional. En general, en el caso de los alimentos, las demandas de las poblaciones industriales no crecieron con la misma rapidez que sus ingresos. De acuerdo con la conocida ley de Engel, una vez colmadas las necesidades más elementales en materia de alimentos, las poblaciones tienden a aumentar el consumo de artículos manufacturados y de servicios.

En algunos casos ciertos productos latinoamericanos fueron sustituidos por otros. El salitre chileno por remplazantes sintéticos; el caucho de las selvas brasileñas, cuya explotación había provocado un salto económico en el Brasil de fines del siglo XIX y principios del XX, fue desplazado por la competencia de las plantaciones, tecnificadas y racionalizadas, del sureste de Asia.

El estancamiento de las fibras naturales o la expansión de metales no ferrosos tiene también su explicación. La industria textil crecía muy lentamente dentro del rubro de productos industriales no duraderos, en relación con los que como automóviles y hieleras son de carácter durable. La fuerte demanda de metales no ferrosos, en cambio, estaba a tono con las características de la nueva industria, y el cobre, el estaño, el vanadio, el tungsteno y el aluminio recibieron estímulos para su producción. La expansión de unos productos iba muchas veces en detrimento de la de otros.

Cambios en el movimiento internacional de capitales

La crisis imposibilitó a muchos países latinoamericanos pagar los servicios de los capitales extranjeros invertidos en ellos y las perturbaciones que causó en los países que eran tradicionalmente exportadores de capital, disminuyeron la inversión exterior. En muchos casos, se operó el retorno, hacia sus países de origen, de antiguas inversiones extranjeras en América Latina. El abandono de la libre convertibilidad de las monedas, el establecimiento de los controles de cambios y la creciente intervención del Estado en los países latinoamericanos más evolucionados, impidieron que las nuevas inversiones extranjeras siguieran las formas ya tradicionales. Estas inversiones se orientaron de manera diferente, concentrándose en productos primarios como el petróleo y los metales no ferrosos, que siguieron gozando de fuerte demanda pese a la depresión. En los países de mayor desarrollo que se habían especializado en la exportación de productos primarios y que tenían a esta altura un mayor mercado interno (Argentina, Brasil, México) la inversión extranjera se orientó hacia cierto tipo de industria, pero con un sentido muy distinto del que había provocado el nacimiento de los grandes estados industriales. En estos últimos, el desarrollo industrial había comenzado en inversiones de base, en las llamadas industrias pesadas. En América Latina, por el contrario, respondiendo al auge de medidas proteccionistas y fomentándolas a la vez, se inició una industrialización de productos destinados al consumo, que sustituían importaciones. Pero esta industrialización dependía en última instancia de la introducción de maquinarias y técnicos de los países industriales, ya que no se invertía en el desarrollo de la industria pesada ni se orientaba la educación hacia la capacitación técnica.

Finalmente, el propio proteccionismo propició la aparición de verdaderos "Ersatz" de actividad industrial, bajo la forma de plantas de montaje de máquinas cuyos diversos componentes procedían de la industria exterior (plantas de armado de refrigeradores, receptores de radio, automóviles, etc.). También en este rubro podría incluirse el caso de la introducción de maquinaria industrial de segunda mano: sus bajos precios en el exterior se debían a que provenía de fábricas que, en países afectados hondamente por la crisis, habían cerrado sus puertas, o, más adelante, porque se trataba de equipos que resultaban anticuados en centros industriales donde la intensa competencia imponía una constante renovación.

La inflación monetaria

Se ha dicho que la inflación es fundamentalmente una lucha entre grupos por la redistribución del ingreso real, y que la elevación del nivel de precios es sólo una manifestación exterior de este fenómeno. Como es sabido, hay fenómenos inflacionarios que facilitan el subdesarrollo y otros que pueden favorecer el crecimiento económico.

Los estudios de Ruggiero Romano sobre los precios de la economía colonial, realizados en archivos de Chile y Argentina, revelan que bajo la dominación española hubo una mayor estabilidad en los precios de la región, que éstos ni siquiera siguieron las alternativas del ciclo europeo. Con la progresiva incorporación de estas zonas a la economía capitalista, las correspondencias son mayores. Ahora bien, inflación, devaluación monetaria y aumento de los precios se produjeron de modo irregular. Se trataba en el fondo de una respuesta secundaria a modificaciones estructurales más amplias. Si bien la absoluta estabilidad monetaria aparece como un ideal utópico y de leve sabor conservador, debe reconocerse que la inflación incontrolada de este período (y aun la que se arrastra del período anterior, como en el caso concreto de Chile) arroja un saldo negativo por contribuir a las irregularidades y vicios —de perniciosas consecuencias sociales— de la evolución económica.

El proceso inflacionario influyó más en la variación de la estructura social de Brasil. Ofreció oportunidades para especular y hacer fortunas, y si bien muchas desaparecieron con la misma rapidez con que se formaron, otras fueron dedicadas a actividades productivas estables, particularmente en el sector industrial. Deterioró la situación de las clases que vivían con rentas fijas, alentó una mayor combatividad de los sectores proletarios y estimuló las incursiones populistas de ciertos gobiernos.

En términos económicos puros, no sociales, el proceso inflacionario ejerció una influencia desfavorable en el período que estudiamos, pues estimuló la rigidez de la producción agrícola (dependiente del latifundio) y disminuyó la capacidad de importar, por la tendencia a invertir las rentas en aventuras especulativas (construcción de grandes edificios de lujo en las ciudades, compra de bienes raíces, maniobras con divisas, etcétera).

En el caso chileno se ha señalado que el proceso inflacionario más que una causa principal obedeció a una serie de influencias: expansión monetaria, desfinanciamiento fiscal, presiones de sectores de población por elevar su ingreso real, altibajos del comercio exterior, etc. Ese proceso se presentó ante el hombre de la calle en sus elementos financieros: aumento del circulante, emisiones a favor del fisco, devaluación del tipo de cambio, pero su trasfondo real estaba constituido por los llamados factores estructurales: dependencia y declinación del intercambio exterior, del ingreso por persona y de la producción agropecuaria, dividendos que salen al exterior por concepto de retribución al capital extranjero.[45]

A través de la inflación se ha dado del modo más auténtico en este siglo la pugna entre las facciones de la vieja oligarquía, los distintos elementos componentes de la clase media, los sectores obreros sindicalizados y los nuevos empresarios.

Dificultades para reducir la desigualdad en la distribución del ingreso

América Latina siguió siendo durante este período una región de grandes diferencias sociales entre muy ricos y extremadamente pobres.

Un cálculo acerca de la distribución de los ingresos personales en Colombia da una idea de la situación general en varias regiones latinoamericanas: 2.6% de los que obtenían ingresos ganaban el 29.9% del total del ingreso nacional; 9.7% ganaba el 13.2% del total, y el resto de la población, el 87.7%, percibía solamente el 56.9% del mismo. Los ingresos medios del primer grupo (el 2.6%) eran de 12 307 pesos (unos 7 000 dólares de 1947) por año. Los ingresos medios del segundo grupo (el 9.7% de la población) eran de 1 457 pesos (unos 830 dólares). Y el grupo numéricamente predominante ganaba por término medio solamente 696.5 pesos al año (unos 400 dólares). Un trabajador de las zonas agrícolas más pobres ganaba menos de 400 pesos al año. Puesto que cada perceptor sostenía a un promedio de cuatro personas, se estimó que grandes grupos de población subsistían con un promedio de 100 pesos per cápita al año (58 dólares al cambio del momento).[46]

Un estudio sobre ingreso nacional en Brasil, realizado hacia 1944 por Henry Spiegel, demuestra que 300 000 brasileños percibían el 30% del ingreso nacional y otras 300 000 personas el 20%. De este modo el 5% de la población activa se repartía la mitad del ingreso nacional. Ese 5% constituía la clase superior desde el punto de vista económico. Los trabajadores de las ciudades, inscritos a diversas cajas de seguros sociales, representaban en la misma fecha el 24% de la población activa y percibían el 20% del ingreso nacional. Se puede considerar que estas cifras dan una idea de la situación y de la importancia numérica de esta clase de la sociedad brasileña moderna. Finalmente los campesinos (pequeños cultivadores, medianeros, obreros agrícolas) que representaban no menos del 71% de la población activa, recibían el 30% del ingreso nacional.

Las estadísticas anteriores constituyen una muestra que permite apreciar con relativa precisión la participación en el ingreso nacional. Desgraciadamente, esas series detalladas no reflejan sino una tendencia reciente y no poseemos series continuadas que cubran el período. Además, el tema que nos importa elucidar en relación a este apartado es el de cómo la lucha por participar en una mejor distribución del ingreso, aparte de algunas tentativas exitosas y de mayor perduración, suele malograrse en América América Latina durante este período (con las lógicas consecuencias que redundan en el orden económico contra el crecimiento de sus mercados internos, y en el orden social contra la posibilidad de movilidad y de constitución de clases medias).

En los países de gran atraso social y económico las condiciones no cambiaron mucho respecto al período anterior.

En otros lugares, por el contrario, se produjeron transformaciones considerables. La emigración europea constituyó, en general, un factor de redistribución del ingreso (por su mayor tenacidad en la prosecución de objetivos de progreso personal). Los comienzos de industrializaciones regionales y la formación de proletariados también, y lo mismo la urbanización y la constitución de clases medias urbanas.

Ahora bien, ¿qué caminos siguieron los individuos que procuraban una mayor participación en el ingreso nacional? En general, esas vías fueron indirectas y en detrimento de un auténtico crecimiento económico. Surgen vías indirectas de ascenso social, que no estimulan la producción. Por un lado, el sector estatal aparece como un mecanismo de redistribución del ingreso: soluciones ocupacionales, otorgamiento de pensiones, diversas formas de legislación social progresiva; son todas vías complementarias. La política siguió siendo, desde luego y salvo excepciones, una forma importante de fomentar la fortuna personal y el ascenso social. Lo que en el período anterior había ayudado a obtener tierras, pensiones, "comisiones" por la participación de grandes negocios con las compañías extranjeras, continuó dando lugar a las irregularidades tradicionales y a otras nuevas: el uso especulativo de la información que se obtenía desde el gobierno acerca de planes de urbanización y colonización, sobre futuros tratados comerciales o alteraciones en el valor de la moneda, etc. En otros casos se forzaba intencionalmente esas decisiones con el ánimo deliberado de aprovecharlas personalmente. En este sentido el Estado latinoamericano mantuvo una penosa tradición que debilitó su influencia y no resultó precisamente la más ejemplar para que los ciudadanos cumplieran con las disposiciones impositivas y reguladoras de la producción. Hay naturalmente, en este dominio, una extensa gama que puede iniciarse con un Trujillo (quien acumuló una enorme fortuna utilizando de mil maneras su posición de jefe de estado) hasta la de pequeños funcionarios locales, complicados en maniobras de escasa cuantía.

Mencionaremos dos elementos adversos respecto a una mejor distribución del ingreso. Por un lado, una tendencia nacional a la fusión de empresas y a la constitución de monopolios y oligopolios *de facto*, como culminación de un proceso que empezó a veces como protección del Estado a la formación de una industria nacional o actividad productiva de otra índole, y que luego se transformó, con los asesoramientos adecuados, en mecanismo apto para la evasión de impuestos y disfrute de posiciones de privilegio.

Por otro lado, los grandes propietarios de esta época, en Argentina, Uruguay, Chile, Brasil, México y otros países asumieron posiciones en actividades especulativas o empresariales de nuevo tipo. A su vez, muchas riquezas realizadas al amparo de la actividad comercial e industrial se volcaron parcialmente en la compra de tierras.

Durante el período no hubo una modificación revolucionaria en la participación en el ingreso nacional. Es probable que por distintos caminos Costa Rica, Uruguay y Argentina se hayan acercado a una mayor nivelación. Pero a veces resultó tan fugaz el ascenso de ciertos grupos populares, que cambiaban sus sistemas de valores y géneros de vida para encontrarse al poco tiempo con que su situación económica había empeorado; debían entonces hacer ingentes sacrificios para mantener aunque fuera una apariencia de las conquistas anteriores, en un papel no menos falso que el de los hidalgos pobres de la decadencia española.

Dificultades derivadas del sistema de tenencia de la tierra

Ni el latifundio ni el minifundio se mostraron aptos para una producción agrícola mayor y más diversificada. En el latifundio, que era el sistema dominante y el que por tanto interesa realmente, el propietario no hacía uso de sus riquezas para el desarrollo y diversificación de la capacidad productiva de sus tierras. Al gran propietario no le afectaba la inflación, más bien le beneficiaba al disminuir sus obligaciones y aumentar su riqueza relativa respecto al medio. Al mantenerse la propiedad de la tierra como forma segura de prestigio social y de conservación de la riqueza, muchos de los latifundios no sólo resistieron tenazmente al fraccionamiento y al cambio de dueño, sino que crecieron más aún.

Las dificultades de la producción agrícola provocaron diversas prédicas, denuncias, políticas de subsidios e intentos de colonización y de reformas agrarias. En un balance general, debe señalarse que el hecho dominante del período fue el estancamiento de la producción agrícola y el predominio del latifundio. Debe considerarse como gran excepción el caso mexicano, con su progresiva reforma agraria, y también las excepciones menores constituidas por el crecimiento (insuficiente) de la zona de granjas y chacras que rodeaba a las grandes ciudades, así como la vitalidad de ciertas zonas de colonización agrícola a cargo de pequeños propietarios. Más que resultado de una política agraria, la extensión de la zona de chacras productoras de hortalizas y la de la cuenca lechera al servicio de las grandes poblaciones fue mera consecuencia de la demanda creciente por estos productos, lo que permitió a los agricultores hacer frente a los altos costos de la gran propiedad de la tierra e irla fraccionando en los hechos gracias a su trabajo.

También debe señalarse, dentro del rubro de lo excepcional, importantes transformaciones registradas en zonas donde se aplicaron una mayor cantidad de capitales a la producción agrícola (cultivos cerealeros, viñas, maní, arroz, citricultura).

Esto no obstante, quede dicho que uno de los elementos que configuran una mayor debilidad económica ha sido la herencia colonial favorable a la perduración de la gran propiedad de la tierra.

Perjudicial concentración geográfica de la producción y de la población

Las ciudades continuaron su crecimiento, iniciado desde fines del siglo XIX por la inmigración europea y las migraciones internas. Las zonas más pobres y más abandonadas fueron muchas veces las más fecundas en cuanto a su contribución al crecimiento de la población, y enviaron contingentes humanos hacia las ciudades, donde costó ubicarles por falta de desarrollo industrial. Allí se instalaron en poblaciones precarias, en los cinturones urbanos, a donde trasladaron la miseria que pasaban en el campo. La concentración de población creó una urbanización incontrolada, sobrecargó las tareas del Estado ante la necesidad de atraer estas nuevas clientelas electorales, despobló zonas rurales e hizo perder el gusto por la vida campestre, el que tendría que ser un elemento imprescindible de toda política de colonización y reforma agraria.

La concentración de la producción elevó los costos por la carestía de la mano de obra en determinadas zonas, obligó a enormes gastos de traslado (que los transportes inadecuados no facilitaron ni abarataron). Durante este período hubo territorios enteros que padecieron por falta de población o de producciones, y centros que sufrieron también, pero por lo contrario. Esto se vio claramente en la Argentina, por la concentración en Buenos Aires y el Litoral; en Brasil, por la presencia del mismo fenómeno en Río y San Pablo, principalmente. La diferencia de niveles de vida y las relaciones de dependencia que se crearon entre una y otra parte de los territorios nacionales, ha llevado a hablar con acierto de un neocolonialismo interno.

Mantenimiento de una predisposición excesiva al consumo

Se ha hecho tradicional la incapacidad de ahorro del latinoamericano. A esto debe agregarse de un modo muy serio la perduración, durante este período, del "efecto demostración", al que ya nos hemos referido brevemente. El progreso de los medios de comunicación resultó tan grande que aumentó la demanda. Las revistas, a las que se agregaron el cine y la radio (medios más populares y directos), tendieron a hacer desear y adquirir muchos artículos, no siempre necesarios. La inflación desalentó el ahorro, y el crédito, particularmente los sistemas de ventas a plazos, incitó a comprar. La adquisición de artículos suntuarios, sobre todo extranjeros, debilitó la economía al fomentar el consumo en detrimento de una inversión que mejorara la producción.

Con relación a Bolivia se advierte el auge de la explotación minera, que no redundó precisamente en beneficio de su población. La principal explotación de estaño fue iniciada por Simón Iturri Patiño (1868-1947, oriundo de Cochabamba). En los primeros tiempos los trabajos se realizaban con métodos rudimentarios y los transportes debían hacerse a lomo de mula. Simultáneamente con la explotación de la mina de Patiño se iniciaron otras, que más tarde pasaron a manos de él. En abril de 1910 la compañía instaló el ingenio "Chile", al que eran transportados los minerales mediante un andarivel de 5 km de longitud. En 1918 Patiño pudo afirmar con orgullo que producía más del 10% del estaño mundial, dando trabajo a más de 2 000 personas. Siguió adquiriendo empresas rivales y acrecentando su poder de producción. El primer ingenio construido por la empresa estaba en Miraflores; más tarde las instalaciones fueron trasladadas a Catavi. Hacia esa época ya se empleaba el ferrocarril para el envío de todo el mineral hacia el Pacífico. Los centros mineros dieron lugar a grandes concentraciones de población. La participación fiscal en la riqueza del estaño fue muy pequeña. En 1924 Patiño concentró sus actividades en la Patiño Mines and Enterprises Consolidated Inc., radicada en el estado de Delaware, Estados Unidos, con capital de 6 250 000 libras esterlinas y siguió adquiriendo otras minas. La nueva empresa, al quedar radicada fuera de Bolivia, pudo evitar más fácilmente los controles y eludir impuestos. Se amplió el ingenio de Catavi, de la absorbida Compañía de Llalagua, abandonándose el de Miraflores, y se aprovecharon las aguas del río Catavi para la producción de energía eléctrica. En 1935 la compañía tenía ocupadas, entre obreros y empleados, a cerca de 4 500 personas, en 1942 a 6 600 y en 1946 a 8 000. La empresa siguió adquiriendo el control de otras minas de estaño y tungsteno.

Las primeras riquezas extraídas por Patiño fueron empleadas en ampliar la explotación minera, comprar otras minas y construir algunos ferrocarriles. Pero al cabo de un tiempo sus actividades se ampliaron. Adquirió el control de minas de estaño en Asia oriental, de fundiciones de este metal en Alemania e Inglaterra e intervino en el mercado de capitales comprando acciones de empresas bancarias y financieras, de navegación, etc. La acumulación y exportación de la riqueza originaria se hizo con la complacencia del Estado boliviano y sin que dejara beneficios directos en la región (caracterizada por el bajo nivel de vida de los mineros y la miseria de las poblaciones campesinas). Resultan ilustrativos algunos pasajes de la nota necrológica que le dedicó al millonario boliviano el *New York Times*: "Patiño es un ejemplo dramático de los extremos de riqueza y miseria que constituyen un mal endémico para una parte de Sudamérica. . . De las montañas de su país extrajo una de las mayores fortunas del mundo; tan fabulosa que se duda que en un momento dado el 'rey del estaño' hubiera podido indicar su cuantía. Con el dinero vino el poder y la influencia. Emperadores y reyes, jefes de gobierno y gobiernos mismos le adularon. . . Las dos grandes guerras, en las que perecieron millones de hombres, aumentaron considerablemente su riqueza y poderío. En el ambiente de país atrasado, como lo fue Bolivia durante la mayor parte del período de su ascensión a la riqueza y al poderío, Patiño obró con toda impunidad, manteniendo a sus mineros en una semiinconsciencia, mientras él cosechaba el producto de sus labores."

Los otros dos grandes grupos dedicados a la explotación minera de Bolivia, realizada en condiciones semejantes al anterior, son el Aramayo y el Hochschild. La Compañía Aramayo de Minas es la más antigua. Como en otros lados, en Bolivia la explotación de la plata fue precursora de la del estaño. A mediados del siglo XIX era tal la precariedad de los transportes que comunicaban a lomo de mula el resto del mundo con Bolivia, que el único producto exportable que compensaba con su valor el costo y las dificultades del transporte era la plata. En 1857, el fundador de la compañía, Avelino Aramayo, había acumulado recursos para reiniciar la explotación del Real Socavón en el cerro de Potosí. En 1867 se descubrió el bismuto, producto del que la empresa Aramayo alcanzó a tener el monopolio mundial. Iniciada en gran escala la explotación del estaño, se constituyó en 1907 la Aramayo, Francke & Co. Ltd., que se dedica a la extracción de plata, estaño, bismuto, cobre, antimonio, tungsteno y otros minerales, y que hasta 1911 había invertido un capital de 708 000 libras esterlinas. El capital de la empresa, pese a haber sido declarado en libras, era nacional. Pero la ampliación y los progresos de la explotación llevaron a seguir el ejemplo de Patiño, disolviéndose la compañía original para formar la Compañía Aramayo de Minas de Bolivia, sociedad anónima registrada en Suiza con un capital de 25 000 000 de francos. La compañía siguió creciendo y adquirió a bajo precio los bienes de un intento de inversión hecho en 1922 por la Guggenheim Brothers (empresa que controla los mayores yacimientos de cobre del mundo y que había formado una filial para explotar el estaño en Bolivia, con un capital de 16 000 000 de dólares).

La más nueva de las grandes compañías mineras que operaron con el estaño en Bolivia, el tercer integrante de la famosa "rosca" en el decir popular, tuvo como principal empresario a Mauricio Hochschild.

En pos de las ricas vetas de plata del Potosí (cuyos trabajos de minería habían quedado interrumpidos por el empobrecimiento de la producción, la inundación de las minas a fines del siglo XVIII y por las guerras de la independencia) se constituyó en Londres "The Royal Silver Mines of Potosi, Bolivia, Limited", con un capital de 300 000 libras esterlinas. La empresa se dedicó a la extracción de la plata entre 1894 y 1901, pero poco a poco fueron decreciendo los beneficios. En 1914 se formó la "Anglo Bolivian Mining Syndicate Limited". Simultáneamente se desarrollaba otra empresa en Potosí, con el nombre de Soux Hernández, que consiguió controlar a la anterior. En Potosí se había conservado, por la legislación y la costumbre, el derecho de propiedad basado en la bocamina. En la época de las técnicas rudimentarias, ese derecho protegía los intereses de los pequeños propietarios, impedía el acaparamiento de yacimientos y a la vez una extracción apresurada de la riqueza. Pero de aquí en adelante todo esto se invierte: los métodos de perforación más tecnificados (extracción de agua filtrada, perforadoras automáticas, elevadores), permitirán, a partir de una sola bocamina, avanzar casi indefinidamente en el interior, siguiendo el curso de las vetas. En virtud de estas innovaciones los grandes productores, dotados de capital, derrotaron y absorbieron a los pequeños. Buscando apoyo de capitales, la empresa Soux aportó sus propiedades a una sociedad donde ingresó Mauricio Hochschild como representante de un grupo de accionistas extranjeros, con una participación mayoritaria. Se originó así la Compañía Minera Unificada del Cerro del Potosí, que quitó el control de la empresa a la familia Soux. El grupo Hochschild se fue integrando con la adquisición de compañías independientes.

Tal es, en grandes líneas, la historia de cómo la inmensa riqueza metalífera boliviana salió hacia el extranjero, bajo el control de tres grandes compañías y la complicidad de los gobernantes bolivianos.

La explotación del estaño, despreocupada de la situación del trabajador y del progreso del país, fue preparando el clima para la revolución que estalló más adelante. Por sus características, este tipo de economía boliviana corresponde más bien al período anterior. Pero surgió en éste a causa de la tardía demanda mundial por el estaño.[47]

Una situación comparable en cuanto a la nueva importancia de un producto de exportación, pero distinta en múltiples aspectos, fue el desarrollo de las explotaciones petroleras en Venezuela, que datan de las postrimerías de la tiranía de Gómez. Este país ha llegado a ser una de las regiones productoras más importantes del mundo. Se ha concentrado en él gran parte de la inversión de capitales norteamericanos en América Latina. Tres grandes compañías se han repartido la producción: la Creole (filial de la Standard Oil) es la más importante y cubre casi la mitad de la exportación; le siguen la Shell de Venezuela y la Mene Grande. Los norteamericanos controlan alrededor de dos tercios de la inversión petrolera, y el resto corresponde al grupo anglo-holandés de la Shell-Royal Dutch. La situación es muy distinta de la de Bolivia, porque hace ya varias décadas que los gobernantes venezolanos reivindican el derecho a una creciente participación del país en las ganancias del petróleo (lo que ha originado una serie de crisis y acuerdos) y es también distinta porque las compañías han sabido dar remuneraciones y trato relativamente aceptables a sus obreros, lo que les excluye como foco de tensiones sociales.

Como hemos visto, para ciertos productos (elegimos los ejemplos del estaño y el petróleo) se mantuvieron las viejas modalidades de las economías basadas en un rubro de exportación predominante. Con el estaño, asistimos a un sistema anacrónico y brutal, mientras que la explotación del petróleo tiene características más modernas. Pero la cuestión de fondo sigue planteada, se desarrollará en capítulos siguientes, y ha de ser encontrada finalmente en el último período: hay formas de expansión económica que no implican un verdadero desarrollo, mientras que la sociedad se prepara para un cambio cuyos basamentos no son demasiados sólidos. Por eso nos interesarán muy particularmente ciertas transformaciones que están más vinculadas con beneficios a largo plazo, tales como el nacimiento de la industria y la evolución de actitudes, conocimientos e ideologías capaces de enfrentar la crisis en sus raíces.

11. Tendencias de la industria y nuevo intervencionismo estatal en la economía

Los síntomas de la crisis de estructuras, señalados en el capítulo anterior, influyeron de modo decisivo en los procesos de industrialización de diversas regiones latinoamericanas. El ritmo de esta industrialización obedeció a la influencia de acontecimientos de orden internacional (1914, la primera guerra mundial; 1929, la gran crisis; 1939, la segunda guerra mundial) y a ciertos episodios de carácter local (crecimiento urbano, intervención estatal, conmociones sociales, etcétera).

Antecedentes

Después de la independencia, a medida que se expandía en América Latina la influencia del capitalismo industrial europeo, la tendencia dominante fue a la complementación progresiva entre la monoproducción latinoamericana de materias primas y la industria europea. La ruptura de los monopolios coloniales había llevado a la libertad de comercio, pero sin que por ello dejaran de percibirse impuestos de aduana, que en cada país se convirtieron en la principal fuente de ingresos fiscales. Durante largo tiempo, en la aplicación de esos impuestos no se persiguió ninguna finalidad de otro carácter. Pero poco a poco se comenzó a aumentar las tasas de ciertos artículos de producción local, aun cuando esta política en ningún momento pudo detener la creciente dependencia respecto a las economías de los grandes países industriales.

En algunos casos se tomaron medidas aisladas para lograr una mayor protección a la industria local. En México el ministro de estado Lucas Alamán adoptó a partir de 1830 una actitud decidida en defensa de la industrialización del país. Llegó a sostener que "la república necesita ser fabricante, y no siéndolo su agricultura quedaría reducida a la languidez y a la miseria, en medio de su abundancia; y los tesoros extraídos de la entrañas de la tierra, pasando inmediatamente de las minas a los puertos, sólo servirán para demostrar, con este rápido e improductivo tránsito, que la riqueza no es de los pueblos a quienes la naturaleza concedió las ricas vetas, sino de los que, por sus industrias, saben utilizar dichos recursos y multiplicar sus valores por una activa circulación, que hace vivir con abundancia todas las manos por donde aquéllos pasan. . . Crear una industria fabril desde sus principios, en un país donde nunca ha existido, es la empresa más grande y de más difícil ejecución que puede acometerse." Alamán fundó el Banco de Avío, primera tentativa estatal mexicana de promover el desarrollo industrial, pero esta iniciativa y otras similares fueron frustradas por la evolución general del país y la afirmación de la dependencia económica. Tan sólo en la época de Porfirio Díaz se ejecutaron algunas medidas que, aunque no estaban orientadas contra la tendencia general, habrían de ser aprovechables en el proceso anterior (red ferroviaria, comienzos de una siderurgia en Monterrey, fábricas de papel, fósforos, loza, cemento, jabones, aceites, azúcar, cigarros, cerveza).

Al analizar las importaciones de Brasil entre 1839 y 1904, vemos descender el rubro de manufacturas de algodón y ascender el de máquinas y accesorios. Este fenómeno, que se repite en otros países, es un resultado a la vez de que la gran industria europea empezaba a incluir maquinarias entre sus producciones de exportación y de la aplicación de medidas proteccionistas en América Latina. Estas medidas, con todo, se limitaban por lo general a salvaguardar los intereses de ciertos círculos muy limitados, casi siempre integrados mayoritariamente por extranjeros (en Colombia y otras zonas pueden señalarse excepciones). Debe concedérsele cierta significación a intentos como los de Ruy Barbosa, ministro de hacienda de Brasil hacia 1890, quien sostuvo: "Sin poner en práctica un proteccionismo exagerado, que podría acarrear una gran disminución de la renta de aduanas, trastornos en el propio desarrollo de las industrias, perturbaciones en nuestras relaciones comerciales con los países extranjeros, debemos, entretanto, mediante una protección lenta y aplicada con criterio en cada caso y estudiada en sus consecuencias, ir preparando la industria nacional para poder, en una época más o menos próxima, producir de modo de equilibrar nuestra balanza de cambio comercial y sustituir lentamente nuestro sistema fiscal, creando rentas internas mucho más acordes con los principios de la economía política que las de origen aduanero." Dentro de esa orientación, Ruy Barbosa elevó al 60% los derechos aduaneros a las mercaderías que competían con las similares nacionales, especialmente en materia de textiles y artículos de alimentación. Pero pronto se tuvo que retroceder en este camino, ante la influencia exterior de los centros directivos de la economía internacional y la falta de transformaciones internas que afirmasen lo que no podía ser resultado de una mera formulación de propósitos ni tampoco de una simple legislación proteccionista.

En relación con la Argentina, se señala como momento importante en la aparición del proteccionismo el prolongado debate que se celebró al respecto en las Cámaras, en 1875.

¿Por qué la prédica a veces exitosa en favor de medidas proteccionistas no culminó con la creación de grandes centros industriales en América Latina? Un conjunto de factores influye en ello. La población latinoamericana, en su mayoría, descendía de mano de obra servil o de poblaciones marginales, mantenía niveles de vida muy bajos y no había llegado a incorporarse plenamente a la economía monetaria. La minería estaba en manos de empresarios extranjeros. El sistema de transportes también, y el progreso técnico y la rebaja de los fletes no favorecían el intercambio interregional sino el comercio exterior. Los organismos de gobierno se mostraban totalmente ineficaces para intervenir en la economía. No existía un ingreso monetario capaz de mantener un mercado interno; persistía la tendencia suntuaria de las oligarquías locales y su desinterés en contribuir a una inversión que pudiera promover el desarrollo. De ahí que siempre fuese necesario recurrir a la inversión extranjera, que, al colocarse según sus propias conveniencias, contribuía a acentuar la dependencia y la salida hacia el exterior de gran parte del ingreso local. Otros elementos incidían además en el atraso industrial latinoamericano. Los valores heredados del mundo colonial no eran propicios al progreso industrial, y tampoco la orientación de los institutos de enseñanza.

Por todo ello, la aparición de la industria latinoamericana

no se debió a los resultados de planes de gobierno, sino a otras causas que, a su vez, le confirieron rasgos peculiares y afectaron su proceso de crecimiento. En algunos casos (es el ejemplo de Colombia y, en particular, del valle de Antioquia, que no llegó a comunicarse por ferrocarril con el exterior hasta 1929), las dificultades del transporte oficiaron de defensa natural de las producciones locales destinadas al consumo. En esos casos se introdujeron máquinas destinadas a producir en el lugar, en vez de depender totalmente de los productos elaborados europeos (cuyos fletes resultaban prohibitivos).

Lo más común fue que la industria local apareciese en estrecha vinculación con el crecimiento urbano. Se trataba de una industria de transformación, basada en la importación de máquinas y equipos, que llegó a absorber contingentes de mano de obra y logró, mediante una mayor protección aduanera, alcanzar cierto crecimiento. En general las consecuencias de este proceso no fueron de primera magnitud. El verdadero impulso industrializador exige adopción de medidas políticas de largo alcance y depende también de una tendencia internacional favorable. Exige, a la vez, que sean desplazadas del poder las oligarquías terratenientes, así como la ampliación de los mercados locales por la creciente participación de nuevos grupos en la economía monetaria.

Veremos ahora algunos ejemplos concretos de nueva relación del estado con la actividad económica.

1) *Uruguay*

Entre los antecedentes más tempranos y relevantes de intervencionismo estatal se suele citar el caso del Uruguay a partir de la época del presidente Batlle y Ordóñez, es decir, desde comienzos del siglo XX. Esa intervención se unió al ejercicio de una casi ininterrumpida democracia política y de una avanzada legislación social que llegó a merecer el calificativo de verdadera utopía en tierra latinoamericana.

Diversas causas explican la evolución del Uruguay. Nace este estado en un territorio cuya población no había arraigado antes del siglo XVIII. En la explotación de sus praderas de pastoreo nunca se había empleado mano de obra servil. La falta de supervivencias feudales se unía a la ausencia de una tradición demasiado conservadora en la actitud de la jerarquía eclesiástica local. Por otro lado, su territorio había estado casi despoblado (el sistema de explotación rural nunca requirió mucha mano de obra, y aún menos cuando se introdujo el alambrado y otras técnicas modernas) hasta la llegada masiva de la nueva inmigración europea, la que recibió su máximo impulso a partir de 1870. Esa inmigración contribuyó al crecimiento urbano y al fortalecimiento de sectores ocupacionales hasta entonces de poca entidad. Todo esto coadyuvó a que, sin que se modificaran las estructuras rurales, se fuera viendo un cambio social y económico que impulsó a su vez reformas políticas. Éstas se caracterizaron por la extensión del sufragio, un rápido crecimiento del ámbito de las actividades estatales y del funcionamiento, y por la aplicación progresiva de mejoras sociales.

El intervencionismo estatal uruguayo en la economía procuró fomentar el crédito (para construcciones, equipo industrial), mejorar el sistema de transportes, crear monopolios estatales de seguros, producción de energía eléctrica, refinación de combustibles, elaboración de alcoholes. . . La reducida extensión del país y una población de crecimiento muy lento afectaron las posibilidades de desarrollo industrial.

En lo relativo a la industrialización, el Uruguay no pudo ir más allá de fomentar el crecimiento de industrias de transformación, amparadas por un creciente proteccionismo. Se tendió a promover la intervención estatal en actividades productivas concretas (empresas del Estado en ciertas ramas del transporte, en la pesca, los servicios telefónicos), pero no se alcanzaron grandes resultados. A causa de ello se debió moderar la oposición inicial, que por otra parte nunca fue muy resuelta, contra las inversiones de capitales extranjeros (fundamentalmente contra los intereses británicos dominantes). A este respecto se puede mencionar, como ejemplo, que aunque la refinación de combustibles fue monopolizada por el Estado, las compañías extranjeras se aseguraron condiciones de privilegio en los contratos, lo que les permitió una casi exclusividad en el abastecimiento de petróleo bruto y también grandes ganancias en la comercialización de los subproductos. Más tarde, con la finalidad de atraer el capital extranjero, se llegó a promulgar una ley de *holdings* que favoreció la participación y control de aquél en muchas compañías nacionales.

Por otra parte, la aplicación de las formas democráticas representativas obligó, en aras del logro de nuevos éxitos electorales, a sobrecargar la acción social del Estado y asegurarse más apoyo político mediante el reclutamiento de contingentes de funcionarios, sin tener en cuenta su falta de preparación y reducido rendimiento. Mientras tanto, el principal aporte al ingreso nacional seguía procediendo de la exportación monoproductora tradicional (lana y carne) y se registraba un deterioro progresivo en la situación económica general, a causa de la incapacidad de hacer grandes inversiones en favor del incremento de la producción rural o de la promoción de nuevas actividades.

Se apeló a diversos procedimientos para superar la crisis general, agravada en 1929: devaluación monetaria (con vistas a proporcionar recursos al Estado), control de cambios, ruptura de la legalidad por el golpe de Estado que dio en 1933 el presidente Gabriel Terra, construcción de una gran central hidroeléctrica en el río Negro. Pero estas medidas generaron muchas veces tendencias negativas. La evasión impositiva se realizó mediante la aplicación del régimen de sociedades anónimas, cuyo control era más dificultoso. La falta de estímulos a los productores agrarios y la devaluación monetaria llevó a éstos a canalizar sus ingresos hacia sectores meramente especulativos. Los beneficios que en cuanto el punto de partida había tenido el Uruguay (predominio de un alto porcentaje de población con posibilidades de consumo dentro de la economía monetaria, lo que se traducía en un mercado suficiente para el comienzo de una industria de transformación) dejaron de ser operantes. Después de 1930 se interrumpió la afluencia masiva de inmigrantes europeos, a lo que debe sumarse que el Uruguay carecía de suficientes reservas de población rural pasibles de una lenta incorporación a la economía monetaria y, finalmente, que el crecimiento vegetativo de la población estaba entre los más bajos del continente (el elevado porcentaje de clases medias y la mayor cultura se traducían en una restricción de la natalidad). El envejecimiento de la población y la necesidad de adoptar diversas medidas sociales —particularmente apresuradas en algunos casos— para ganar opinión pública en vísperas de elecciones, pesaba demasiado sobre las finanzas nacionales. La permeabilidad de las fronteras uruguayas desvirtuaba muchas medidas económicas, incitando al pasaje ilegal de mercaderías. Finalmente, la conducta de los propios gobernantes frecuentemente dejó mucho que desear en cuanto a honradez, lo que a su vez tendía a desmoralizar a la población y a fomentar diversas violaciones de las leyes y reglamentos de carácter económico.

Por todo lo anterior el Uruguay vio afectada su posibilidad de canalizar la inversión nacional hacia el crecimiento económico y, como tantos otros países, hubo de confiar en el capital extranjero para respaldar las industrias de transformación, o recurrir al empréstito como sostén de un sistema financiero que mostraba déficit crecientes.

2) *México*

El desarrollo industrial mexicano se ha acelerado de manera muy señalada en el período posterior a 1945, pero es fruto de una preparación anterior, en la que pueden señalarse varios rasgos dominantes:

a) la Revolución mexicana y la reforma agraria que en varias etapas le sigue, amplían las bases del mercado interno;

b) la prolongación de las luchas revolucionarias facilitó el proceso de concentraciones urbanas, el cual resultó luego favorable a la industrialización;

c) en la organización del nuevo Estado se abandonaron los principios del antiguo liberalismo, favoreciéndose de múltiples maneras la injerencia de aquél en la promoción de la actividad económica (inversiones estatales en la industria siderúrgica y la producción de energía, en la construcción de caminos y de obras de regadío, creación de estímulos a la inversión privada y de diversos organismos de crédito).

Las industrias de transformación resultaron afectadas inicialmente por la duración del proceso revolucionario. Se ha calculado que el volumen físico de la producción de la industria de transformación (1939, índice 100) cae de 43.0 en 1910, año en que estalla la revolución, a 28.5 en 1914; el nivel inicial se recuperó hacia 1922 (44.7), siguió subiendo lentamente hasta 1931 (78.0) y llegó luego a registrar los impactos indirectos de la crisis mundial (1933: 52.3); volvió a subir a consecuencia de la radicalización de la reforma agraria y de las expropiaciones del petróleo, durante la presidencia de Cárdenas (1934: 78.1; 1940: 105.1) y luego sigue creciendo casi ininterrumpidamente (1945: 171.2). De un modo indirecto, el ascenso de Cárdenas al poder y el radicalismo de algunas de sus decisiones, también pueden ser interpretados como reacción ante las manifestaciones de la crisis de 1929.

Otros datos aclaratorios de la política estatal mexicana se aprecian en la creciente tendencia a aumentar el porcentaje de las inversiones públicas en la promoción del desarrollo, y dentro de éstas el de la parte que corresponde al fomento de la industria. Con esto se relaciona una disminución creciente del porcentaje de importaciones de bienes de consumo, mientras que aumenta el de bienes de producción.

Se ha criticado que bajo la sombra protectora del culto oficial a una revolución social campesina haya aparecido una fuerte burguesía nacional, a lo que se agrega que los últimos estudios revelan un progresivo descenso del salario real. A la vez se enjuicia a dirigentes políticos y sindicales por anteponer sus intereses personales a los de sus representados. En estas críticas, particularmente si se las enfoca desde puntos de vista políticos y sociales, hay mucho de verdad, pero en términos estrictamente económicos muy bien podría ser que esas situaciones hayan contribuido a contener la tendencia a presionar por una progresiva distribución del ingreso, tendencia que hubiese dificultado la inversión necesaria para asegurar a largo plazo el desarrollo económico. Otro aspecto que da lugar a controversias es el de la participación del capital extranjero (principalmente norteamericano) en la economía de México, país cuyos gobiernos aparecieron como contrarios a esas inversiones.

3) *Brasil*

La industrialización brasileña tuvo sus orígenes, como hemos visto, en actividades de transformación, vinculadas al crecimiento urbano de Río y San Pablo, particularmente, y al amparo de un proteccionismo aduanero nunca muy regular.

El verdadero desarrollo industrial se inició a partir de tres acontecimientos fundamentales:

a) la crisis de la economía cafetalera, afectada por la crisis mundial de 1929 (entre septiembre de ese año y septiembre de 1931 el precio del café bajó de 22.5 centavos de dólar la libra a 8 centavos);

b) las crecientes resistencias a la perduración en el poder de las antiguas oligarquías terratenientes (ahora representadas por los dueños de las tierras productoras de café); esas resistencias se venían manifestando en tentativas revolucionarias a partir de 1922 y en un sostenido clamor de descontento por parte de industriales, clases medias urbanas, integrantes de la oficialidad del ejército y de la administración pública;

c) la revolución de 1930, que llevó a Getúlio Vargas al poder, y a partir de la cual se aceleró la industrialización del Brasil.

Hasta ese momento, Brasil había vivido fundamentalmente a expensas de sus exportaciones de café, en cuya defensa se había adoptado una serie de medidas a principios de siglo. Éstas se basaron en la comprobación de que los aumentos de producción del café tendían a producir una caída de sus precios. Brasil producía en ese entonces la mayor parte del café consumido en el mundo, pero en la comercialización de este producto intervenían intermediarios extranjeros que, mediante la acumulación de existencias, se aseguraban una mayor participación en las ganancias al poder controlar la oferta y la demanda.

Los productores brasileños habían comprobado que los productores de las demás regiones del mundo padecían aún más las consecuencias de la baja de precios. Presionaron hasta obtener apoyo oficial en favor de una política de defensa del café. Se prohibieron las nuevas plantaciones y se decidieron la compra y almacenamiento de la producción local hasta que se pudieran regular los precios. En esencia, esta política implicó el triunfo de los grandes plantadores de café. Asimismo despertó la oposición de otros sectores, ya que se hacía necesario un considerable esfuerzo económico y la obtención de crédito extranjero, bajo la forma de empréstitos, para financiar las compras estatales del café y su almacenamiento. Al agravarse la situación con motivo de la crisis mundial de 1929, la oposición a continuar esta política fue uno de los elementos que contribuyeron a la revolución de 1930 y orientaron al nuevo gobierno, ya que éste no podía mantener una convertibilidad monetaria que asegurase los intereses de las inversiones extranjeras y el pago de los empréstitos arriba mencionados. La revolución tradujo, en su esencia, un desplazamiento de los centros de poder, que se alejaron de los intereses exclusivos de las oligarquías terratenientes productoras del café para responder en mayor grado a la demanda de industriales y clases medias urbanas, que no tenían motivos para apreciar la continuación del viejo orden refugiado tras la fachada de una democracia liberal.

El nuevo gobierno mostró fortaleza y agilidad al mismo tiempo. En vez de dejar caer totalmente la producción de café, redujo sus precios, sin desestimular, con todo, un incremento de la producción. Fomentó a la vez otras producciones del agro, como el algodón, cuyos precios mundiales no habían padecido tanto las consecuencias de la crisis o tendían, incluso, a subir. Facilitó la renovación de equipos que reclamaban las industrias de transformación, las cuales, a su vez, se encontraban en plena expansión por el crecimiento de la demanda interna y porque una doble barrera las defendía de la competencia de los productos rivales extranjeros: el proteccionismo aduanero y, además, el gran encarecimiento de aquéllos a raíz de que el poder de compra de la moneda brasileña disminuía con más rapidez respecto al exterior que al interior del país. El crecimiento de la población y el éxodo rural se vio alentado por el crecimiento interno de la industria y la mayor significación de las actividades estatales; esto a su vez incorporó un mayor número de la población a la economía monetaria, aumentó la oferta de mano de obra e hizo crecer las bases del mercado local, lo que a su vez favoreció a la industria nacional por el incremento de la demanda (que, además, no era demasiado exigente en materia de calidad).

El intervencionismo económico dio preferencia a la producción de bienes de capital (en especial: hierro, acero y cemento) y poco a poco el Brasil se fue encaminando hacia una progresiva independencia respecto al comercio exterior.

Ha sido erróneo identificar todos estos cambios exclusivamente con la política de Getúlio Vargas, ya que se trataba de una transformación que trascendía el plano meramente político y era fruto de una lenta maduración de diversos procesos. Sin esa transformación, lo más probable es que la simple adopción de medidas políticas no hubiese tenido mayor eficacia. Más estéril aún ha sido la discusión en torno a la personalidad de Vargas, a quien se acusó de fascista en nombre de las viejas libertades avasalladas o se elevó a la categoría de talento excepcional y apasionado defensor del progreso del pueblo brasileño. Es harto difícil poder encasillar en una ideología muy estricta a un hábil caudillo político, cuya flexibilidad y audacia le permitieron conservar el poder por largo tiempo, recurriendo a una gama de procedimientos muy variados (y a veces aparentemente contradictorios, como en el caso de ciertas concesiones otorgadas a los intereses de los sectores cafetaleros). Importa, no obstante, recordar que de esa época data la iniciación de numerosas actividades estatales de singular importancia económica dirigidas a mejorar los transportes, defender y estimular la producción, estudiar y planificar las reformas, ensanchar su apoyo político y ampliar la capacidad de consumo de la población mediante aumentos de salarios y diversas leyes sociales. Todo esto se producía en una sociedad donde crecía la burguesía industrial, el nacionalismo de sectores del ejército y de la administración, el número y el poder de consumo de gran parte de las clases medias y grupos obreros de las ciudades.

Con la rígida regulación del comercio exterior el Estado siguió un plan con el cual, a la vez, procuraba defender los precios, el volumen de las exportaciones y el crecimiento de la industria nacional.

Mientras tanto, el desarrollo industrial brasileño tendía a concentrarse en la región de San Pablo, lo que acentuó el desequilibrio entre las diversas regiones del país.

La participación brasileña en la segunda guerra mundial permitió a Vargas obtener apoyo norteamericano para la construcción del centro siderúrgico de Volta Redonda, base de su futura industria pesada. Las exportaciones brasileñas siguieron siendo agrícolas (se mantuvo el café, creció la importancia del algodón), pero mediante el control de cambios impuesto por el gobierno se aseguraron recursos al Estado y fue posible establecer prioridades en la importación.

Sin haber empezado con una revolución social como la de México, Brasil se encontró a fines de la segunda guerra mundial en una situación parecida a la de aquél en cuanto a tener dispuestas las bases de un futuro crecimiento industrial (con inversión preferente en las industrias básicas). En el caso brasileño, los desequilibrios regionales se habían agudizado, la inflación era muy grande y los controles políticos tenían poca estabilidad, mientras que el ejército mantenía gran poder. De las filas de este último, dinamizado por su

Fig. 12: Fábrica de automóviles en São Paulo, Brasil

Fig. 13: Cosecha de algodón en Brasil

participación en la segunda guerra mundial, surgió la decisión de provocar la caída de Vargas. Pero ese cambio político no detuvo el crecimiento industrial, como veremos, ni estableció un sistema duradero.

4) *Argentina*

El desarrollo de las industrias de transformación destinadas al consumo tuvo en la Argentina muy lejanos orígenes y estuvo vinculado después, sin duda alguna, al fuerte contingente de inmigración europea ingresado en el período 1870-1930. Este tipo de industrialización dependió por completo de la importación de maquinarias y equipos y fue desarrollándose a medida que se practicaba un mayor proteccionismo aduanero.

La disminución de las importaciones provocada por la guerra mundial de 1914-1918 redundó en un poderoso estímulo para el desarrollo de estas industrias de transformación, que forzaron al máximo el rendimiento de sus equipos y debieron iniciar nuevos procesos de elaboración de artículos que antes se importaban.

A diferencia de otros casos estudiados anteriormente, en la Argentina perduró durante un tiempo más prolongado el poder y las inmunidades de las oligarquías terratenientes, lo que hizo muy difícil la adopción de medidas radicales en favor de cambios de antiguas estructuras en el orden económico y social.

Por lo mismo, la crisis mundial de 1929 produjo una ruptura en la continuidad de la gestión de gobierno (dictadura de Uriburu), pero no llegó a reflejarse en la aparición de una política estatal mayormente decidida en favor del desarrollo industrial y el cambio económico. Cierto es que la reducción del poder de compra en el exterior (poder de compra procedente de la exportación de productos agropecuarios) fomentó también aquí el crecimiento de una industria de transformación destinada al consumo local.

Como elemento de contención de la caída monetaria producida por la crisis, se llegó a adoptar transitoriamente, en 1931, el control de cambios, tal como se había hecho en otros países. Pero el gobierno no tomó ninguna medida de fondo y siguió objetivos netamente conservadores. Desde el punto de vista de la dinámica política, esto podría explicarse como una reacción, en virtud de la crisis, ante las tentativas realizadas por algunos gobernantes del Partido Radical (principalmente Irigoyen) para ensanchar las bases del poder, alejándolo de las oligarquías dominantes, o la aplicación de medidas de intervencionismo estatal. Esto mismo hizo que las demandas de sectores medios y de los nuevos industriales no fueran atendidas, mientras se iba acumulando una creciente tensión en las masas populares urbanas, la cual será aprovechada más tarde por la propaganda de Perón.

La segunda guerra mundial volvió a incidir sobre el crecimiento industrial y brindó a Perón las posibilidades de gobernar apoyándose en el creciente nacionalismo (lo que satisfacía a la nueva burguesía industrial), así como en las tensiones de clase provocadas por tantos años de orientación conservadora del gobierno, por el éxodo rural hacia las ciudades y el crecimiento del proletariado urbano.

La radicalización de la Revolución mexicana en la época de Cárdenas y la revolución de 1930 en Brasil fueron las respuestas a la crisis económica de 1929, y planificaron el empleo de los escasos recursos disponibles en esos momentos. Por el contrario, el advenimiento del peronismo se produjo en momentos en que el Estado argentino tenía a su disposición una enorme cantidad de divisas acumuladas en el extranjero. Es posible que este hecho haya contribuido a cierta improvisación y derroche en los planes del gobierno peronista, que disfrutaba de la prosperidad y gastaba a manos llenas en medidas favorables a los sectores populares o en el fomento desordenado de planes industriales no muy bien fundados (y que permitieron acumular enormes fortunas a algunos personajes del régimen). Perón no se animó a llevar adelante una reforma agraria y aunque impuso un control de cambios (que sería abolido poco después de su caída), debió asistir en la última parte de su gobierno al comienzo de una crisis caracterizada por la devaluación monetaria y la insuficiencia de divisas, lo que le impidió mantener sus planes. La Argentina, además, veía obstaculizado su desarrollo por la falta de industrias básicas que le permitieran superar sus necesidades de equipo y las mermas en los recursos provenientes del comercio exterior. Se registraban grandes carencias de combustibles, de acero, de material rodante, de equipos industriales, y no se tomaban las debidas providencias para su producción local, ni había recursos suficientes para invertir en los mismos. A partir de 1950 se inició una profunda crisis nacional que se vio agravada por las dificultades de encontrarle una salida política. El régimen peronista se vanagloriaba de muchas realizaciones que, en definitiva, no eran demasiado importantes. La nacionalización de los ferrocarriles entregaba a la administración estatal un sistema envejecido y de costoso mantenimiento. Ciertos equipos industriales, importados en medio de gran propaganda, estaban en malas condiciones y no fueron más que pretexto para la realización de grandes peculados. La caída del régimen, en 1955, dejó un país convulsionado y dividido, en el que no se veían mejoras en la transformación del sistema productivo ni era posible alentar esperanzas de soluciones inmediatas. La industrialización más notoria de los últimos tiempos se caracteriza por grandes inversiones extranjeras en fábricas que se limitan a terminar productos ya semielaborados en el país de origen, mientras se descuidan los sectores principales en los que debería fundarse una verdadera industrialización del país.

Balance del crecimiento industrial latinoamericano durante este período

Una perspectiva histórica sobre lo ocurrido en las distintas regiones de América Latina, en cuanto a las formas de su evolución económica y el auge del sector industrial, nos permite llegar a las siguientes conclusiones:

1) Toda una serie de inversiones previas al desarrollo industrial, denominadas de infraestructura (transportes, puertos, comunicaciones, servicios administrativos) se realizaron en un principio para facilitar la expansión de los monocultivos de exportación, y de tal manera que los controles de la actividad económica quedaban fuera de la región. En la mayor parte de América Latina predominaron, en las inversiones de este tipo, las de origen británico, aun cuando en México y muchos países del Caribe ya desde principios del siglo XX los capitales norteamericanos ocuparan el primer lugar. A partir de la crisis mundial de 1929 el capital extranjero se desinteresa de este tipo de inversiones, que luego de un lapso más o menos prolongado de estancamiento deben

ser promovidas por los propios estados latinoamericanos.

2) El progreso técnico se aplicó primeramente a la promoción de las economías monoproductoras; luego se insertó en las actividades industriales de transformación y muy al final se trató de canalizarle hacia el desarrollo de industrias básicas. Los sistemas de propiedad rural dominante (latifundio y minifundio) eran poco estimulantes para la mayor tecnificación de las actividades agropecuarias. El sistema educativo daba poca importancia a la preparación de investigadores y técnicos vinculados al desarrollo económico.

3) En cuanto a las inversiones extranjeras se registró un doble cambio: del predominio británico se pasó al norteamericano, por un lado, y por otro se tendió a invertir más en industrias de transformación que en actividades extractivas (esta tendencia, en el grupo de países que venimos estudiando, se ve contrastada por la extraordinaria proporción de inversiones norteamericanas en la extracción petrolífera en Venezuela).

4) Los estados latinoamericanos recurrieron a diversos expedientes para fomentar el desarrollo industrial: proteccionismo aduanero, control de cambios, inversiones públicas, canalización de la inversión privada, inversiones extranjeras públicas y privadas, devaluación monetaria, desarrollo de organismos de fomento, etcétera.

5) A diferencia de lo que había sucedido en Europa, no existió en América Latina un divorcio absoluto entre la riqueza terrateniente y la que se invirtió en las nuevas actividades. Lo más frecuente fue que se efectuaran pasajes de uno a otro dominio, aunque esto no se contradice con el hecho de que la producción agraria tendiera a un estancamiento cada vez mayor.

6) Los factores señalados, la aplicación intensiva del régimen de sociedades anónimas y ciertas medidas de gobierno favorables a los grupos privilegiados, determinaron una progresiva concentración de la riqueza.

7) Los mayores progresos en materia de industrialización efectiva dependieron a la vez de cambios políticos y sociales, favorecidos por situaciones de orden internacional.

8) La demanda de bienestar por sectores crecientes de la población que no se ha sabido vincular directamente a los resultados de un desarrollo económico, debilitan las perspectivas de un verdadero crecimiento industrial, el cual exige

grandes inversiones de buena parte de la renta nacional. A su vez debilita la política de intervención estatal, si ésta se ve obligada a hacer concesiones en pro de la conservación de clientelas electorales. Estos hechos sirven además de arma a quienes piensan que solamente se logrará una industrialización mediante la inversión extranjera.

9) Hasta años después de la segunda guerra mundial no se buscaron soluciones a los problemas derivados del deterioro de los términos del intercambio ni se procuró adoptar acuerdos regionales para promover el progreso económico. Tampoco se estudió a fondo la situación y las medidas políticas fueron más que nada pragmáticas. Todavía a fines de la segunda guerra mundial no existía una clara conciencia de las verdaderas condiciones de la vida económica, ni posibilidad de hacer comparaciones o aventurar predicciones sobre el futuro.

12. La mal llamada "sociedad dual" y sus procesos de cambio

La imagen de una sociedad dual sintetiza una realidad que se ofrece al historiador como mucho más compleja. Tal vez sería más preciso hablar de pluralismo social, teniendo en cuenta las características y los orígenes de los distintos grupos sociales que se encuentran en América Latina durante este período: las comunidades indígenas, los distintos grupos de mestizos campesinos que explotan minifundios, las supervivencias de la antigua mano de obra servil en los grandes latifundios (todos ellos viviendo prácticamente al margen de la economía monetaria), mientras que en otros lados cambia la sociedad a la par del surgimiento de nuevas formas de la explotación rural o del crecimiento de las ciudades. La idea fundamental a retener, y sobre la cual se centrará nuestra exposición, es la de los intensos cambios que registró la sociedad latinoamericana durante este período. En estos cambios hemos de encontrar una tendencia general y diversidades regionales, momentos de estancamiento y hasta de retroceso, y momentos de acelerada evolución.

La tendencia general opera contra los antiguos pluralismos de sociedades campesinas mantenidas fuera de la economía monetaria y hacia su progresiva integración en sociedades nacionales donde las diferencias sociales dependen cada vez menos de los orígenes étnico-culturales (supervivencia de un sistema de castas) y cada vez más de la actividad económica o del grado de riqueza que se haya alcanzado (sistema de clases).

Entre los agentes del cambio se contaron núcleos de inmigrantes europeos de extracción popular, establecidos tempranamente en diversas regiones. Se pudo observar una mayor movilidad en los sectores más bajos de las sociedades arcaicas, que se aproximaron a los centros urbanos o a las zonas de mayor actividad económica y tendieron a perder las características de sus culturas de casta. Los indios, víctimas seculares de la explotación servil y el prejuicio racial, al comenzar a integrarse en las sociedades nacionales empezaron a sentirse menos indios y creció entre ellos la tendencia al bilingüismo. En Brasil los negros de las plantaciones pasaron a constituir, conjuntamente con núcleos de inmigrantes europeos, el proletariado de los nuevos centros de desarrollo industrial.

Elementos comunes muy variados favorecieron esa integración: por ejemplo la incorporación de transportes baratos y rápidos, como el ferrocarril (aunque el trazado de sus líneas no siempre fue el más a propósito para estos fines) y algo más tarde la apertura de caminos. En éstos, hasta que hicieron su aparición los primeros ómnibus (y en algún lugar hasta nuestros días) el camionero independiente desempeñó un gran papel en el traslado de mercancías y pasajeros. Las carreteras, a diferencia de las líneas férreas, surgieron de modo más espontáneo y comunicaron regiones de mayor densidad de población. Por su propio carácter, no era necesario invertir masivamente en ellas, de una sola vez, grandes capitales. La compra de un camión tampoco exigía mayor disponibilidad de dinero. La red vial crecía con lentitud pero adaptándose más estrechamente a las necesidades regionales. En su conjunto, tampoco estuvo al alcance de las exigencias que hubiese impuesto un verdadero crecimiento económico, especialmente en cuanto al costo del flete en las grandes distancias, pero contribuyó eficazmente, sin embargo, al desplazamiento humano requerido por la progresiva integración de las sociedades. Este proceso fue más notorio en el litoral brasileño, en los países del río de la Plata, en México, y se dio menos intensamente en las zonas montañosas o de selvas tropicales.

El gran agente de la integración social es el cambio económico, tras el cual se producen desplazamientos internos de mano de obra entre las diversas zonas rurales (en busca de posibilidades salariales) y fundamentalmente la afluencia masiva a las ciudades, donde no siempre los recién llegados encuentran una solución satisfactoria a sus problemas. Por esto último se ha observado que muy frecuentemente los campesinos trasladan al cinturón urbano su miseria y muchas manifestaciones de su cultura y organización social, que perduran en tanto no aparezcan posibilidades ocupacionales suficientes.

Contrariando la tendencia general, en muchos lados las tradiciones culturales actuaron a modo de barrera: la supervivencia de prejuicios y resentimientos raciales, el desprecio por las actividades manuales y por el trabajo intensivo, los niveles de vida absolutamente deficitarios (acumulados por generaciones sucesivas) pusieron vallas a la capacidad de producción y aprendizaje.

En términos generales, los desplazamientos humanos solieron hacerse hacia los centros de desarrollo más dinámicos, mientras que otras regiones conservaban su atraso tradicional. Como éstas estaban caracterizadas por el rápido crecimiento de población, las diferencias en la distribución del ingreso y la canalización de inversiones productivas y mejoras sociales han dado lugar, con razón, a que se hable de neocolonialismo interno. Un caso particular lo constituye la revolución mexicana, que devolvió progresivamente a los campesinos indígenas parte de las tierras de donde habían sido desalojados por los grandes latifundistas y recreó el ejido como forma económica, protegida además por la ley contra todo nuevo proceso posible de despojo. La revolución se preocupó a la vez por la educación del indígena y, al mismo tiempo, el mero hecho de las luchas revolucionarias sirvió para integrar poblaciones y romper barreras de aislamiento.

Este concepto de dualismo social se presta muy particularmente para ser aplicado al caso de Brasil, cosa que ha hecho el estudioso francés Jacques Lambert en su libro *Os dois Brasis*.[48] A fines del siglo XIX las comunidades marcadas por el esclavismo y el aislamiento colonial, de larga data, comenzaron a ser contrastadas por el nacimiento, en el estado de San Pablo, de una agricultura y de una industria modernas. En el proceso se dio la coexistencia de ambos grupos. La llegada de la inmigración europea, el desarrollo agrícola-industrial, las mejoras en los transportes, permitieron unir las poblaciones en la zona de rápido progreso. La coexistencia de ambas formas sociales se vio separada por largas distancias, aunque a veces se presentaron pequeños focos inmersos en la forma opuesta, ya sea caracterizando la supervivencia del pasado o la innovación. Por lo mismo, la industrialización y la urbanización progresivas fueron mostrando también allí los mayores impulsos para abatir las barreras entre ambas sociedades, creadas fundamentalmente por la resistencia del campo a los cambios y la perduración de la gran propiedad (con la excepción relativa de ciertas zonas, como las productoras de café y las pobladas por colonos extranjeros).

Éxodo rural y urbanización

Una de las características más señaladas del período que estudiamos, la cual se desarrolló aceleradamente hasta nuestros días, es el éxodo rural y el crecimiento urbano.

El análisis de las causales del éxodo campesino debe iniciarse considerando el régimen de tenencia de la tierra, el empobrecimiento de ciertos suelos, la desvalorización de algunos productos en los mercados mundiales y las malas condiciones de vida. En la República Argentina, por ejemplo, en 1869 la población rural representaba un 72% y la urbana un 28% del total; en 1895 la primera alcanzaba al 63% y la segunda al 37%; en 1914 los porcentajes eran de 47 y 53 por ciento, respectivamente, y en 1947 la población rural era sólo de 38%, contra 62% de la población urbana.

Se ha explicado la emigración rural, en el caso argentino, atribuyéndola a los siguientes factores: búsqueda de mejores niveles de vida y mayor independencia, crecientes dificultades para el pequeño productor rural, resistencia de la gran propiedad rural a aumentar el empleo de mano de obra.

Respecto a toda América Latina, debe señalarse que las causas del éxodo rural y del crecimiento urbano no fueron las mismas que en Europa occidental o Estados Unidos (tecnificación de la empresa agrícola, que requiere menos mano de obra, y desarrollo industrial urbano, que necesita de ella). Justamente en esta falta de correspondencia apreciamos dos de los principales problemas que afectaron a la vida latinoamericana durante este período, y que todavía no han sido resueltos: la baja productividad del agro debida al predominio de la gran propiedad tradicional como régimen de tenencia de la tierra y la falta de desarrollo industrial capaz de resolver correctamente la incorporación de esos enormes contingentes que llegan desde el campo.

El éxodo rural siguió ritmos diferentes en las diversas regiones. Ya era notorio a fines del siglo XIX, se agudizó en la década de 1930 y desde entonces siguió en desarrollo creciente. No solamente el latifundio fue causa de esa migración. También el minifundio fue demostrando su ineficacia, por su misma pequeñez, la precariedad de sus técnicas de explotación —que agotan la tierra—, la suba del costo de la vida (pese a que este tipo de explotación tiene el carácter de economía de autosuficiencia, siempre depende de algún renglón comprado a precios de comercio) y la imposibilidad de absorber toda la mano de obra disponible en el grupo familiar. El pequeño propietario no disponía de crédito, era víctima de los intermediarios cuando intentaba comercializar algo de lo que producía, sentía que constantemente se reducía su capacidad de compra y posibilidad de consumo.

Entre quienes iniciaron el éxodo hacia las zonas urbanas había muchas mujeres. Se incorporaron en masa al servicio doméstico, que comenzó a adquirir las particularidades étnico-culturales de las regiones más pobres del país.

Las migraciones rurales no siempre se orientaron hacia la ciudad; muchos hombres buscaron el auxilio temporal del salario en calidad de braceros o peones de zafra. Pueden servir de ejemplo los que desafiaban los peligros de los caminos de cintura en el noroeste argentino para tomar parte en la zafra del azúcar, o los que cruzaban clandestinamente el río Bravo —de México a Estados Unidos— y que por tal motivo han recibido el nombre de "espaldas mojadas". Otras veces se buscaba ese salario incorporándose por un tiempo en las cuadrillas que construían ferrocarriles y caminos, o a las explotaciones mineras y campos petrolíferos.

Pero a la larga, latifundio y minifundio son los causantes de la incorporación definitiva de núcleos familiares de procedencia campesina a la vida urbana.

En este proceso se deben establecer diferencias entre los países cuya población rural detiene su crecimiento (Uruguay puede servir de ejemplo) a causa de su contribución al crecimiento urbano; aquellos (casos de México y Brasil) en que pese al éxodo rural se mantienen altos índices de crecimiento de la población campesina y otros finalmente (como Honduras, Haití o El Salvador) donde todavía predomina la vida rural y es muy bajo el índice de urbanización.

En el caso de Chile, y tomando los porcentajes de crecimiento, a partir de 1865, de la población urbana y la rural, tendríamos el siguiente cuadro:

CUADRO III

AUMENTO DE LA POBLACIÓN URBANA, RURAL Y TOTAL DE CHILE (1865-1952). ÍNDICE: 1865=100
(Datos tomados de Dorselaer y Gregory)[49]

Año	*Población urbana*	*Población rural*	*Población total*
1865	100	100	100
1875	139	104	114
1885	200	112	137
1895	235	112	148
1907	267	141	177
1920	331	153	204
1930	407	167	236
1940	507	184	276
1952	686	182	326

En números absolutos la población urbana pasa, entre 1865 y 1952, de 520 663 a 3 573 22; la población rural, de 1 298 560 a 2 359 873; y la población total de 1 819 223 a 5 932 995.

Como se ve por el cuadro anterior, los índices de urbanización revelan un crecimiento muy pronunciado de la población urbana, que se acelera notablemente a partir de 1920.

La misma tendencia se advierte, aunque por lo general no con tanta intensidad, en los demás países de América Latina (con la excepción de El Salvador, cuya población rural tiende a crecer, entre 1930 y 1950, no sólo en números absolutos sino también relativamente).

Adviértase que una de las grandes dificultades para el análisis comparativo es la falta de un criterio uniforme en la determinación de qué puede ser considerado un núcleo urbano. Dentro de muy variados matices, se va desde quienes demandan que el núcleo en cuestión sea por lo menos cabecera de un distrito administrativo a otros que tienen en cuenta el número mínimo de habitantes, con variaciones que oscilan entre 1 000 y 2 500 habitantes. Con todo, dentro de su

CUADRO IV

POBLACIÓN URBANA Y POBLACIÓN RURAL EN ALGUNOS PAÍSES DE AMÉRICA LATINA ENTRE 1900 Y 1951
(porcentajes)
(Datos tomados de Dorselaer y Gregory)[50]

País	*Fecha*	*Población*	
		Urbana	*Rural*
Cuba	1907	43.9	56.1
	1943	49.6	50.4
El Salvador	1930	38.3	61.7
	1950	36.5	63.5
México	1930	33.5	66.5
	1950	42.6	57.4
Argentina	1895	37.4	62.6
	1914	52.7	47.3
	1947	62.5	37.5
Bolivia	1900	26.9	73.1
	1950	33.6	66.4
Brasil	1940	31.2	68.8
	1950	36.5	63.5
Colombia	1938	29.1	70.9
	1951	36.3	63.7
Venezuela	1936	35.0	65.0
	1950	49.8	50.2

imprecisión, estos índices son suficientes para señalar las tendencias generales.

Debe ponerse de relieve cierta conexión entre la urbanización latinoamericana, por un lado, y por otro el crecimiento económico y el mejoramiento de los niveles de vida de algunos sectores de la población. La urbanización en América Latina había sido incentivada por el auge de las economías de exportación, que dejaban saldos suficientes de riqueza para distribuir. Una intensa actividad comercial y el crecimiento de las funciones estatales, creaban fuentes de trabajo. En la ciudad también era posible asegurar la educación de los hijos y obtener el ansiado ascenso social aunque fuera en la segunda generación.

Lo negativo del proceso radicaba en que como dependía

fundamentalmente de factores externos, al entrar en crisis el sistema de complementación económica internacional, la urbanización excesiva llegó a afectar el desarrollo económico y a agudizar la crisis de estructuras.

La rápida migración hacia la ciudad y la falta de ocupación para los recién llegados tasladó a veces con ellos el problema de la desocupación encubierta o el subempleo. Esto dio origen a múltiples fenómenos como la mendicidad, la aparición de vendedores y trabajadores ambulantes, el incremento de la prostitución y de los robos y la existencia de numerosas personas de ocupación indefinida. Con relación al trabajo femenino tal vez no haya más claro índice representativo de esta situación que la evolución de las condiciones en que se ofrecía el servicio doméstico.

En su conjunto, esa gran masa inestable esperaba que sus necesidades ocupacionales y problemas económicos fueran resueltos por la acción del Estado, y presionaba políticamente para lograrlo. Contribuyó así a engrosar ese famoso sector terciario de América Latina, que más que una respuesta a un cambio estructural y al progreso económico, era un anticipo hipertrofiado de los mismos, destinado a ejercer un papel negativo en un auténtico desarrollo.

Ya veremos más adelante el significado político de la existencia de estos grupos, particularmente en algunas situaciones extremas. Su oferta de mano de obra llegó a producir deterioros en las condiciones del empleo, lo que se sumó a los perniciosos efectos de la inflación en el alza del costo de la vida.

El crecimiento sin medida de la población urbana llevaba por otra parte al desarrollo de actividades especulativas sobre la venta de terrenos situados en los aledaños de las grandes ciudades. Nos detendremos brevemente en el análisis de algún caso concreto. Se puede afirmar que la extensión desmedida de la planta urbana de múltiples ciudades, por ejemplo, con relación a su población (con el consiguiente encarecimiento de la extensión proporcional de servicios como pavimento, aguas corrientes, saneamiento, iluminación, etc.) fue el resultado de la creciente tendencia al loteo incontrolado de terrenos del cinturón urbano y su venta a plazos a las clases modestas.

En este período, en las ciudades latinoamericanas se invirtió en múltiples transformaciones. En una primera etapa, por lo general se culminó la construcción de instalaciones portuarias, iniciadas en el período anterior, y se realizaron obras de saneamiento (que acabaron con las grandes epidemias). La introducción de automóviles obligó a regular el tránsito y construir grandes avenidas. Se levantaron grandes edificios públicos, que por su carácter ilustran notablemente sobre la historia social de América Latina: la magnificencia de ciertas academias militares y cuarteles, o las dimensiones de los edificios de los ministerios del ejército y la marina, por ejemplo en Buenos Aires, hablan a las claras del peso que los grupos castrenses han alcanzado en las sociedades locales; los barrios residenciales de México, Santiago, Buenos Aires y otras ciudades demuestran la persistencia de clases de alto poder adquisitivo.

En general, y en proporción a los magros recursos de estos países, los edificios públicos construidos en este período implicaron inversiones enormes, que dan una idea del creciente papel del Estado en la actividad económica y del desarrollo de la burocracia en el sector público.

Los hospitales, a su vez, nos aportan datos sobre la situación de las clases populares. Como vestigios del pasado sobrevivían muchos edificios anticuados, donde la asistencia y el trato al enfermo presentaban serias deficiencias y eran producto de una concepción clasista, nada democrática, de la sociedad. Surgieron también, sin embargo, edificaciones más adecuadas. Las primeras de éstas se debieron al esfuerzo cooperativo de las mutualistas de los inmigrantes europeos. Se construyeron luego edificios más modernos, como las grandes clínicas anexas en Buenos Aires y Montevideo a las facultades de medicina, que prestan una asistencia de alta calidad. Distintas formas de cooperativismo y asociacionismo fueron dando lugar a la erección de edificios de asistencia especializados, ya sea para determinado sector de funcionarios del Estado, o como consecuencia del crecimiento del poder sindical, que constituye reservas para la asistencia médica o lucha para que ésta se desarrolle por vía legal.

En la primera parte del período, en los estados reformistas se hizo mucho en materia de edificación escolar y paseos públicos.

Por el contrario, el agudo contraste entre las villas miseria y la existencia de bellos y lujosos barrios-jardines, de viviendas muy costosas, representa nuevamente el contraste social y la aguda diferenciación de clases. Este fenómeno se observa tanto en Buenos Aires como en Montevideo, Río, San Pablo, México y otras grandes ciudades.

Durante este período la evolución urbana fue traduciendo también el cambio social por otras vías. El auge del comercio llevó a un proceso de concentración y a la aparición de grandes tiendas. Las ciudades se fueron llenando de cines, mientras que los viejos teatros entraban en crisis. Las clases altas mantuvieron la existencia de zonas comerciales restringidas y de gran refinamiento, donde predominaban los productos importados.

La orientación social de los gobiernos y la situación de las distintas clases se traducían también en el estado de los transportes colectivos. La acelerada urbanización de Río se efectuó aprovechando hábilmente las bellezas del paisaje, y las anchas avenidas, con puentes y túneles, permitieron una veloz circulación de los automotores.

La nueva urbanización se manifestó también en la construcción de balnearios elegantes para el fin de semana o las vacaciones de las clases altas. Surgieron así Acapulco, en México; Viña del Mar, en Chile; Mar del Plata, en Argentina, y Punta del Este, en Uruguay. En Río, en cambio, se procuraba huir de la costa, húmeda y calurosa, y para ello se urbanizó la altura, fresca y seca (zona de Petrópolis y adyacencias). En todos esos lugares se construyeron residencias y hoteles de gran lujo.

La emigración campesina llegó a adquirir tal importancia a fines del período, que se hace crónico un proceso iniciado en los morros de Río a fines del siglo XIX: la instalación precaria, sin autorización ni acceso a la propiedad del terreno, de barrios enteros (*favelas*) de poblaciones paupérrimas que trasladan a la ciudad la miseria del campo. Suelen instalarse en la periferia urbana y en terrenos impropios para la edificación. De materiales de construcción sirven restos de tablas, hojalata o cartón. En Chile se llama *callampas* a estas construcciones, porque surgen como los hongos del mismo nombre; en Argentina, *villas miseria*. En Uruguay el humor popular les denominó *cantegriles* (Cantegril es el nombre del barrio más elegante y lujoso de Punta del Este, balneario de las clases altas uruguayas); en México *ciudades perdidas*. En otros casos, estos migrantes se alojan en viviendas familiares agrupadas alrededor de un callejón o patio interior ("conventillos", como se les denomina en el sur; "vecindades", en el norte; "hospedajes", en América Central, y "cortijos", en Brasil) o también ocupan viejas viviendas al borde de la ruina, que habrían debido ser demolidas.

En México, después de 1940, grupos de trabajadores (a los que se denominaba "paracaidistas") consiguieron por medio de presiones políticas terrenos pertenecientes al Estado, situados fuera de los límites de la ciudad, para construir sus viviendas de emergencia.

La mayoría de los que viven en las condiciones descritas tienen algún ingreso, pero no les alcanza para procurarse ningún otro tipo de vivienda. Construir habitación para esta gente no resulta atractivo para el capital privado, que prefiere invertir en el edificio de lujo. Muchos planes gubernativos se trazaron para ayudar a paliar esta situación. Por un lado, sin embargo, los recursos disponibles no estaban al alcance de la magnitud real del problema. Por otro, la influencia política y la gestión personal muchas veces hicieron derivar en beneficio de sectores pudientes y viviendas lujosas las facilidades y préstamos a bajo interés y largos plazos que en principio se habían creado para favorecer a los sectores populares. Se dio inclusive el caso de quienes aprovecharon los bajos intereses de los préstamos oficiales sobre vivienda (concedidos para facilitar su compra o construcción) para dedicar ese dinero a la especulación en un mundo en que la tasa real del interés era mucho más alta.

Se ha insistido en que el traslado a la ciudad de los grupos rurales no implica una rápida asimilación cultural. Se conservan supervivencias de múltiples formas locales. En muchos casos, por ejemplo, esos grupos siguieron apoyando políticamente al mismo sector conservador que habían acompañado en el campo, hasta que fueron ganados paulatinamente por la concesión de empleos, beneficios, recreaciones, etc., y el nuevo paternalismo de sectores urbanos que procuraban engancharlos como clientela electoral.

Fig. 14: Caracas: esplendor y miseria

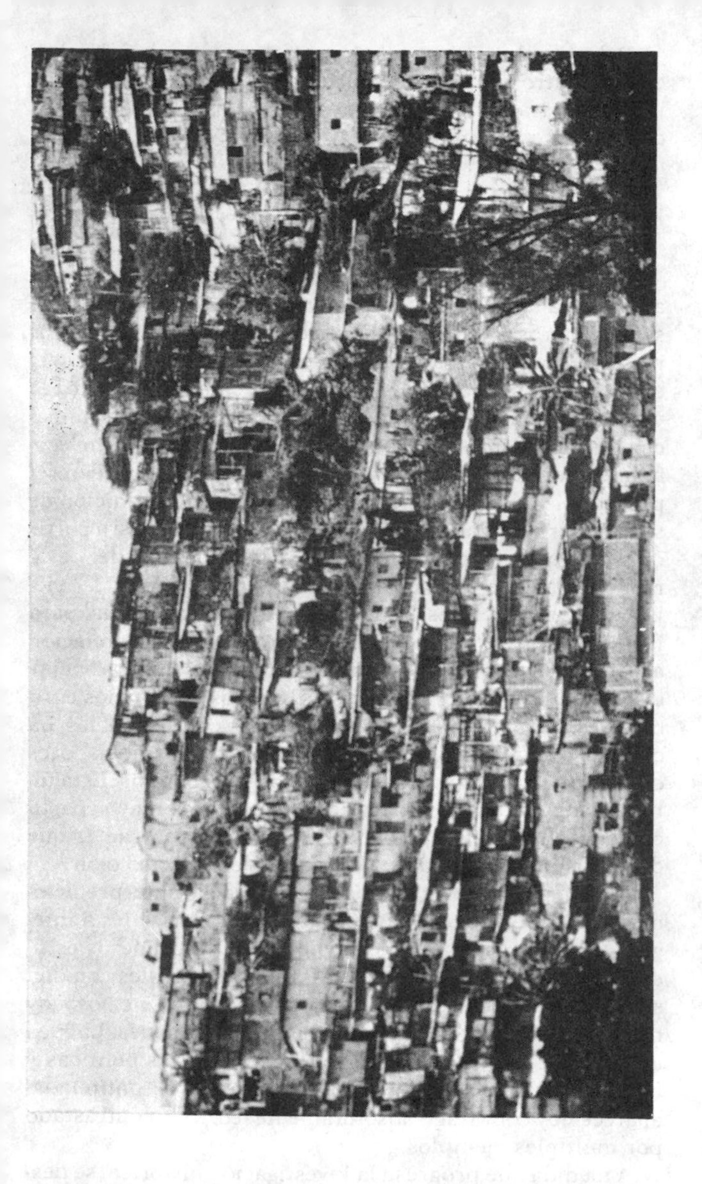

Debe concluirse agregando que el proceso de urbanización incontrolada y la instalación de viviendas precarias e insalubres trascendió los límites del período e, intensificándose, llegó hasta nuestros días.

La estructura social

Queda pendiente un desarrollo del concepto de clases más adecuado a la realidad latinoamericana. Desde principios de siglo numerosos dirigentes políticos aspiraron a que en estos países se constituyeran influyentes "clases medias". Pero el concepto mismo de "clases medias" ha sido de manejo cada vez más difícil en cuanto a su definición, o a la determinación de una misma conducta política o comportamiento económico de estos grupos. No parece demasiado valedero el procedimiento de reducir las exigencias en la definición de su carácter y hablar de "sectores" en vez de clases, si a partir de ahí se quiere construir una teoría explicativa del desarrollo político de varios países, ni tampoco el hablar de "viejas" y "nuevas" clases medias como elemento esencial para justificar el progreso económico de unos países con relación al estancamiento de otros. Según Bert F. Hoselitz, la "vieja" clase media está compuesta por pequeños y medianos agricultores, pequeños industriales y algunos profesionales. La clase media "nueva" por *white collar workers* (trabajadores de cuello blanco), empleados públicos y burócratas. Esta última se distingue por tratar de conseguir una mayor participación en la distribución del ingreso nacional, antes que de contribuir realmente al aumento de la producción.

Para que la historia comparada pueda dar interpretaciones de cierta solidez todavía faltan datos esenciales a integrar. Y, en particular, ya es visible que los primeros estudios confundieron el análisis de situaciones reales con una simple transposición de conceptos incubados en medios muy distintos, o una mera formulación de aspiraciones. La idea de la "clase media" frenadora de las violencias políticas y factor decisivo en una evolución democrática continuada, aparece hoy como algo absolutamente teórico y contrastado por múltiples ejemplos.

A medida que progresa la investigación histórica, se descubre con claridad cada vez mayor que se había exagerado enormemente el papel de los sectores medios latinoamericanos. En este sentido, Milton Vanger[51] ha demostrado que el ascenso de Batlle y Ordóñez al poder en el Uruguay no fue el resultado de la acción política de las clases medias de ese país. Muchas veces la actitud de quienes integraban este grupo, particularmente inestable, fue motivo para crear un clima de violencia que tanto podía definirse hacia el radicalismo revolucionario como hacia la defensa conservadora de un "gobierno de orden".

Las consideraciones anteriores nos llevan a sostener que, en todo análisis de la estratificación social latinoamericana, debe prescindirse en general de los aprioris ideológicos, y tener en cuenta muy especialmente, en cambio, las posiciones de las clases en cuanto a ocupación y niveles de ingreso, los antecedentes étnico-culturales, etc. Contrariamente a lo que podría hacer suponer su situación, los campesinos han sido en general sostén de gobiernos conservadores, y los proletarios no han cumplido precisamente un papel revolucionario, sino vinculado más bien a la obtención de meras ventajas salariales en un medio de inflación constante. El proletariado latinoamericano no presenta la homogeneidad de clase que alcanzó en otros países del mundo. En muchos casos, dada la sensible diferencia de niveles de vida en su favor con relación a numerosos sectores de la población campesina, se le considera más ligado a una situación de clase media que a las clases bajas.

Por su parte, la "burguesía nacional" no se ha caracterizado por el grado de austeridad e iniciativa empresarial que tuvo en los países de gran desarrollo.

Los estudios actuales sobre estratificación social empiezan a adquirir mayor seriedad científica. Es de esperar que la investigación avance también dentro de la perspectiva histórica.

Mientras tanto y corriendo el riesgo de generalizar, puede decirse que en ese período en los países latinoamericanos más significativos empezó a alterarse la composición de las clases altas (que a la vez pierden poder político), mientras que aumentó el número de las llamadas clases medias y surgió un proletariado que alcanzó proporciones considerables.

A los antiguos integrantes del latifundio tradicional no les quedó más remedio que aceptar su marginalización política o integrarse con los nuevos grupos que controlaban el comercio, el crédito, la nueva industria y diversas actividades especulativas (sin que esto signifique que las estructuras agrarias pierdan su inmovilismo y muestren permeabilidad a las inversiones que se necesitarían para aumentar su capacidad productiva de una manera notoria). Pueden citarse como ejemplos de lo anterior Brasil, Argentina, Chile, Uruguay. En Uruguay y Argentina el peso de las clases medias se hizo muy grande (y también en Costa Rica, aunque allí se caractericen por un fuerte predominio agrario). En México y en Brasil, por distintos caminos, se comprueba una tendencia al crecimiento de estos sectores, aunque difiera su composición.

Veamos con mayor detalle lo que se sabe acerca de los cambios de la estructura social en tres países bien representativos:

a) *México*

Los estudios de José E. Iturriaga[52] muestran que la evolución de la estructura social mexicana es el resultado de la combinación de tres factores: 1) nuevo régimen de la propiedad rural introducido por la revolución; 2) crecimiento urbano; 3) industrialización progresiva del país. Ese proce-

CUADRO V

EVOLUCIÓN DE LA ESTRUCTURA DE LAS CLASES SOCIALES EN MÉXICO DE 1895 A 1940
(Según Iturriaga)

	1895		*1940*	
Clases sociales	*Absoluta*	*%*	*Absoluta*	*%*
Población total	12 698 330	100.00	19 653 552	100.00
Altas	183 006	1.44	205 572	1.05
Urbana	49 542	0.39	110 868	0.57
Rural	133 464	1.05	94 704	0.48
Medias	989 783	7.78	3 118 958	15.87
Urbana	776 439	6.12	2 382 464	12.12
Rural	213 344	1.66	736 494	3.75
Populares	11 525 541	90.78	16 329 022	83.08
Urbana	1 799 898	14.17	4 403 337	22.40
Rural	9 725 643	76.61	11 925 685	60.68

so de cambio aparece claramente ilustrado por el cuadro anterior (cuadro V).

Observa Iturriaga que en cifras absolutas la clase alta urbana creció el 123,8%, la clase alta rural decreció el 29,1% y que entre ambas crecieron el 12,3%. Si la comparación se hace con base en los porcentajes que las clases altas ocupaban respecto de la población de 1895 y 1940, se advierte que la clase alta urbana registró un aumento del 46,2%; que la clase alta rural descendió el 54,3% y que entre ambas descendieron el 27,1 por ciento.

Por otro lado, en números absolutos, la clase media urbana aumentó 206,8%, la clase media rural —como consecuencia de la fragmentación de los latifundios— creció en 245,2 y, entre ambas, aumentaron en un 215,1%. Si la comparación se hace con los porcentajes que con respecto a la población de 1895 y 1940 representaban las clases medias, veremos que la urbana aumentó en 98%, la rural en 125,9% y entre ambas en 104 por ciento.

Por último, si se comparan las cifras absolutas del cuadro V respecto de las clases populares en 1895 y 1940, se verá que la clase popular urbana creció 144,6% y la del campo sólo 22,6%, registrando su suma un aumento de 41,7%. En cambio, si el contraste lo establecemos tomando como base el porcentaje que las clases populares representaban dentro de las dos fechas, notaremos que en 1940 la urbana creció en un 58,1% y la rural bajó en 20,8%, descendiendo ambas el 8,5 por ciento.

Como señala Iturriaga, el índice de descenso relativo de la clase popular rural es el más indicador de la evolución social registrada en el país durante casi medio siglo: el sector más numeroso, ignorante y económicamente débil de la sociedad, la clase popular del campo, ascendió en la escala social en la medida en que bajó un 20,8% con respecto a la proporción que ocupaba dentro de la población total del país de 1895 a 1940.

La magnitud de la evolución social se aprecia aún mejor si observamos, a través del cuadro VI, cómo se distribuyó dentro de las distintas clases sociales el aumento absoluto del 54,8% de la población registrado entre los años 1895 y 1940 (6 955 222 personas). El mismo cuadro proporciona elementos para averiguar la dinámica de crecimiento de las clases sociales mexicanas. De él se desprende, en efecto, que mientras el aumento total de población (casi 7 millones) producido entre 1895 y 1940 engrosó en 2.2 millones a la clase popular rural, los otros 4.7 millones fueron a sumarse a la cifra de 2 972 687, que englobaba a todas las clases sociales juntas, con excepción de la popular rural.

CUADRO VI

AUMENTO ABSOLUTO DE POBLACIÓN REGISTRADO EN MÉXICO ENTRE 1895 Y 1940, DISTRIBUIDO POR CLASES SOCIALES
(Según Iturriaga)

Clases sociales	*Población en 1895 por clases sociales: 12 698 330*	*Población en 1940 por clases sociales: 19 653 522*	*Aumento en 1940: 6 955 222*	*=100.0%*
Altas	183 006	205 572	+22 566	+0.3
Urbana	49 542	110 868	+61 326	+0.9
Rural	133 464	94 704	−38 760	−0.6
Medias	989 783	3 118 958	+2 129 175	+30.6
Urbana	776 439	2 382 464	+1 606 025	+23.1
Rural	213 344	736 494	+523 150	+7.5
Popular	11 525 541	16 329 022	+4 803 481	+69.1
Urbana	1 799 898	4 403 337	+2 603 439	+37.4
Rural	9 725 643	11 925 685	+2 200 042	+31.7

Como se ve, el crecimiento de la clase popular rural fue, durante el lapso que se estudia, siete veces inferior al resto de las demás clases sociales.

b) *Argentina*

Gino Germani ha aprovechado materiales estadísticos disponibles para tratar de dar una idea de los cambios en la estructura de clases de la Argentina, cambios que atribuye a los efectos simultáneos de la evolución económica y la inmigración europea.[53]

Un cálculo relativo a las clases sociales de Buenos Aires, en base al censo de 1895, muestra que en ese momento las clases medias debían de representar el 35% de la población activa. En ésta los empleados constituyen el 10% y los profesionales libres y dependientes el 5%. Veinte años más tarde ha variado la proporción de las clases medias: el grupo de los empleados y los profesionales ha aumentado con rapidez.

CUADRO VII

CLASES SOCIALES EN LA CIUDAD DE BUENOS AIRES, 1895-1947
(Según Gino Germani)

<table>
<tr><th></th><th>1895</th><th>1914</th><th>1936</th><th>1947</th></tr>
<tr><td>Clases medias</td><td>35</td><td>38</td><td>46</td><td>48</td></tr>
<tr><td>Patronos y cuenta propia de la industria, comercio y servicios</td><td>17</td><td>14</td><td>16</td><td>14</td></tr>
<tr><td>Rentistas</td><td>3</td><td>2</td><td>3</td><td>2</td></tr>
<tr><td>Profesionales autónomos y dependientes</td><td>5</td><td>6</td><td>9</td><td rowspan="2">32</td></tr>
<tr><td>Empleados y similares</td><td>10</td><td>16</td><td>18</td></tr>
<tr><td>Clases populares</td><td>65</td><td>62</td><td>54</td><td>52</td></tr>
<tr><td></td><td>100</td><td>100</td><td>100</td><td>100</td></tr>
</table>

Se puede apreciar que en 1936 y 1947 las clases medias continuaron su crecimiento, en virtud siempre del aumento de los "empleados". Como advierte Germani, en estas estimaciones los patrones incluyen a quienes trabajan por "cuenta propia" (que en realidad sólo en escasa proporción pueden asignarse a la clase media), y por ello las cifras de 1947 han sido modificadas para hacerlas más comparables con las anteriores. Con base en las cifras del censo y las estimaciones de Augusto Bunge, concluye el cuadro siguiente para todo el país, que confirmaría las tendencias reveladas en Buenos Aires.

CUADRO VIII

CLASES SOCIALES EN ARGENTINA, 1914-1947
(Según Gino Germani)

	1914	*1947*
Clases medias	33	40
Patronos comercio, industria, agropecuarios	19	19
Profesiones liberales	1	1
Rentistas	2	1
Empleados	11	17
Jubilados	—	2
Clases populares	67	60
Total	*100*	*100*

En la Argentina se han ido produciendo cambios: ha crecido el sector comercial y se inicia la industria nacional, surge el proletariado. La alta burguesía industrial acaba por participar de la posición que antes usufructuaran únicamente los terratenientes. Hay una mayor movilidad social. El crecimiento de las clases medias dependientes se realizó a través del ascenso de argentinos nativos, en gran parte hijos de inmigrantes extranjeros. Durante el período de mayor movilidad social el ascenso de las clases populares a los estratos medios lo realizaba el argentino a través de los sectores dependientes (empleados) o de las profesiones liberales (para lo que se requería el apoyo familiar durante el período de estudios). El inmigrante tenía como camino de ascenso social fundamental el comercio y secundariamente la industria o la agricultura.

c) *Brasil*

Con relación al cambio de la estructura social brasileña, es mucho más perceptible la influencia de los problemas regionales y de la distinta procedencia de los grupos de población. Anteriormente, al hablar de los desniveles en la distribución de la renta, se han citado las cifras de Henry Spiegel, con relación al año 1944, donde se estima que un 5% de la población activa integraba la clase superior y no menos del 71% la clase inferior (porcentaje este último al que es necesario sumar todavía los individuos cuyos ingresos eran estadísticamente desdeñables). ¿Qué había sucedido desde principios de siglo para llegar a resultados tan negativos? Resulta evidente que la abolición de la esclavitud no fue seguida por una inmediata incorporación del negro al trabajo asalariado y que, además, se hace necesario considerar, en la promoción de ciertas clases sociales, la influencia de distintos factores que eran prácticamente desconocidos al comienzo del período. En primer término, se comprueba que la expansión de la economía cafetalera constituyó un medio de promoción social mediante el paso de salarios y el mejoramiento de las condiciones del trabajo rural. A esa expansión contribuyeron primeramente inmigrantes europeos y después trabajadores procedentes de distintas zonas agrícolas del país. En el sur, la colonización europea de pequeños propietarios dio origen, luego de diversas peripecias iniciales, a una clase media rural que luego habría de integrar los centros urbanos de la región. La decadencia económica de ciertas zonas y el auge de otras permitió la continuación de los desplazamientos de la población brasileña, caracterizada desde los tiempos coloniales por su dinamismo migratorio. Pese a ello, el Nordeste siguió su proceso de empobrecimiento (crisis del azúcar y del cacao, erosión y sequías continuas, constante crecimiento de la población) y es allí donde, pese a la condición de propietarios de muchos campesinos, se registra la existencia de los sectores más bajos de la escala social de Brasil. La urbanización y la industrialización actuaron como elementos de ascenso social de quienes se hacían obreros, pequeños comerciantes, empleados públicos y privados o podían seguir estudios que les capacitaban para ejercer una profesión. La inflación fue una continua amenaza para el mantenimiento de la posición de quienes percibían rentas fijas. A este fenómeno se debe la mejora del nivel de vida del proletariado, organizado sindicalmente, respecto a grupos medios que antes ocupaban una situación muy superior.

Los cambios económicos encontraron siempre resistencias culturales en el mecanismo de la movilidad social. En el caso de Brasil debe destacarse la importancia de ciertos prejuicios y barreras sociales. Debe reconocerse que, en lo que se refiere al reclutamiento del sector terciario, estas tendencias son más notorias en la empresa privada que en el sector público.

Según datos de Luís A. Costa Pinto,[54] es necesario tener en cuenta el crecimiento demográfico para comprender los cambios en la estructura social de Brasil. En 1890 Brasil tenía aproximadamente 14 millones de habitantes; en 1920, 30 millones; en 1940, 41 236 315 y en 1950, 51 944 397 (crecimiento que fue primordialmente de origen interno, ya que la inmigración contribuyó sólo con un 19% aproximadamente).

El análisis de tendencias reveladas por los censos de 1940 y 1950, reflejaría un nuevo modelo de la estratificación social brasileña.

CUADRO IX

POBLACIÓN ECONÓMICAMENTE ACTIVA DE BRASIL, SEGÚN RAMAS DE ACTIVIDAD
(Según L.A. Costa Pinto)

	1940		*1950*	
Rama de actividad	*Millones*	*%*	*Millones*	*%*
Primaria	12.1	71	13.0	64
Secundaria	1.5	9	2.6	13
Terciaria	3.4	20	4.6	23
Total	*17.0*	*100*	*20.0*	*100*

Los procesos descritos anteriormente habían contribuido a la declinación de las actividades primarias y al incremento de las secundarias y terciarias.

La mayor exactitud de los datos relativos a las ocupaciones de la población registrados por el censo de 1950, permite repartirla en los llamados "estratos socio-ocupacionales", los cuales, ordenados a su vez según un criterio de jerarquía económico-social, nos brindan una noción aproximada de los efectivos de las clases sociales en Brasil.

En el sistema de estratificación que se refleja en este cuadro son visibles la persistencia de ciertos caracteres del modelo tradicional y la influencia de los procesos relacionados

CUADRO X

CATEGORÍAS SOCIO-OCUPACIONALES Y EFECTIVOS DE LAS CLASES SOCIALES EN BRASIL (1950)
(Según L.A. Costa Pinto)

Grupos socio-ocupacionales	*Posición de clase*	*%*
1. Empleados domésticos; trabajadores no calificados, rurales y urbanos; militares de categoría inferior y grupos semejantes	Inferior	70
2. Trabajadores y empleados calificados de la industria, comercio y servicios; empleados semicalificados de oficina, comercio y grupos semejantes	Obrera	18
3. Empleados de categoría media con función de dirección o control, artesanos urbanos y rurales y grupos semejantes	Media inferior	6
4. Profesionales liberales; intelectuales; administradores de empresa y dirigentes no propietarios; oficiales de fuerzas armadas y grupos semejantes	Media superior	2
5. Propietarios de empresas bancarias, industriales, agrícolas, comerciales, etcétera	Superior	4

con el desarrollo económico y los cambios estructurales de la sociedad brasileña. La expansión capitalista de la economía brasileña se hizo a costa de la posición y el prestigio de la antigua aristocracia agraria. El desarrollo de la industrialización determinó un aumento del proletariado industrial urbano.

En el sistema de estratificación social se encuentran clases *residuales*, típicas de la sociedad arcaica del pasado, junto a clases *emergentes*, resultantes de la nueva economía. Que el desarrollo sea un proceso histórico y no un resultado final, lo prueba esa coexistencia de dos estructuras dentro de la misma sociedad.

13. "Modernización" y cambio de las actitudes

En la exposición de los procesos culturales del período anterior hemos marcado nuestra preferencia por analizar los grandes cambios en las mentalidades colectivas, en lugar de caer en la minuciosa descripción erudita de las vidas y obras de algunos intelectuales aislados. Destacábamos que en la actitud cultural de las élites lo característico había sido una europeización apresurada y el rechazo de las culturas consideradas como inferiores, culturas que, sin embargo, comenzaban a fusionarse y desarrollarse a nivel popular.

El período que nos ocupa implica un vasto y diversificado cambio de actitudes dentro de ciertos grupos sociales. Imprecisamente, se ha tendido a utilizar el término de "modernización". Este concepto exige una revisión meticulosa: muchas veces oculta un modelo de trasfondo inspirado en ciertos aspectos de la vida norteamericana, otras se le identifica con una "occidentalización" igualmente vaga.

Por eso pensamos que el concepto de modernización debe ser empleado cuidadosamente, si es que no rechazado. No lo utilizamos aquí en el sentido, excesivamente rígido, que le dan algunos científicos sociales, para quienes el cambio social en nuestros tiempos se puede reducir al simple tránsito desde lo que ellos llaman "sociedades tradicionales" (categoría demasiado general, que deja de lado múltiples diferencias de grado y de evolución histórica) hasta una supuesta "sociedad moderna", considerada a su vez como una especie de meta final, incapaz de transformación ulterior y, en realidad, modelo subconsciente de determinadas sociedades industriales de nuestros días.

Con respecto a la "modernización" en este período, hemos de formular las precisiones siguientes:

1) Se entiende aquí por "modernización" un deseo de cambio, y en parte un proceso real, que trasciende la actitud de ciertos intelectuales aislados y empieza a ser una corriente general dominante.

2) Difiere de la tendencia "europeizante" del período anterior en que hay una mayor actitud crítica y creadora en la adopción de las formas de cultura procedentes del exterior. Éstas ya no son objeto de copia servil, no forman un abigarrado conjunto de elementos sin otro mérito que el de su procedencia europea. Se nota, por el contrario, una tendencia progresiva a participar en la selección de los modelos y a adaptarlos a las realidades locales. Tal tendencia se manifiesta en terrenos muy diversos: ideas, valores, útiles, objetos de consumo, hábitos y costumbres.

3) En cuanto a los sectores sociales que impulsan la actitud dominante, mientras que la "europeización" era fundamentalmente un proceso vinculado a las clases altas locales, la tendencia modernizadora traduce la puja de distintos grupos intermedios que, entre otras cosas, por momentos llegan a poner en discusión los fundamentos mismos de la antigua sociedad.

4) A su vez, la aculturación por empuje exterior se intensifica dentro de sectores bajos de población (antes marginales), en la medida en que se registra en esos grupos un mayor acceso a la economía monetaria y creciente participación en la vida urbana, mientras que los nuevos medios de comunicación de masas se aplican a tratar de hacer de ellos progresivamente una clientela comercial y política.

Hablamos de modernización y cambio de actitudes, es decir, de un proceso dominante y de múltiples transformaciones en las psicologías de distintos grupos, los cuales critican los viejos patrones culturales y realizan diversas tentativas renovadoras. Si bien éstas no logran desplazar por completo a una cultura cuyas singularidades se habían conformado a través de siglos, la modifican sensiblemente en algunos aspectos. Como tendencia en sí, estas actitudes merecen ser estudiadas con más detalle a lo largo del siglo XX.

Poco a poco, a medida que Estados Unidos afirmaba su predominio en América Latina, iba provocando diversas resistencias políticas. Se criticaba además a aquel país por haber exterminado las culturas indígenas y sometido a los negros a un trato inferiorizante.

Los nuevos centros urbanos de América Latina, y en particular sus suburbios populares, eran progresivamente poblados por elementos pertenecientes a diversos grupos étnico-culturales, entre los que prevalecía una tendencia a la fusión. La actitud dominante no revelaba prejuicios frente a este fenómeno. Las nuevas formas de la política debieron tenerlo muy en cuenta a los efectos de conquistar apoyo entre esos grupos, cuya participación en la vida nacional se acrecentaba.

En el período anterior, como ya hemos señalado, la europeización era costosa, suntuaria y muy dependiente de la importación, lo que limitaba sus alcances prácticos. En este nuevo período, en cambio, se vuelve más difícil vivir exclusivamente de la importación, crece el mercado interno, surge una industria de transformación para el consumo local. La expansión del mercado interno guarda una relación dialéctica con la aparición de nuevos grupos sociales que lo fomentan y, a su vez, encuentran en él más posibilidades ocupacionales. Industriales y grupos proletarios, clases medias de diversas procedencias, adoptaban de hecho una actitud favorable a la emancipación económica latinoamericana. Esto favoreció en distintos niveles al proteccionismo y otras formas de nacionalismo económico.

En México la revolución fomentó un verdadero culto al indigenismo, y los mismos mexicanos que ayer se avergonzaban de su ascendencia india, hoy la proclaman con orgullo. En Paraguay se cultiva con entusiasmo el folklore, impregnado de supervivencias indígenas, así como el idioma guaraní (extremadamente difundido entre la población y practicado incluso por los descendientes de las minorías europeas). En el Brasil el mestizaje y la obra expansiva del "bandeirante" ya no se presentan como elementos vergonzantes o actos delictivos, sino, respectivamente, como muestras de flexibilidad cultural y decidido espíritu de empresa. El Río de la Plata asiste a la revalorización de la ayer despreciada barbarie de los pobladores del campo: se exalta la figura del gaucho, sus virtudes creadoras y espíritu independiente. *Martín Fierro*, la obra de José Hernández, publicada en 1872 sin mayores intenciones trascendentes y destinada al consumo popular, es elevada ahora a altas cumbres y se convierte a su autor en recopilador e intérprete genial de una cultura derrotada por la europeización y las exigencias de la economía capitalista. También se inicia la revisión de la historia de las luchas contra el indio.

El Caribe es escenario de un florecimiento de las culturas negras, entre cuyas originales formas folklóricas muchas alcanzan a tener difusión internacional. Poetas como Nicolás Guillén se inspiran en los elementos populares negros. Alcanzan gran destaque figuras como la de Aimé Cesaire, el poeta creador de la idea de la "negritud", difundida luego en África por Senghor y otros, o la de Frantz Fanon, natural de Martinica, quien superando las barreras raciales redacta lo que se ha considerado, dejando aparte el juicio en cuanto al acierto de la acción política que predica, el documento de mayor valor testimonial y fuerza lírica en favor de la regeneración revolucionaria de las masas campesinas del tercer mundo (*Les damnés de la terre*).

En algunos países, como Perú, perduró sin embargo hasta muy tarde el desprecio hacia el indígena, cuya situación de marginalismo y miseria tendió incluso a empeorar en este período. La reivindicación indigenista no dejó de ser en Perú una mera tendencia intelectual. Aun el aprismo, en sus momentos de mayor arrastre popular como partido político, fue incapaz de encontrar la manera de llevar a la práctica sus declaraciones iniciales en favor del indio.

La nueva tendencia revela pues un mayor interés por el pasado, un gusto por lo autóctono, que contrasta con la supervivencia del desarraigo de cierto intelectualismo de cuño conservador y con el persistente esnobismo de sectores siempre dispuestos a adoptar rápidamente toda moda procedente del extranjero.

Masificación y originalidad en la cultura

En el proceso cultural —que mostraba síntomas de integración, mayor participación y surgimiento de elementos creadores— resultó altamente perturbadora la incidencia de los nuevos medios de propaganda y comunicación de masas, que ya hemos mencionado. Éstos ampliaron el área de acción de influencias externas que no se asimilaron debidamente, incidieron en un deterioro de la espontaneidad en la expresión y en el consumo, a la vez que tendieron a incluir dentro de las pautas de una economía de consumo estanda-

Fig. 15: Espectadores indios en un estadio sudamericano de futbol

rizado sectores de la actividad del hombre que antes habían permanecido independientes. Pero se trata éste de un fenómeno mundial, resultante de la progresiva industrialización y de la interdependencia de diferentes áreas de la tierra. No nos extenderemos sino en algunos aspectos regionales.

a) En relación con el punto de partida, el pluralismo cultural latinoamericano es demasiado grande, y también las diferencias de posibilidades entre distintos grupos (por la herencia de generaciones y generaciones que, en algunos sectores, va sumando los resultados de situaciones de explotación social, bajísimos niveles de vida, carencias y enfermedades, o por las supervivencias de tradiciones y valores de otros tiempos).

b) En cuanto a la dependencia exterior, si bien el europeísmo de la élite ha sido superado, las nuevas posibilidades de consumo tienden a robustecerla por otras vías: el control de la información a través de las agencias de noticias, la fuerte preponderancia extranjera en las agencias de publicidad, la acción de la propaganda comercial, el espectáculo cinematográfico y, últimamente, la serial de televisión. Se ha señalado que si bien la cantidad de productos importados se reduce, surge una importación de modelos para cierto tipo de industrias locales y se influye por el mismo procedimiento en la orientación del consumo. La expansión de bebidas como la Coca-Cola comprueba el éxito de la propaganda comercial en el consumo (y la eficacia de nuevos métodos de organización de la empresa). El cine comercial, las revistas de gran público, las tiras cómicas, las fotonovelas, la introducción de cadenas comerciales de supermercados, la propaganda organizada en torno a determinados productos de belleza o prendas de ropa de consumo masivo, han creado nuevas formas de uniformidad.

c) Ciertos grupos locales, ya sea para beneficiarse como intermediarios o seguir en el gobierno, acrecentando la pasividad y las posibilidades de dirección de sus gobernados, utilizan los nuevos medios de propaganda y control de la opinión.

En el mundo latinoamericano se aprecia la coexistencia de varias corrientes dominantes: la tendencia estandarizadora y dirigida de la cultura de masas; el culto artificial de un pasado falso, destinado a colmar rápidamente un orgullo nacional, culto no ajeno al deseo, que anima a ciertos grupos, de mantener sus privilegios; finalmente, una serie de logros de verdadero acierto y autenticidad, entre los que se podría destacar ciertas expresiones de arte popular, la tendencia a reivindicar la calidad de producción de las antiguas artesanías locales, la persistencia de actitudes donde la solidaridad prevalece sobre la competencia o la relación amistosa no se considera pérdida de tiempo ni se subordina a intereses de otra índole.

Ha habido una tendencia extremista que rechaza todo lo procedente del exterior (en razón de su origen y no de sus virtudes o defectos) negándose a diferenciar entre la auténtica adaptación al medio de esos elementos o su implantación superficial. Ese falso nacionalismo acepta sin crítica todo lo proveniente de las culturas locales y olvida el tinte conservador de cierto culto del pasado. Contrariamente, pero también de un modo superficial, otra tendencia tacha de "tradicionalismo ideológico" todo intento de reivindicación de valores locales y supone proclives al irracionalismo y al autoritarismo a las masas populares latinoamericanas.

Para tener una mejor visión de estos procesos es menester verlos en una larga perspectiva temporal, ampliar las investigaciones sobre ellos y rechazar la facilidad con que se aplican hipótesis y modelos improvisados y se cae en la tendencia polemista de cierto ensayismo demasiado apresurado.

Hubo zonas de cambio rápido y otras de cambio lento. Donde predominaban las razas sometidas, y en particular en las regiones que siguen subdivididas en pequeños estados, sin desarrollo industrial, dependientes de la exportación, el cambio más profundo se registró en las antiguas culturas despreciadas por los prejuicios nacionales. La urbanización aceleró las transformaciones, mucho más cuando se sumaron a ella ciertas formas de industrialización. Tampoco debe interpretarse de modo esquemático esta tendencia. Muchas veces, en efecto, la identificación con el pasado regional y la adopción de un nacionalismo polémico y casi irracional se vio más en grupos procedentes de inmigrantes europeos (por su deseo de rápida asimilación). A su vez, ciertos núcleos mestizos procuraron borrar los supuestos estigmas de su origen social mediante una apertura excesiva a la influencia exterior y un paralelo desinterés por lo autóctono.

Otra pista para detectar las tendencias del cambio cultural la podemos obtener de ciertas manifestaciones de anormalidad social. Así, por ejemplo, en la esfera del delito la tendencia dominante es al auge de la delincuencia urbana, particularmente de la juvenil, pero en zonas rurales atrasadas (diversas regiones colombianas, por ejemplo) persisten con extraordinario vigor fenómenos como el bandolerismo, tan típicos del siglo XIX. Sin embargo, los hechos más importantes en materia de ilegalidad están vinculados a los intentos estatales de dirigir la economía: el contrabando, la evasión impositiva y la especulación rapaz, usufructúan la escasa eficacia del aparato represivo y a la vez se aprovechan, en muchos casos, de la complicidad o del ejemplo de más de un gobernante. El mundo latinoamericano ha sido incapaz de superar el uso interesado de la información de gobierno, la influencia de intereses en la gestión pública, la constante violación de normas que se proclaman con solemnidad y aparente intención de acatamiento.

Siempre dentro de procesos que muestran el cambio cultural a través de la anormalidad, no debe sorprender que el Uruguay, con su sociedad de niveles de vida casi europeos y prolongación del límite de edades, haya alcanzado, en proporción al número de habitantes, el cuarto puesto en la estadística mundial de suicidios. Tampoco es sorprendente el auge del empleo masivo del psicoanálisis entre las clases altas y sectores intelectuales de las grandes urbes latinoamericanas, moda análoga a la que se vio en Europa y principalmente en Estados Unidos.

Los prejuicios raciales, contrariamente a lo que muchos sostienen, persistieron en América Latina, si bien menos intensamente que en otros lados. Se incentivan por conflictos en el mercado del trabajo, con el choque de culturas muy diferentes y finalmente en virtud de la típica tendencia a buscar "chivos expiatorios" en las situaciones de crisis. El fijismo político y social en algunos países o de ciertas clases supervivientes sigue rechazando a indios y negros, que para su inserción en las clases dominantes encuentran más dificultades que los inmigrantes europeos.

El negro en Brasil se ha trasladado progresivamente a las ciudades y tiende a dejar de actuar como la antigua raza dominada, aunque sea el principal elemento de las culturas de *favelas* y los cultos de *macumbas*, así como del carnaval en Río. Las culturas negras permanecen en un mayor aislamiento (aunque en plena evolución) en las islas del Caribe. Sin embargo, la fusión de elementos étnico-culturales no se ve obstaculizada por consideraciones raciales sino más bien por las derivadas de la estructura social. Estas actitudes, por otra parte episódicas, se han producido en los sectores medios y altos de ciertos lugares.

El prejuicio racial subsiste encubierto, sin embargo, en la tendencia de quienes queriendo obtener de estas poblaciones un comportamiento económico y técnico idéntico al de otros pueblos, sufren decepciones cuando, ante la aplicación de los mismos procedimientos, se obtienen resultados muy distintos. Solamente se podrá considerar eliminadas las supervivencias del prejuicio cuando se renuncie definitivamente a buscar en el mosaico cultural latinoamericano "vestigios de ética puritana", "empresarios schumpeterianos", actitudes políticas idénticas a las de otros países, o cuando se deje de pensar en la inmigración europea como principal motor de algunos progresos realizados aquí y allá. Ese tipo de prejuicio está inmanente en muchos planes "desarrollistas", en muchas políticas "educativas", en muchas técnicas que bajo el nombre de "desarrollo de comunidad" tratan de obtener que sectores de población que arrastran una vida miserable se transformen súbitamente en *boy scouts* del progreso y del orden social y se olviden de la explotación y las humillaciones de siglos enteros, o abandonen su desconfianza hacia la aplicación de formas de civilización que casi siempre hicieron más duras sus condiciones de vida.

Hasta aquí nos hemos ocupado de las tendencias generales. Es hora de particularizar haciendo referencias más precisas.

La llamada revolución de las aspiraciones

Se ha afirmado que parte de las tendencias del cambio, en especial las de los sectores medios, implican aspiraciones de mejoramiento. La demanda de consumo suele hacer chocar unos grupos contra otros, a la vez que afecta pesadamente las perspectivas de desarrollo efectivo, por disminuir la capacidad interna de inversión.

Esta revolución de las aspiraciones se traducía también por un ingreso masivo a las instituciones educativas, pero sin realizar una reforma previa de las estructuras de éstas. De ahí la hipertrofia de una organización universitaria anacrónica, tendiente meramente a la promoción profesional como forma de ascenso social. Al no cambiar la universidad su misión esencial —la de impartir una cultura masivamente destinada hacia aquel objetivo (descuidando la formación técnica y la necesidad de capacitar a distintos niveles para el ejercicio de alguna actividad remunerada)—, se produce un altísimo índice de deserción entre sus alumnos.

La extensión de la enseñanza media, orientada casi exclusivamente para que sirviera de antesala a la universidad, dejaba igualmente un alto porcentaje de no egresados (o egresados que no seguían luego los cursos universitarios) que habían adquirido un sentido cultural aristocratizante; no se les había desarrollado ninguna capacidad utilitaria, pero sí se habían fomentado sus deseos de progreso y consumo.

Se hicieron tentativas aisladas, no siempre exitosas, de impartir un aprendizaje técnico al margen de esta organización dominante, y, como veremos más adelante, la propia universidad experimentó una conmoción interior, aunque sus consecuencias resultaran a la larga menos fructíferas de lo que se pudo prever.

En cierta medida, la orientación de las instituciones educativas resultaba de una relación dialéctica con respecto a las posibilidades del medio para aprovechar a sus egresados. El reducido porcentaje, por ejemplo, de técnicos agrónomos y veterinarios latinoamericanos se debió a las limitaciones que al ejercicio profesional oponía un medio rural estancado. Éste no fomentaba la aplicación de técnicas ni los gastos considerados "superfluos". Por su parte, las compañías extranjeras por lo general traían su propio personal especializado.

Lo anterior descubre en términos algo duros una tendencia general. Indiquemos que desde tiempo atrás se habían formulado críticas a la orientación de la universidad (por ejemplo, en el Uruguay, en los escritos polémicos de José Pedro Varela —hacia 1870—, quien condenaba la orientación aristocratizante de aquélla) y formulado planes para su reforma. La universidad mostró muchas veces, sin embargo, una extraordinaria resistencia a alterar su orientación académica y su marginalismo social. Entre las iniciativas ponderables debe citarse la organización de la carrera de medicina en México: para evitar que, en pos de clientela adinerada, los médicos se concentraran en las ciudades, éstos se vieron obligados durante cierto lapso a ejercer su profesión en las zonas rurales.

El movimiento de la "reforma universitaria"

Se suele aplicar esta denominación a un movimiento de juventudes, nacido en las propias aulas universitarias, que arranca de la publicación de un célebre manifiesto en 1918, en la ciudad argentina de Córdoba. Esta corriente se expande luego hacia otros países y llega a convertirse en una verdadera doctrina. Se trata en el fondo de una típica agitación juvenil en un medio carente de instituciones, asociaciones y partidos capaces de canalizar esa actividad. Pero por sus características específicas y la coherencia mantenida, esta corriente reformista merece un análisis de cierta extensión.

El movimiento iniciado en Córdoba censuraba a la universidad por su espíritu académico y sus supervivencias monárquicas y monásticas. Denunciaba los obstáculos que existían para el ingreso de unos y las excesivas facilidades que se acordaban a otros, según la clase social a que pertenecieran (imposibilidad de estudiar para los jóvenes procedentes de sectores populares, resistencia a los nuevos sectores medios y trato preferencial para quienes descendían de las aristocracias ilustradas tradicionales). Combatía también la perduración de profesores incompetentes en las cátedras.

Como garantía contra ese estado de cosas, se empezó a reclamar que se permitiera la libertad de cátedra y de asistencia (para evitar las presiones y poner en evidencia a los malos profesores), la gratuidad de la enseñanza, la eliminación de las limitaciones al ingreso, la participación de representantes de los estudiantes y de los egresados —junto a los profesores— en el gobierno universitario. Inscrito dentro de la corriente modernizadora, este movimiento, a la vez que se mostraba sensible frente a las orientaciones ideológicas dominantes, solicitó mayor atención de la universidad respecto a los problemas sociales y nacionales, y la autonomía universitaria frente a gobernantes criticados por representar un orden decadente.

La "reforma universitaria" se extendió rápidamente a Uruguay, Bolivia y Perú. De una manera u otra, la agitación estudiantil durante el período fue intensa además en Paraguay, Chile, Venezuela, Colombia, Panamá y Cuba. En algunos casos dio origen a movimientos políticos (caso del APRA en Perú); en ciertas ocasiones reclutó nuevos cuadros para antiguos movimientos o sirvió de fuerza de choque en situaciones de crisis, pero aquí nos interesa su faz puramente universitaria, la evolución posterior que ha tenido en algunos países. Los estudiantes habían logrado conquistas progresivas mediante huelgas, boicot a profesores, disciplinada participación en los consejos universitarios (hasta establecer en algunas universidades el cogobierno estudiantil). En su primera etapa este movimiento ejerció una indudable acción depuradora, censurando arbitrariedades, luchando por la mejora de la docencia y de los planes de estudios. Pero mostró también limitaciones y demasiado apego a sus consignas iniciales, a pesar de que éstas habían sido superadas en muchos aspectos, o compartió impurezas que había querido eliminar (casos de corrupción de dirigentes en aras del progreso personal, adopción de ciertas normas de discriminación, favoritismo y excesiva cohesión de grupo cerrado).

Los estudiantes habían reclamado una universidad al servicio de la comunidad y abierta a todos los sectores populares. Pero no comprendieron debidamente que no alcanzaba con la eliminación de trabas al ingreso, ni siquiera con la gratuidad de la enseñanza, ya que sin una paralela reforma de la sociedad y de los fines de la universidad ésta seguiría condenada a albergar solamente estudiantes de clase media para arriba. Obtuvieron en muchos lados plena autonomía para la universidad, pero algunos gobiernos, como contramedida política, negaron a las universidades los rubros necesarios para un aumento paralelo de docentes, aulas y medios para la investigación.

Positiva inicialmente, la lucha estudiantil por la libertad de asistencia determinó a la larga que muchos profesores, capaces y deseosos de realizar una auténtica investigación, se desinteresaran por sus cátedras, ya que la permanencia en ellas era muy insegura. La participación estudiantil en el gobierno universitario, a su vez, no siempre fue beneficiosa. Era demasiado sensible a los vaivenes de esa excesiva actividad política interna, y en algunos casos se prestó a la constitución de nuevos grupos de poder dentro de la universidad —o no pudo evitarla.

La temprana y generosa actitud militante de muchos estudiantes dificultó o postergó su egreso. El comportamiento de los egresados en el medio no prestigió, por otra parte, la idea reformista de una universidad al servicio del pueblo, ya que el profesional universitario perseguía antes que nada objetivos vinculados a sus expectativas de mayor ingreso. Por lo mismo, este conjunto de idealismo juvenil y buenas intenciones iniciales no sirvió para alterar esencialmente la función social de la universidad.

Por otro lado, en un mundo donde los estudios universitarios sólo constituyen una primera etapa respecto a las nuevas necesidades de la investigación científica, se reducen las posibilidades de realizar esta última si se prolongan indebidamente los años empleados para terminar una carrera. Muchos estudiantes habían invertido los términos de la acción, anticipando una militancia que el medio necesitaba, pero después de la capacitación profesional. Se había exagerado la confianza en las propias fuerzas, al creer que el cambio en la universidad tenía que traducirse en una transformación general del país.

La reforma, pese a sus sanos orígenes, fomentó una concepción intelectualista del progreso político y social. Muchos de sus adherentes llegaron a creer que la redacción de manifiestos perfectos tendría profundas consecuencias transformadoras sobre las antiguas estructuras. Interiormente, los estudiantes se disputaban con excesiva intolerancia y fragmentarismo la conducción de un proceso que, en su radicalismo ideológico, llegaron a suponer que desembocaría en una revolución social.

Estas esperanzas no se vieron cumplidas. Un ejemplo nos lo ofrece el advenimiento de Perón y su intervención en la universidad argentina, que entrañó la destitución de profesores, persecuciones ideológicas, etc. El estudiantado reformista reclamó entonces el apoyo de los sectores populares, con los que se había querido identificar. Pero no encontró eco. Para esas capas sociales la universidad seguía estando unida al privilegio, y de ahí que la agitación estudiantil no hubiera recibido mayor atención ni provocara ahora simpatía.

Finalmente, pese a todas sus intenciones originales, la reforma no logró terminar con el academismo universitario dominante. Es significativo que, en muchos campos, las principales contribuciones a la cultura latinoamericana no hayan surgido de las cátedras univesitarias. Por otra parte, una serie de elementos conspiraban contra ello. La remuneración del docente universitario era más que nada simbólica, muy poco efectiva para el progreso general de la investigación (aun cuando la condición de catedrático, en el caso de un médico o un abogado, contribuyera a elevar rápidamente los ingresos de aquél en su consultorio particular). Las bibliotecas universitarias, por otra parte, se renovaban con dificultad. Mas digamos que, sin cumplir en su totalidad con los propósitos iniciales, la reforma universitaria ayudó a la promoción de carreras nuevas, demandadas por un medio en transformación, y creó cierto empuje renovador.

En una apreciación general del movimiento corresponde justificar sus orígenes y su persistencia y señalar críticamente, a la vez, la diferencia entre objetivos y logros, la tendencia de la universidad a la perduración de formas académicas, el desarraigo de muchas de sus principales figuras, el hecho de que esta institución siguiera siendo en lo fundamental un instrumento de ascenso social para los egresados (cuya conducta contrastaba por lo general con el idealismo revelado en los manifiestos estudiantiles).

Transformaciones en la producción intelectual

No nos detuvimos demasiado en la producción intelectual del período anterior, visto nuestro interés por la descripción de los aspectos fundamentales y dada la reducida significación de aquélla en un medio presionado por el europeísmo de las élites y el relegamiento de las formas populares de cultura. La producción latinoamericana del período anterior compitió en difíciles condiciones frente al gran alud de contribuciones europeas. Se redujo muchas veces al conocimiento erudito, y en sus creaciones se traslucieron con demasiada facilidad sus fuentes de inspiración, por la inmadurez con la cual se utilizaban. Aunque a veces revelara aciertos, pero raras veces demasiada originalidad, su difusión estaba condenada a ser muy reducida.

Durante esa época se advierten vinculaciones entre la producción intelectual y la actividad política concreta, como lo demuestran los escritos de presidentes argentinos como Sarmiento o Mitre, del emperador don Pedro II de Brasil, y de una numerosa pléyade de ilustrados ministros y asesores gubernamentales. En este tercer período, por el contrario, la actividad política gubernativa y la intelectual inician una progresiva separación de campos.

Ha surgido un público lector que estimula el tratamiento de temas diferentes de los que predominan en la bibliografía que procede del exterior. A medida que ese público aumenta se reduce la tendencia anterior a leer libros escritos en francés. Se amplía el mercado para los libros en castellano, y en Brasil, aunque con algo de retraso, nace una fuerte industria editorial de obras en portugués.

A través del período, el cambio se manifiesta en géneros, escuelas, caracterizaciones ideológicas. Procuraremos dar solamente una idea general del mismo, apoyada en algunas citas y nombres representativos.

En el ascenso de la producción literaria que se registra a comienzos del período, se pudo apreciar, juntamente con la influencia de grandes corrientes mundiales, un progresivo interés por reflejar en la obra artística el medio circundante. La poesía siguió siendo un fruto de la vida provinciana y de los ocios femeninos, pero surgieron también valores de gran relieve. Pueden señalarse entre éstos al tempranamente malogrado poeta peruano César Vallejo, de gran fuerza creadora; al chileno Pablo Neruda, original y fecundo, verdadero maestro del idioma, o al negro cubano Nicolás Guillén, especialmente en sus primeros tiempos, por su poesía sonora y de fuerte inspiración folklórica. Poetas y militantes los tres, buscaron en el compromiso político una forma de canalizar sus inquietudes sociales, de integrarse, sin mayores exigencias críticas, a un grupo que les parecía el más revolucionario.

Mucho más importante que la poesía dentro de la creación literaria latinoamericana del período, es la novela. Se trata de un género con mayores posibilidades de satisfacer la creciente curiosidad por conocer la sociedad latinoamericana. Sus características, además, la vuelven más independiente ante las exigencias académicas o las presiones oficiales que, por ejemplo, las disciplinas científico-sociales. La incorporación del paisaje, de los problemas sociales del medio campesino y las tensiones y angustias de las grandes metrópolis, la denuncia de la corrupción en la vida política o la descripción minuciosa de diferentes grupos y problemas, le fueron dando mayor vida y difusión. La Revolución mexicana favoreció el surgimiento de una generación de grandes novelistas, entre los que se destaca Mariano Azuela, autor de *Los de abajo* y el más representativo narrador de la vida social durante el período. En el México de hoy, a medio siglo de una revolución hacia la que todavía se rinde un profuso culto oficial (que obstaculiza una valoración objetiva de sus resultados), es natural también que las primeras notas de crítica radical surjan en la obra de novelistas jóvenes. Carlos Fuentes, por ejemplo, no vacila en sus obras (*La región más transparente*, *Las buenas conciencias*, *La muerte de Artemio Cruz*) en enjuiciar los retrocesos sociales en la política mexicana, la corrupción, el surgimiento de una nueva burguesía.

La novela histórica alcanza sus puntos más altos en el cubano Alejo Carpentier, autor de *El siglo de las luces* y *Los pasos perdidos*, fiel expositor del choque de ideas y fuerzas sociales en el ambiente del Caribe.

La literatura satisfizo, también en este período, la demanda de obras capaces de describir el paisaje geográfico y social. El rápido éxito de *La vorágine* (1924) del colombiano José Eustacio Rivera, de *Doña Bárbara* (1929) y otras obras del venezolano Rómulo Gallegos, o de *Huasipungo* (1934) del ecuatoriano Jorge Icaza, fue quizá excesivo, pero la tendencia encontró mejores representantes. Ciro Alegría, autor de *El mundo es ancho y ajeno* (1941), logró mayor calidad en la descripción del problema del indio, al igual que, más recientemente, el también peruano José María Arguedas, autor de *Los ríos profundos* y *Diamantes y pedernales*.

Medios como los de Ecuador y Paraguay, acerca de los cuales hay pocos estudios históricos, sociales o geográficos de importancia, se han reflejado con toda claridad en la novelística. Con relación al primero de esos países debe mencionarse a Aguilera Malta, Gil Gilbert, Gallegos Lara, Alfredo Pareja Diezcanseco y Adalberto Ortiz. En Paraguay, las valientes denuncias que sobre la situación de los trabajadores en los yerbales formulara a principios de siglo el español

Rafael Barrett, culminan hoy con obras como las de Roa Bastos (*El trueno sobre las hojas*) y Casaccia (*La babosa*). Lo mismo sucede, con relación a Guatemala, con la producción de Miguel Ángel Asturias (*El señor presidente, El papa verde, Hombres de maíz*).

En Brasil la novela es también una excelente fuente para conocer la sociedad. Obras maestras como las de José Lins do Rego (*Fogo morto, Cangaceiros*), Graciliano Ramos (lúcido narrador de la miseria que agravan las sequías) y en grado menor Jorge Amado (quizás demasiado empeñado en una literatura de resultantes políticas, pero que describe magistralmente distintos ambientes del medio rural y urbano del Brasil) son unos pocos nombres representativos de un conjunto mucho más amplio.

El cosmopolitismo y la europeización de Buenos Aires se tradujo en la obra rebuscada, erudita y difícil de Jorge Luis Borges; sus problemas sociales y psicológicos en Julio Cortázar, Beatriz Guido, Ernesto Sábato y Juan Carlos Onetti. Posteriormente, la influencia de Sartre en pos del compromiso militante se manifiesta en gente como David Viñas, de producción abundante pese a su juventud, integrante de una generación —bien representativa del Buenos Aires contemporáneo— que todo lo ha intentado: militancia política concreta, producción ideológica, comunicación con sectores obreros, influencia en la órbita universitaria. Tal vez demasiados propósitos y pocas realizaciones, pero queda como válido el testimonio acerca de una generación en pleno cambio, que Viñas se ha empeñado en mostrar sin falsos pudores y en permanente actitud combativa.

González Vera en Chile o Francisco Espínola en el Uruguay han descrito, como verdaderos maestros del género, situaciones ambientales llenas de datos anecdóticos y semiautobiográficos (*Cuando era muchacho* y *Sombras sobre la tierra*, respectivamente).

El temprano crecimiento urbano de Buenos Aires brindó un ambiente favorable al teatro, iniciado a principios de siglo con las obras de Florencio Sánchez. Trató éste de la actitud de ciertas clases, los problemas del inmigrante y, con menor vigor, el ambiente campesino. La producción teatral guardó estrecha relación con las posibilidades que le ofrecía el crecimiento de los públicos, y de ahí que México y Brasil figuren a este respecto a la cabeza en América Latina. Las miserias y la angustia de la Lima contemporánea han sido expuestas en *Lima, la horrible*, de Salazar Bondy, y, de modo fragmentario aunque con gran talento, en *La ciudad y los perros*, de Mario Vargas Llosa.

Un proceso que frecuentemente comenzó con la formación de cenáculos y la publicación de revistas, habitualmente condenadas a una vida efímera, llegó a culminar con una vasta producción que refleja con claridad el medio circundante, y cuyos cultores, sin renunciar a la influencia de autores del exterior (Hemingway, Faulkner o Sartre), demuestran su madurez en la creación personal. Probablemente hayan disminuido los grupos formados en torno a una revista (o a un simple manifiesto), pero a cambio de ello muchos escritores latinoamericanos han encontrado, gracias a su calidad y representatividad, un vasto público, aumentado frecuentemente mediante las traducciones a otros idiomas.

Otro género muy cultivado en América Latina durante esta época es el ensayo. Su problemática responde a los grandes interrogantes que el medio cultural se formula y que los centros académicos se negaban, hasta hace muy poco, a abordar: problemas sociales y políticos, significado y orientación de la cultura, explicación de situaciones regionales, apasionadas denuncias de factores negativos, interpretaciones de lo pasado. Todo ello, por lo general, vertido en estilos muy personales y polémicos. El ensayo fue también una respuesta al vacío dejado por la insuficiente investigación científica de problemas económicos, sociales y culturales, así como acerca de la historia de los mismos. Género ágil y receptivo, mediante él filósofos, teóricos políticos, novelistas, críticos literarios, militantes, docentes de distintas ramas y niveles del conocimiento dejaron una contribución original.

Es posible establecer etapas y preferencias temáticas en este género, cuyo análisis podría ser comenzado con la mención del uruguayo José Enrique Rodó y su *Ariel*, denuncia esteticista y dentro del antiguo humanismo contra los avances del utilitarismo norteamericano. Rodó no ocultó su aristocratismo intelectual, de perceptibles orígenes franceses. A partir de él un tema frecuente de la ensayística fue el antimperialismo y la defensa de la unión latinoamericana (Manuel Ugarte, por ejemplo), la explicación algo difusa del "carácter" latinoamericano, la defensa o el ataque de los orígenes mestizos de su civilización (González Prada, Alcides

Arguedas), la elaboración de interpretaciones políticas (Vallenilla Lanz y su apología del llamado "cesarismo democrático"). Hay también una creciente producción de literatura de izquierda, en sus comienzos muy europeizada.

El ensayo, en virtud de su propio carácter polémico o profético, se puso al servicio de los ismos. Las prolongaciones del positivismo, del marxismo y del nacionalismo inspiraron a muchos de sus autores (José Ingenieros, Aníbal Ponce en la Argentina; Samuel Ramos en México). Otras veces, la interpretación de la realidad se hizo a partir del estudio regional, histórico y geográfico. Tal es el caso de Benjamín Subercaseaux (autor de *Chile, o una loca geografía*) o Germán Arciniegas (*Biografía del Caribe*).

Fijemos nuestra atención en algunos aportes fundamentales de este género, que empieza a envejecer a medida que se difunden las nuevas técnicas de investigación de las sociedades. Digamos también que ese envejecimiento no implica la carencia de aciertos ni el que algunos ensayos, como el de Francisco Encina (*Nuestra inferioridad económica*, Chile, 1911) dejen de ser rescatados y elogiados por los anticipos que contienen de elementos que los economistas de hoy ponen en descubierto (la tendencia a un consumo excesivo, los lazos de dependencia, los errores en la orientación del comercio exterior y de la producción, etcétera).

Un caso importante es el del peruano José Carlos Mariátegui. En América Latina se ha producido una gran cantidad de trabajos de inspiración marxista, pero han hecho poco por esclarecer la realidad americana (a la que adaptaban con premura, y muchas veces en forma contradictoria, conceptos surgidos del estudio de medios europeos, en particular en lo relativo al comportamiento de las clases sociales o la clasificación de la economía latinoamericana, caracterizada tanto como feudal o como capitalista). Mariátegui es un caso excepcional de aplicación de elementos marxistas a la realidad, en forma plenamente original y de manera que sea ésta la decisiva, en vez de disimularla o ignorarla con tal de que se ajuste a la rigidez de ciertos esquemas. Por otra parte, Mariátegui ya era un escritor cuando fue a Europa y adhirió al marxismo. Su mejor trabajo, *Siete ensayos sobre la realidad peruana*, se publicó en 1928. Dirigió además una revista, "Amauta", de vasta influencia en su época. En su obra se advierte una profunda perspectiva de los problemas americanos. Se interesó por las posibilidades de transformar las sociedades autóctonas de América Latina, respecto a lo cual señala: "La sociedad indígena puede mostrarse más o menos primitiva o retardada, pero es un tipo orgánico de sociedad y de cultura. Y ya la experiencia de los pueblos de Oriente —Japón, Turquía, la misma China— nos ha probado cómo una sociedad autóctona, después de un largo colapso, puede encontrar por sus propios pasos y en muy poco tiempo la vía de la civilización moderna y traducir a su propia lengua las lecciones de los pueblos de occidente."[55] Mariátegui, como vemos, anticipa una idea que hoy es admitida respecto al conjunto del tercer mundo, eso es, que su progreso no depende de actitudes culturalmente antioccidentales, ni tampoco de negar sus propias tradiciones, sino de una sabia combinación de éstas con los aportes de Occidente, hecha de tal modo que elimine la dependencia y favorezca el progreso local.

El ensayista peruano hubo de insistir, adelantándose a otros, en la inautenticidad de los estados latinoamericanos de la época y en la necesidad de llegar a una verdadera integración nacional. Señaló además a la clase terrateniente y al imperialismo extranjero como los principales responsables del atraso latinoamericano. Mariátegui se valió de una acertada indagación de los orígenes históricos de los males actuales, y ubicó debidamente la interacción de factores que comprenden desde la destrucción de supervivencias feudales hasta la creación de un nuevo sistema de transportes y nuevas actitudes culturales.

Dentro de este género debe señalarse el eficaz aporte de Ezequiel Martínez Estrada a la descripción de la sociedad rioplatense. Enrostró a ésta, en tono apocalíptico y frases de perfecta arquitectura, el gigantismo urbano, la mala asimilación de civilizaciones, el olvido de los escritos fundamentales del pasado (como el *Martín Fierro* de Hernández, o *La tierra purpúrea* y otras obras de William Henry Hudson). Solitario, independiente, siempre batallador, Martínez Estrada se ocupó de los temas más diversos y originó múltiples situaciones conflictuales. A la caída de Perón indagó sobre los orígenes de sus apoyos populares y la actitud de la oligarquía argentina. Apoyó la revolución cubana y vivió un tiempo en La Habana, pero no ocultó sus críticas y reparos a ciertos aspectos de aquélla. No solamente carecía de inhibiciones al escribir, sino que fue capaz de enriquecer permanentemente el idioma con giros, términos e imágenes de su invención. No se sintió obligado por exigencias metodológicas ni creyó necesario ser muy exacto en sus afirmaciones, pero en su favor debe señalarse, amén de muchos aciertos parciales, el haber planteado problemas que luego podrán merecer una atención más prolongada e investigaciones de mayor precisión.

La realidad cubana dio origen a dos obras que merecen ser igualmente citadas por la temprana y acertada visión interpretativa. Se trata de Ramiro Guerra y Sánchez, *Azúcar y población en las Antillas*, en la que plantea la acción del latifundio azucarero y la dependencia respecto al extranjero en la formación de la sociedad cubana, hecho agravado a partir de la construcción de los primeros ferrocarriles, y Fernando Ortiz, *Contrapunteo cubano del tabaco y el azúcar*, en la que se subrayan las contradicciones sociales entre dos sistemas distintos de economía productora. El tabaco había resultado favorable al empleo de mano de obra artesanal calificada y al desarrollo de clases medias rurales, mientras que el azúcar implicó auge del latifundio, esclavitud negra o, por lo menos, explotación de mano de obra no especializada.

Por vía de los dos autores citados anteriormente nos vamos alejando de las características más típicas de los ensayos para acercarnos al de las ciencias económicas y sociales. En este terreno intermedio es ineludible la mención de uno de los hombres más representativos del cambio cultural y que a su vez ha ejercido una considerable influencia. Se trata de Gilberto Freyre, quien, animado siempre por un vivo interés por el estudio de la sociedad brasileña, ha sido poeta, historiador, antropólogo y sociólogo, entre otras cosas. Freyre es quien con mayor anticipación y eficacia sostuvo que el mestizaje cultural en Brasil no era un defecto, sino un hecho lleno de valores positivos. Lo demuestra extensamente en *Casa grande e senzala*, que data de 1933 y es su obra más difundida (ha alcanzado a trece ediciones en portugués y otras muchas en los principales idiomas del mundo). El autor analiza allí los orígenes coloniales del Brasil esclavista y terrateniente (y más en particular los del Nordeste azucarero). Su mejor trabajo es, sin embargo, *Sobrados e mucambos*, continuación del anterior, dedicado a la crisis del esclavismo y los orígenes de la sociedad patriarcal en tránsito hacia la urbanización. Ambos títulos son parte de lo que aspira a convertirse en una nueva historia del Brasil, interesada más en una periodización de cambios sociales y económicos fundamentales que en la cronología política. De esa historia ya ha aparecido la tercera parte: *Ordem e progresso*, donde analiza con nuevas técnicas (que incluyen una encuesta a los sobrevivientes) la época de la proclamación de la República. Muchas otras obras han salido de la pluma de Freyre, quien parece regocijarse con la impresión que produce su capacidad para el manejo de millares de datos en pocas páginas o su aptitud de aplicar las técnicas más diversas y novedosas a la investigación de lo pasado. Desgraciadamente, Freyre ha ido registrando una progresiva involución de su actitud intelectual. Su visión del pasado es nostálgica y lo lleva a una posición de más en más conservadora, totalmente marginada de los valores culturales del Brasil moderno.

Menos publicitado y traducido que Freyre, pero de más auténticos valores de creación cultural original, está Sergio Buarque de Holanda, entre cuyas principales obras figura *Raízes do Brasil*.

Con cierto retraso, apareció en América Latina un grupo de historiadores de las ideas. En su conjunto, ese grupo revela demasiado apego a la erudición y también temor de conectar ideas y medio social, y elude muchas veces el considerar corrientes de opinión cuyo análisis puede crear dificultades especiales. Pero corresponde señalar algunas excepciones, como la de Leopoldo Zea. Amplió éste sus interrogantes hacia los elementos constitutivos de la llamada civilización occidental y sostuvo que tanto Estados Unidos como la URSS la representan en diversos aspectos. Zea sostiene que la liberación de los pueblos coloniales no puede ser considerada como una amenaza a la cultura occidental, sino como la exigencia de que se apliquen en el mundo llamado no occidental los principios de Occidente. Y agrega: "Así, por lo que a la América ibera respecta, va surgiendo una nueva actitud, de la cual es fruto este mismo trabajo: la toma de conciencia de la propia realidad. Se va abandonando ese inútil empeño en hacer de la América ibera una América occidental ciento por ciento y se van aceptando, como elementos positivos, raíces culturales no occidentales que forman su mestizaje cultural. Iberoamérica sabe ya que la historia es algo que hacen todos los hombres, y con ellos todos los pueblos. Sabe, también, que en esta historia tiene una parte, sin importar nada que sea o no la principal. Sabe que su mestizaje, no tanto etnológico sino cultural, puede ser el punto de partida que la coloque dentro de esa historia en una situación, posiblemente, especial. Algo que muchos pensadores occidentales han previsto ya para esta América. Una América puente entre dos mundos, que parecían contradictorios. Puente entre pueblos conquistadores y pueblos conquistados. Puente entre Oriente y Occidente, entre el mundo occidental y el resto del mundo. Por ello, en la historia de la humanidad, en la que hacen todos los hombres, acaso esta historia iberoamericana de mestizaje cultural y racial tenga una gran importancia."[56]

La novelística, el ensayo y las nuevas inquietudes sobre los orígenes y características del mundo latinoamericano adaptaron una tendencia progresivamente contraria a la del desarraigo, al espíritu imitativo y a numerosos prejuicios imperantes entre las élites tradicionales. En algunos lados perduró esta actitud de antaño, enclaustrada en círculos que, aunque mantienen aun hoy ciertas publicaciones y actividades culturales volcadas hacia el exterior, se redujeron progresivamente.

La mayor afluencia de alumnos a las aulas y el creciente interés por la lectura en el propio idioma, fomentó la publicación de obras en castellano o portugués. El fin de la guerra civil en España coincidió con un descenso de la actividad editorial de ese país, a causa de la emigración de los intelectuales republicanos y de las dificultades que la censura española produjo en la comercialización del libro de ese origen en América Latina. Casi en coincidencia, surgió en México una importante editorial, Fondo de Cultura Económica, que ha realizado una gran obra de difusión cultural, pese a que se dedicó, quizás con exceso, a las traducciones. Paralelamente se había fortalecido la industria editorial argentina.

La existencia de un creciente público lector se comprueba por el éxito de ventas populares como las que se realizan en los Festivales del Libro, el brioso surgimiento de numerosas editoriales y el auge de las publicaciones brasileñas. A lo anterior debe sumarse la aparición de suplementos culturales en los grandes diarios, el desarrollo de la crítica bibliográfica y cinematográfica, el aumento en número y tiraje de las revistas especializadas y una progresiva diversificación entre las formas de producción intelectual.

La producción plástica y musical

En el terreno de la producción plástica en general se confirman algunas tendencias anotadas anteriormente respecto a otras manifestaciones intelectuales.

América Latina vio la aparición de escuelas y tendencias, en su mayoría de inspiración europea, a la vez que el contraste entre el academismo oficial y las vanguardias renovadoras. Esta actividad no pudo resistir las grandes influencias mundiales, como las del impresionismo, el cubismo o el abstraccionismo, o de grandes figuras como Pablo Picasso y Paul Klee.

El muralismo mexicano surgió a partir del primer encargo hecho en 1921 por el gobierno mexicano a Diego Rivera. Conjuntamente con José Clemente Orozco y David Alfaro Siqueiros, Rivera cultivó una temática social e indigenista, en medio de encendidas polémicas, manifiestos y diversas formas de militancia. Durante un período, la pintura mexicana deslumbró por su espectacularidad. Pero es posible que hoy aparezca como pintor más valioso Rufino Tamayo, despreciado durante un tiempo por su aparente extranjerismo.

La última conquista del muralismo mexicano fue la decoración de la nueva Ciudad Universitaria de México. En algunos edificios parecería que el afán ornamental y decorativo ha redundado en perjuicio de la libertad del arquitecto en cuanto a las soluciones funcionales básicas.

Cuba ha tenido excelentes pintores en los últimos tiempos, entre los que cabe citar a Wifredo Lam, Amelia Peláez, Cundo Bermúdez, Mario Carreño y Martínez Pedro.

De Brasil se destaca la figura dominante de Cándido Portinari, dentro de sus equilibradas concepciones de temas históricos y sociales, y contribuciones de otro orden a la decoración de edificios.

El uruguayo Pedro Figari recreó, fundamentalmente en París, sus evocaciones nostálgicas de la vieja sociedad del Río de la Plata.

Fig. 16: Edificios de la facultad de medicina de la Universidad de México

El cosmopolitismo posterior puede explicar la aparición de Pettoruti en Buenos Aires o de Torres García en Montevideo, orientados en el cubismo y un abstraccionismo muy elástico, respectivamente. En el caso de Torres García debe tenerse en cuenta su intensa obra como formador de discípulos y autor de extensas publicaciones teóricas al servicio del constructivismo, definido como concepción del arte americano.

En el Pacífico, una excesiva dedicación a actividades políticas alejó a José Venturelli de las primeras conquistas logradas en la vía de un intenso dramatismo social. Roberto Matta emigró a Europa y posterioremente hacia Estados Unidos, transformándose en un importante pintor surrealista, y el ecuatoriano Oswaldo Guayasamín empezó sirviéndose de una temática indigenista para volverse luego cada vez menos representativo.

La tragedia del pintor en América Latina, particularmente en los países pequeños, consiste en que le es difícil vivir exclusivamente del oficio, y de ahí la tendencia migratoria que los impulsó primero hacia París y luego a Estados Unidos.

La rapidez del crecimiento urbano, la presión de algunos organismos de gobierno y el mal gusto de ciertos sectores adinerados fomentaron durante largo tiempo en los escultores la tendencia hacia el realismo monumental, y en los pintores su doblegamiento ante los jurados oficiales y las exigencias de su clientela. Pero esa situación se ha ido modificando, y a la vez se presentan oportunidades alternativas de trabajo gracias al extraordinario desarrollo de la arquitectura, la vuelta a la cerámica y otras artesanías, la decoración de interiores, el cartel publicitario, ciertas formas de diseño industrial (principalmente dibujos para telas, o tareas vinculadas a los progresos de las artes gráficas), la escenografía, los vestuarios y decorados teatrales.

En materia de arquitectura, se pasó de la confusión estilística, denunciada con relación al período anterior, a la adopción de tendencias de mayor autenticidad, en las que se empieza a reflejar la personalidad y nueva orientación de los egresados de las facultades locales, que aprovechan las enseñanzas de las modernas corrientes internacionales. Como en todas partes, también en América Latina la concentración urbana llevó a elevar la altura de los edificios. En algunos países se ignoró en demasía las necesidades impuestas por el clima o por las posibilidades de la industria local, lo cual afectó la calidad de los resultados y encareció la construcción. Pero, poco a poco, se comprendió la necesidad de defenderse del exceso de luz con *brise-soleils* y vidrios oscuros y se comenzó a proyectar más en función de las posibilidades locales de suministro de materiales. Se estudiaron minuciosamente las reformas urbanísticas y ciertas experiencias de vivienda popular. Pero pese a esos intentos, el crecimiento urbano tiende a ser incontrolable y la construcción de viviendas populares cada vez es más insuficiente respecto a la demanda.

Grandes hoteles y hospitales, aeropuertos, estadios deportivos, establecimientos fabriles, edificios públicos diversos, han sido construidos en los últimos años siguiendo nuevas orientaciones. Un ejemplo es el Ministerio de Educación de Río, una obra pionera en la que actuó Le Corbusier como consultante y Oscar Niemeyer, Affonso Reidy y Jorge Moreira como realizadores. Julio Vilamajó en el Uruguay, Sergio Larrain en Chile, José Villagrán García en México, Lucio Costa y el ya citado Niemeyer en Brasil, y Carlos Villanueva en Venezuela, se cuentan entre los arquitectos latinoamericanos que han realizado una obra más destacable.

En la producción musical, América Latina ha visto aparecer importantes compositores que se inspiran en elementos regionales. Tal es el caso del brasileño Heitor Villa Lobos, los mexicanos Carlos Chávez y Silvestre Revueltas, el brasileño Camargo Guarnieri y el argentino Alberto Ginastera.

Las primeras actitudes culturales manifestadas en el período, en torno a revistas literarias y peñas de café, se fueron diversificando en una serie de formas asociativas. Contra el cine comercial surgieron los cineclubes. Ante la comercialización del teatro y el riesgo de su desaparición, aparecieron las agrupaciones vocacionales, que en algunos países alcanzan gran importancia. Nuevos grupos de plásticos, asociaciones dedicadas al culto del folklore, talleres artesanales y agrupaciones de vanguardia, mantienen vivas estas actividades.

Se ha perdido poco a poco la sensación de rechazo de las

condiciones ambientales, sobre la que actuaba la nostalgia europeísta del viejo sentimiento "elitario". Por el contrario, la tendencia actual se caracteriza por la tentativa de mayor entronque en la realidad y la aspiración de influir en los cambios generales. Esto ha de repercutir a largo plazo en la evolución de los llamados núcleos de inteliguentsia, antes refugiados en el desprecio conservador de los elementos populares o en la aplicación de categorías europeas a su progresismo político.

14. Las nuevas características del poder

A medida que avanza el siglo XX se hace visible la imposibilidad de que sobrevivan las formas de poder tradicionales en los países caracterizados por la modernización y el impulso de cambio social y económico. Si bien este proceso no se da en todos los países latinoamericanos, se registra en un núcleo de ellos que representan una abrumadora mayoría en cuanto a la población que los habita y la superficie que ocupan. En ellos las formas dictatoriales clásicas y el predominio de las oligarquías tradicionales (aun en aquellos casos en que éstas se encubren tras una fachada republicana y liberal) no encuentran ya terreno favorable.

Según la zona que consideremos, los cambios políticos obedecen a la presencia de la inmigración europea (impulso de los inmigrantes y sus descendientes por una mayor participación en la vida nacional), son resultado del éxodo rural y el crecimiento urbano, fruto de la transferencia de predominio económico de una región a otra, efecto de la acción de nuevos grupos de presión o suma de todos o algunos de estos elementos.

En su conjunto, la crisis del antiguo sistema se determinó por la aspiración de nuevos grupos a participar en el control y la conducción de la obra de gobierno (y subsiguientemente en los beneficios del poder) a lo que a veces se sumó la actitud de algún gobernante inspirador de movimientos animados de intención reformista.

La dinámica de estos cambios ofrece una completa gama de matices, cuyos puntos extremos fueron por un lado la violencia revolucionaria, que en México se prolongó por una década, y por otro lado la moderación reformista de ciertos estados del sur. En unos y otros, el desplazamiento de las oligarquías tradicionales y el abandono del liberalismo económico llevaron a la adopción de nuevas formas de intervencionismo estatal. En ambos casos se agudizó el cambio como resultado de la crisis de 1929, que produjo frecuente-

Fig. 17: José Batlle y Ordóñez, reformador político de Uruguay, en campaña electoral

mente una ruptura de la legalidad y muchas veces incitó a ejecutar nuevas reformas. Siempre constituyó un motivo de serias preocupaciones el tipo de actitud a adoptar hacia Estados Unidos, transformado de hecho en poder tutelar y fuente de capitales.

En razón de su carácter excepcional, sintetizaremos brevemente los principales hechos de la revolución mexicana antes de proseguir con las consideraciones generales que, como se verá, son también aplicables a México en alguna medida.

La revolución mexicana

La violencia y el radicalismo manifestados en la revolución mexicana tradujeron tensiones sociales acumuladas durante mucho tiempo, aunque la causa circunstancial de la misma fuera tan sólo la campaña contra la reelección de Porfirio Díaz.

En el capítulo 1 hemos visto cómo la independencia de México no tuvo ningún contenido socialmente progresivo (al ser derrotados los movimientos de Hidalgo y Morelos), sino que por el contrario nació de la confluencia de intereses entre el conservadurismo católico y el gran latifundio. La "Reforma" liberal y la constitución de 1857, correspondientes a la presidencia de Benito Juárez, si bien afectan algunos privilegios de la Iglesia, dejan en pie el sistema de gran propiedad de la tierra.

El período conocido por el "porfiriato" (perduración de Porfirio Díaz en el poder) va desde 1876 a 1910. Como lo hemos señalado, sus asesores positivistas eran partidarios de ciertos progresos, pero a la vez despreciaban al indio y propiciaban el despojo de las tierras que éste todavía ocupaba. Se ha calculado que unas 5 000 aldeas indígenas perdieron su tierra en esa época. El censo de 1910 revela que el 96,9% de los campesinos mexicanos carecía de tierra y que el 1% de la población poseía el 96% de las tierras.

En su campaña contra Porfirio Díaz, Francisco Madero, político moderado, publicó desde su refugio en Texas el Plan de San Luis, incitando a la rebelión armada. A consecuencia de ello, se produjo una sublevación en Chihuahua, al mando de Pancho Villa. Tras violentos combates y un armisticio, y en medio de honda agitación obrera y campesina, renunció Díaz y Madero fue elegido presidente, en octubre de 1911. El líder campesino Emiliano Zapata, que desde los primeros momentos de la revolución había adquirido gran apoyo popular en el sur, proclamó el Plan de Ayala, según el cual los campesinos despojados no solamente habrían de recuperar sus tierras, sino que tendrían derecho a tomar 1/3 de lo que quedara a las grandes haciendas.

El curso de la revolución se complicó con el asesinato de Madero y el ascenso al poder del general Huerta, de tendencia conservadora. Frente a él se alzaron Carranza, Villa, Obregón (con el apoyo de la población de Sonora) y Zapata (que inició de hecho la distribución de tierras). Pero tras la derrota de Huerta los vencedores se dividieron. Estados Unidos ocupó Veracruz (1914) y suministró armamento a Carranza, que se apoderó de la capital pero debió luego retirarse ante las fuerzas de Villa y Zapata. El general Obregón, aliado de Carranza, logró convencerle de la importancia de subrayar ciertos aspectos sociales de la lucha. De allí surgió un pacto de ambos con los sindicatos, que formaron batallones obreros. Con estas nuevas fuerzas Obregón derrotó a Villa y en 1915, Carranza volvió a ocupar la ciudad de México. En 1917 se proclamó la nueva Constitución, que agregaba a la de 1857 aspectos anticlericales y hasta de tono socializante. Dentro de la nueva tendencia, se anularon las enajenaciones de ejidos posteriores a la Ley Lerdo (sancionada en 1856) y se declaró inalienable la tierra del ejido (comunidad campesina). Pero los propósitos enunciados por el gobierno de Carranza, electo en 1917, no fueron aplicados en su integridad. El retroceso del radicalismo revolucionario se manifestó en hechos como el asesinato de Emiliano Zapata en 1919 y la clausura de la Casa del Obrero Mundial a consecuencias de una huelga general. Los obreros hicieron causa común con el general Obregón y una vez fundada la CROM (Confederación Regional Obrera Mexicana) lo proclamaron su candidato a la presidencia, ante la oposición de Carranza. Se produjo un nuevo alzamiento al mando de Obregón y su antagonista fue asesinado al tratar de huir. En 1920, con el ascenso de Obregón a la presidencia, terminó el período de la lucha armada, aunque no desapareció cierta inestabilidad y los golpes militares y rebeliones esporádicas siguieron produciéndose hasta 1929.

Como resultados del período de la violencia se redujo la población, descendió la producción y grandes contingentes humanos migraron a otras partes del país. Las presidencias de Obregón (1920-1924) y Calles (1924-1928) consolidaron el régimen al apoyarse éste en los sindicatos obreros y, mediante nuevas expropiaciones de tierras, en el campesinado. La presidencia de Calles (cuya influencia se prolongó indirectamente hasta 1934) afirmó en el poder a un grupo de políticos que no se caracterizaban precisamente por su honestidad y que aprovecharon sus cargos para enriquecerse. Un espíritu radical y renovador llevó a la presidencia al general Lázaro Cárdenas, quien dio un impulso decisivo a la reforma agraria, expropió las explotaciones petrolíferas de las compañías norteamericanas y reorganizó el partido oficial de la revolución (fundado en 1928, por Calles, con el nombre de Partido Nacional Revolucionario, el mismo que más tarde adoptaría el nombre definitivo de Partido Revolucionario Institucional). El nuevo presidente siguió una línea internacional independiente respecto a Estados Unidos y apoyó, durante la guerra civil española, al bando republicano.

El sucesor de Cárdenas, Ávila Camacho (1940-1946) se mostró más conservador. A partir de su período se puede hablar del predominio creciente de una burguesía nacional en México, enriquecida por especulaciones y actividades industriales, que en los últimos tiempos ha llegado inclusive a invertir en tierras sentando las bases de una producción agraria de tipo capitalista.

El elemento más importante a destacar en el proceso político mexicano es la creación de un sistema sumamente original, en el que, pese al evidente predominio de un partido oficial (de hecho prácticamente único), el Estado protege a una fuerza política opositora (asegurándole un mínimo de bancas en el parlamento) y ha logrado integrar dentro del PRI distintos grupos de intereses (militares, obreros, campesinos, ciudadanos en general) de tal modo que se evitan los continuos choques de facciones.

El proceso general

Interesa señalar que en la tendencia a los cambios políticos, hay factores que pueden ser considerados de contención y otros, contrariamente, que aparecen como agentes de cambio.

Con relación a esto, digamos en primer término que no hubo grandes transformaciones en las llamadas repúblicas bananeras, ni en Colombia o Venezuela, durante este período. En estos países no se produjeron alteraciones demasiado sensibles en la situación agraria ni surgieron nuevas fuentes de presión. Una relativa prosperidad en el sector de exportación y la influencia norteamericana sostuvieron la perduración de los sistemas políticos tradicionales o fortalecieron a nuevas dictaduras.

Ejército y política

Sería inexacto suponer que con la desaparición del poder personal ejercido por los caudillos militares del siglo XIX, cesó toda participación castrense en la política. Más bien se produjo una transformación interior en la composición y el carácter de las fuerzas armadas. Éstas colocaron en un segundo plano la que parecería ser finalidad esencial de su profesión, es decir, la defensa nacional, y se convirtieron en un instrumento de poder cada día más eficaz (en la medida en que el armamento se tecnificaba). A sus jefes no les faltaron ambiciones ni oportunidades para interferir por diversas vías en la política de cada país latinoamericano. A veces se apeló a ellos, en situaciones aparentemente sin salida, como árbitros, o se buscó su intervención por entender algunos sectores que podrían fortalecer el poder en momentos de crisis; otras, los propios militares participaron espontáneamente en intrigas palaciegas. Mientras tanto, el presupuesto destinado al mantenimiento de las fuerzas armadas tendió a crecer en muchos países. Desapareció el viejo caudillismo militar ante la profesionalización de la carrera castrense. Los sectores medios de la población vieron progresivamente en el ingreso a la oficialidad una posibilidad de solución ocupacional, con las garantías de una carrera (por lo general, en cambio, era difícil encontrar jóvenes de familias adineradas demasiado atraídos por un sistema cuyas primeras etapas consistían en años de desciplinado y duro aprendizaje). El ejército apareció segregado en cada país y, además, en algunos casos se produjeron tensiones internas entre las

Fig. 18: La nueva clase. Oficiales de un ejército sudamericano

diversas armas que lo componían, o entre la oficialidad joven y la de generaciones anteriores (lo que resultó particularmente evidente por ejemplo en la frustrada rebelión de 1922 y el llamado "tenentismo" en Brasil, que representaron a la vez una lucha de generaciones y la de un sector más progresista contra otro de mentalidad conservadora). La carrera militar obligaba cada vez más al estudio de problemas nacionales, y de ahí que muchas veces se engendraran dentro del mismo ejército tendencias innovadoras. Ello no obstante, en América Latina sólo excepcionalmente se dio el caso de una intervención militar favorable a una reforma de las estructuras agrarias, o capaz de sostener una continuada política de mejoras sociales.

Hacia 1928, sólo seis países de América Latina, los cuales representaban el 15% de la población total de la región, estaban gobernados por dictadores militares. Pero la crisis de 1929 invirtió esa situación, fomentando los golpes de estado y las intervenciones castrenses.

El dominio norteamericano en el Caribe tuvo entre otros objetivos pregonados el de organizar milicias capaces de asegurar la estabilidad de la democracia representativa en cada Estado. Pero Estados Unidos no presentó mayores objeciones cuando los jefes de esas milicias conquistaron el poder y dieron origen a prolongadas tiranías. Mantuvo cordiales relaciones con éstas, siempre que no perturbaran la actividad de las empresas norteamericanas ni crearan complicaciones en materia internacional.

La parte del presupuesto nacional dedicada al ejército dependió de la evolución de cada país. Fue muy alta en Argentina, Brasil, Perú, Paraguay y Colombia, por ejemplo, en razón de ser allí un importante factor de decisión, mientras que tendió a disminuir en México, Costa Rica y Uruguay, ya que por una vía o por otra se había reducido la influencia de los militares.

En algunos casos, el ejército colaboró en tareas de interés nacional, realizando relevamientos geográficos, apertura de comunicaciones o, como en el caso del Brasil, ayudando en la proyección y asimilación del indio (obra dirigida por el mariscal Rondón). En Argentina, por ejemplo, correspondió al general Mosconi realzar la importancia de los yacimientos petrolíferos e incitar a su explotación por el Estado. Pero todas éstas son excepciones, poco significativas en un balance general. Lo más común fue que los contingentes militares, relativamente enormes, implicaran la existencia de mano de obra paralizada, que hubiera podido orientarse hacia actividades productivas, e ingentes gastos en la adquisición de moderno equipo bélico, erección de construcciones militares, altos sueldos y otras prebendas.

Cuando el ejército se decide a tomar el poder, nunca le faltan pretextos: se habla de "la patria en peligro", la "inmoralidad de la antigua administración", la "crisis de las instituciones", la "amenaza comunista".

Las variaciones de la intervención militar en la política van desde la conquista pura y simple del poder hasta el ejercicio reiterado de una especie de veto a ciertos actos de gobierno y la presión en favor de otros.

Como situación especial, en algunos casos una intervención militar entregó el poder a civiles (como en el ascenso de Vargas al gobierno de Brasil, como dictador, en 1930) o derrocó regímenes de fuerza para permitir elecciones (en 1945, en Guatemala, los militares depusieron al dictador Ubico y llamaron a elecciones; el mismo año, en Venezuela, el ejército permitió los comicios en los que triunfó Rómulo Gallegos, de Acción Democrática).

La segunda guerra mundial tuvo como consecuencia, en América Latina, el estrechamiento de vínculos entre los ejércitos locales y el de Estados Unidos (que proporciona equipos, armas, buques, aviones, recursos para construir bases, etc.). Desde entonces, esa colaboración creciente constituye una de las cartas, muchas veces decisiva, que conserva Estados Unidos en su política latinoamericana.

El catolicismo y la Iglesia antes de los últimos cambios

En la mayoría de los países de América Latina la actitud del catolicismo y de los representantes del clero suele ser conservadora. Esto es muy notable en la Argentina, Perú, Ecuador, Colombia, en el Caribe y en el propio México, aunque en este último país la revolución forzó al catolicismo a abandonar viejas posiciones. Esta actitud puede explicarse de diferentes maneras. Se entronca en el pasado con el arraigo eclesiástico en las sociedades coloniales más feudales, en las cuales la Iglesia había llegado a ser gran propietaria de tierras. Se relaciona también con un insuficiente reclutamiento de clérigos en la región, carencia que se compensó habitualmente con el traslado de sacerdotes españoles (el clero español, como es sabido, no presentaba un elevado nivel cultural ni simpatizaba con actitudes innovadoras). Responde, finalmente, a que también en este período el Vaticano se apoyó, en su política hacia América Latina, más en los grupos conservadores de la Iglesia que en las corrientes católicas reformistas.

En México, numerosos elementos clericales se opusieron a la revolución y, entre 1926 y 1929, en la época de Calles, prestaron su apoyo a la llamada rebelión de los "cristeros". A causa de estas actitudes se establecieron en ese país severas restricciones a la acción de la Iglesia. Se prohibió a los sacerdotes que vistieran el hábito en público y se limitó legalmente su número. En casos aislados se llegó a extremos tales como el protagonizado por Garrido Canabal, gobernador de Tabasco, quien en su anticlericalismo llegó a prohibir que en su territorio ejerciera ningún sacerdote que no fuera casado. . . Poco a poco, sin embargo, se fueron normalizando las relaciones entre la Iglesia y el Estado. Los gobernantes revolucionarios posteriores comprendieron que no era aquélla el enemigo principal y que era inútil luchar contra el intenso sentido religioso del pueblo mexicano.

Otro caso que merece especial atención es el de Chile. Anteriormente identificada al conservadurismo, la Iglesia aceptó en 1925 su separación del Estado, y a partir de esa fecha, aproximadamente, se desarrollaron tendencias progresistas dentro del catolicismo chileno. Éstas se concretaron (en 1938) en la fundación de la Falange Nacional de Chile, convertida después en el Partido Demócrata Cristiano. La Universidad Católica comenzó a competir en calidad, eficiencia y espíritu innovador con la Universidad de Chile (laica y oficial).

Finalmente en el Uruguay, donde la jerarquía eclesiástica no hereda antecedentes coloniales de tipo feudal, la Iglesia soportó la presión de liberales y anticlericales durante un largo período. Bajo el gobierno de Batlle y Ordóñez se aprobó una ley de divorcio en 1907; dos años después se prohibió la enseñanza religiosa en las escuelas oficiales, y finalmente la Constitución de 1917 estableció la separación entre la Iglesia y el Estado. Como respuesta moderada, la Iglesia estimuló la creación de escuelas y liceos privados católicos y fomentó el surgimiento de un partido político católico, que nunca alcanzó mayor popularidad ni gravitación.

En conjunto, el mundo latinoamericano seguía siendo católico, aunque más en apariencia que en profundidad. En las prácticas religiosas de ciertos núcleos populares, como los indígenas mexicanos o bolivianos, los negros en Brasil o ciertos inmigrantes, aparecían múltiples adiciones extrañas y elementos diferenciativos. Frente a este tipo de catolicismo popular, la jerarquía católica tenía un poder de control muy limitado. Más fuerte había sido su vinculación con muchos sectores de las antiguas oligarquías, y de ahí las supervivencias conservadoras. La Iglesia sostuvo una lucha frontal contra el anticlericalismo de los grupos medios, aun cuando éstos no se hallaran demasiado interesados en las reformas más radicales. Otro hecho que repercutió hondamente en ciertos círculos de la opinión católica latinoamericana fue la guerra civil española, que llevó a Franco al poder. Los sectores eclesiásticos tradicionalistas se volcaron a favor de éste, pero el incipiente reformismo católico apoyó la actitud del clero vasco, que se había pronunciado a favor de la República. Al terminar este período se abría paso en los altos círculos católicos la opinión de que la religiosidad latinoamericana tenía muy poco de ortodoxa y que estaba en retroceso, así como la de que era necesario estudiar con mayor detalle los problemas americanos. Esto favorecerá las fuertes tendencias al cambio que se manifestarán posteriormente.

Los estudiantes y la participación de los movimientos de juventud en la política

Al mencionar el movimiento de la reforma universitaria dijimos que en él, y también en otras corrientes latinoamericanas del período, el estudiantado se caracterizó por un alto grado de politización. Ésta se manifestó tanto en su actividad ideológica como en su participación concreta en diversos movimientos colectivos y en muchas políticas, en las que contribuyeron a la caída de dictaduras o a la conquista de reformas. La politización de los estudiantes debe ser entendida como resultado a la vez de la inexistencia de suficientes instituciones capaces de canalizar las inquietudes juveniles y del predominio de actitudes más pasivas en el resto de los sectores de la sociedad. Obedeció también a su condición de integrantes de sectores medios de la sociedad, poco contemplados en el régimen imperante. Por razones de edad los estudiantes se colocaron rápidamente en una actitud radical. La juventud americana, que había carecido, como cuerpo, de toda gravitación y era sólo la destinataria de mensajes llenos de retórica y buenos consejos, comenzó a tomar realidad como sector coherente. Los estudiantes procedían por lo general de clases que querían mejorar, y la vida urbana así como la convivencia académica les permitían actuar organizadamente.

En el período que nos ocupa, la mayor parte de la actividad juvenil osciló entre la militancia en reducidos grupos ideológicos (demasiado rígidos y extremistas como para que realmente consiguieran dar origen a movimientos populares) y su inserción en movimientos más amplios que, por obedecer a motivaciones concretas, vinculadas a hechos de la historia de cada país, obtuvieron rápido eco en amplios sectores de la población. En estos últimos casos el estudiantado llegó a constituir una fuerza de choque muy importante, frecuentemente decisiva respecto a la suerte de un acontecimiento (aunque de inmediato perdiera la posibilidad de seguir influyendo en los controles de la política nacional). Otras veces, la experiencia y el gusto por la militancia, adquiridos en el período estudiantil, sirvieron como elementos de formación para cuadros enteros que se incorporaron a los nuevos partidos populares (unos de los cuales, el APRA del Perú, tiene directo origen en las campañas de la Federación de Estudiantes de ese país) o al ala reformista de ciertos partidos tradicionales (como el Partido Radical en la Argentina o el movimiento de Batlle dentro del Partido Colorado en el Uruguay.

La rebeldía estudiantil, y en particular la que no desembocó en una militancia política después de la universidad, dejó a muchos en una situación marginal, con las carreras tronchadas, una sensación de frustración y la dura necesidad de enfrentar la madurez y ganarse el sustento de algún modo. Pero también ayudó a otros a acrecentar su capacidad crítica y mantener posiciones de independencia y militancia que se tradujeron más tarde en contribuciones positivas en el orden intelectual, literario y artístico.

Muchas veces, dentro de grupos juveniles, la prolongación excesiva de la militancia (hasta edades que, en países mas desarrollados, no era lo habitual), se debió a la falta de posibilidades ocupacionales concretas y a la poca permeabilidad de los cuadros dirigentes y productivos para la asimilación de las nuevas generaciones. Es probable igualmente que las ambiciones concebidas durante esa época hayan sido factores decisivos en ciertas actitudes futuras, en las que oficiaron de fermento radicalizante.

Las demandas de las llamadas clases medias

Si en su manifestación juvenil, ciertos sectores procedentes de estas clases asumieron la actitud radical ya mencionada, que aparece como bastante coherente, es imposible señalar, por no haberla, una forma única de comportamiento político de las llamadas clases medias.

Según un preconcepto muy extendido, estas clases actuarían como elemento moderador y serían favorables al surgimiento o perduración de regímenes democráticos. Concepto, por otra parte, insostenible. Analicemos los diversos orígenes de estas clases, su composición interna, la perdurabilidad de su posición. En ellas hay pequeños comerciantes, artesanos y dueños de talleres de poca monta, empleados públicos y privados, profesionales, pequeños propietarios y rentistas. Pueden descender de inmigrantes europeos, o de campesinos trasladados a la ciudad; pueden, inclusive, arrastrar diversas tradiciones culturales. Conjunto demasiado abigarrado, en suma, para atribuirle un comportamiento unitario. Verdad es que todos ellos reclaman al gobierno medidas que les sean favorables, y que en general desean que sus hijos mejoren aún de posición por la vía de los estudios o alguna otra. Su mundo cultural es limitado; su nivel de información, reducido. De ahí que muchas veces se pueda apreciar el irracionalismo en muchas de sus actitudes, o se dejen aplastar por los prejuicios, o simplemente traduzcan en juicios generales el resultado de una situación personal. Es así que los rentistas y demás personas de ingreso fijo, muestran un descontento creciente ante la desvalorización monetaria, a lo que se agrega el resentimiento contra la relativa facilidad con que los obreros agremiados consiguen ajustar sus salarios. Se las ha dividido en viejas y nuevas clases medias, independientes y dependientes, procurando explicar su diferente comportamiento en el desarrollo económico. (En el primer caso, pequeños productores, profesionales liberales, contribuirían a la mayor productividad, al no obtener otro beneficio que por medio del aumento de su propio rendimiento; en el segundo caso, el de los funcionarios, presionarían por mejoras que habrían de traducirse en una disminución del porcentaje de ingreso disponible para inversiones, de lo que se deriva a la larga el estancamiento y el bloqueo de muchas economías.) Pero ni aun así la división es demasiado útil para interpretar su comportamiento político, que suele dar lugar a sorpresas. En algunos casos, integrantes de esos grupos fueron hábilmente aprovechados para la extensión de una organización partidaria (lo que se realizaba con mayor facilidad con relación al funcionariado que a los demás grupos); en otros casos esos sectores (los profesionales, especialmente) tendieron a alentar actitudes radicales o se mostraron favorables a los gobiernos de fuerza (sectores de ingresos afectados por la inflación, pequeños propietarios alarmados por el alud impositivo). Muy frecuentemente el deterioro de su situación los llevó a favorecer cualquier expectativa de cambio, pero sin que calcularan previamente las consecuencias.

En Chile, la proletarización que sufrieron los sectores medios los inclinó progresivamente a la izquierda. En México, aun en medio de cierta prosperidad, contribuyeron a la caída de Porfirio Díaz y al desencadenamiento de la revolución al exigir una mayor participación en el poder. En Brasil apoyaron el golpe de estado que en 1930 llevó a Vargas al gobierno. En el Uruguay contribuyeron a fortalecer las posiciones del batllismo como partido gobernante, y desde entonces al progresivo hundimiento de un Estado que cada vez echaba sobre sí nuevas cargas sin promover un crecimiento de la producción. Dada la simplicidad y el esquematismo de sus interpretaciones, los sectores medios tanto fomentaron el progreso político como la difusión de prejuicios raciales y la propaganda favorable a soluciones de fuerza.

Para hacer afirmaciones más exactas acerca de esa capa social, es necesario estudiar continuadamente el comportamiento de cada subgrupo que la integra, y a su vez los matices dentro del mismo. Se advierte entre los artesanos, por ejemplo, la diferencia entre la teoría radical de ciertos inmigrantes europeos y una actitud real que resulta conservadora. El pequeño comerciante actúa casi siempre con el objetivo de la rápida riqueza, y la marcha de su aspiración es el elemento determinante de su conducta política. Las clases pasivas, los rentistas, al ver deteriorarse su situación, canalizan su descontento en actitudes de oposición de consecuencias imprevisibles. La demanda de mejoras de cada grupo suele provocar un crecimiento artificial del terciario estatal en un intento de brindar ocupación a sectores que no eran absorbidos por las actividades privadas.

En todos estos casos la tendencia al ascenso social y al mejoramiento económico, no solamente de las llamadas clases medias, sino de otros sectores de extracción más popular, se transforma en América Latina en un peso muerto que traba la evolución política y resta eficiencia a la administración estatal. Se incorpora a ésta un funcionariado innecesariamente numeroso, que además no era debidamente capacitado ni se seleccionaba por otro motivo que el deseo de obtener adhesiones para los que detentaban el poder.

Los industriales y el nuevo poder de los sindicatos

En los orígenes de las luchas obreras de América Latina, de acuerdo con los conceptos adquiridos en Europa, se veía como enemigo principal al patrón, es decir, al industrial y hombre de empresa. Este esquema se mantuvo durante cierto tiempo entre círculos ideológicos demasiado cerrados. Mientras tanto, las luchas obreras seguían fundamentalmente una política de defensa del salario, amenazado progresivamente por la inflación. Llegó el momento en que, pese a la oposición de ciertos dirigentes de las izquierdas tradicionales, se operó una progresiva alianza *de facto* entre industriales y grupos proletarios, en demanda de mejor tratamiento para la industria nacional y adopción de medidas contra la competencia extranjera.

Muy pronto los industriales aprendieron no solamente a no resistir las demandas obreras de aumentos de salarios, sino que las fomentaron a veces para obtener medidas gubernamentales favorables o para subir los precios en proporción muy superior a la que demandarían realmente los aumentos concedidos. Finalmente, en el México de la industrialización posrevolucionaria, en el Brasil posterior al golpe de estado de 1930, en la Argentina de Perón, en el Uruguay en algunas ocasiones, y también en otros países, los industriales y obreros apoyaron el intervencionismo estatal, el nacionalismo económico, el fomento de la actividad productiva y también el que se ampliaran las bases del consumo nacional. Salvo en México y en Brasil, la índole de esta alianza dependió de la precariedad de cada situación, pero solió traducirse en apoyos que, naturalmente, implicaban fuertes contribuciones de los industriales a ciertas campañas políticas y manifestación del voto obrero dentro de esa misma línea de conducta. En el caso mexicano, un intenso movimiento sindical, excesivamente controlado y dirigido por el Estado, no fue capaz de impedir el descenso del salario real del trabajador.

Las formas de la acción política y la organización partidaria

Aparte de lo ya indicado acerca de diversos cambios políticos concretos, conviene someter a análisis las técnicas de la acción política con mayor detalle. Como hemos adelantado, el caso mexicano es excepcional y debe ser estudiado por separado. En otros países la introducción de reformas realizada por algunos políticos logró evitar la acumulación de tensiones. Algunas veces la ruptura de la legalidad, como la que se opera en Brasil en 1930, es algo más que un golpe de Estado (de los que se dan ejemplos tan frecuentes en la vida latinoamericana) y traduce a la vez el desplazamiento de la oligarquía gobernante y el apoyo de una espontánea coalición de nuevas fuerzas en favor de reformas profundas. Quedan tres aspectos a tratar por separado, si se quiere terminar un inventario de la política latinoamericana durante el período que estudiamos, y aun algo después.

1) *La aparición de los partidos populares*. La organización de estos partidos fue una respuesta a la necesidad de encontrar formas de acción política que permitieran llegar al poder dentro de las tradiciones del parlamentarismo republicano. Bajo esa designación debe incluirse una serie de movimientos organizados, algunos de los cuales, como hemos dicho, debían su origen al reclutamiento de cuadros surgidos de

la militancia estudiantil, aunque ahora se procura echar por la borda el lastre de exigencias ideológicas demasiado radicales o de difícil captación popular, para lo cual se organizan movimientos policlasistas con una amplia base de opinión y halagüeñas perspectivas electorales. Tal es lo que sucedió con el APRA (Alianza Popular Revolucionaria Americana), que después de aspirar a despertar un movimiento continental fue resignándose a actuar solamente en Perú.

El APRA adoptó efectismos de propaganda tales como la celebración, con carácter de fiesta nacional, del cumpleaños de su líder Haya de la Torre o saludos especiales, y se dio una organización rígida y disciplinada. La larga supervivencia de este partido, varias veces a punto de conquistar el poder, ha permitido a la vez comprobar su desgaste y el abandono de los objetivos iniciales. Otro movimiento semejante, aún más rápidamente desfibrado, pero que llegó a ejercer el poder, fue el Partido Revolucionario Cubano, del que posteriormente se desprendió un grupo (el de Chibás) en el que militó Fidel Castro en sus tiempos de estudiante.

Otro ejemplo de este tipo de partidos lo tenemos en Acción Democrática de Venezuela, dirigido por Rómulo Betancourt. Encontramos otro partido popular de esta clase en Paraguay. El mismo se apoyó en el prestigio logrado por el coronel Rafael Franco en la guerra del Chaco contra Bolivia. El ala izquierda de ese partido, bajo la denominación genérica de Movimiento Revolucionario Febrerista, ha intentado repetidas veces, aunque sin éxito, asumir el gobierno.

2) *El problema de las ideologías y la acción de las izquierdas de tipo europeo.* A fines del siglo XIX, y aun algo antes, aparecen las primeras corrientes socialistas en América Latina. La organización de la Segunda Internacional dio origen a partidos socialistas, pero con la excepción del Partido Socialista Chileno, estos grupos no demostraron capacidad de crecimiento, supervivencia y representatividad. Los partidos socialistas en Argentina y Uruguay no tuvieron crecimiento, en parte por la existencia de alas afines dentro del Partido Radical argentino y el Partido Colorado uruguayo, respectivamente, en parte por sus excesos de intelectualismo desarraigado, fruto de poco contacto con el medio.

El Partido Comunista llegó a tener verdadera significación en Chile, tal vez por la mayor separación de clases y las concentraciones mineras e industriales. Algo menor fue su influencia en Brasil, donde la conversión al comunismo de Luis Carlos Prestes (jefe de una célebre columna rebelde que cruzó Brasil venciendo en múltiples oportunidades a fuerzas gubernamentales mejor equipadas) le dio un inesperado apoyo. Pero en general, los partidos comunistas quedaron en manos de líderes de clase media, se trabó en ellos la renovación de cuadros, demostraron más interés en predicar las excelencias del ejemplo soviético que en entender lo que ocurría en sus propios países. En más de un informe enviado a Moscú, dirigentes burocratizados se atribuían sin más la orientación de movimientos sindicales que en realidad no habían contado con su apoyo, o anunciaban con optimismo la revolución y la toma de poder para muy pronto.

Sería injusto desconocer los motivos idealistas de muchos militantes de las izquierdas latinoamericanas, que consagraron sus vidas a la causa y fueron víctimas de persecuciones. El "peligro rojo" había aparecido muy pronto como justificativo para la prolongación de dictaduras y la adopción de injustificables medidas de supresión de libertades y represión de opositores.

El momento de mayor auge de los partidos comunistas latinoamericanos durante este período fue a fines del mismo, cuando la guerra mundial convierte a Estados Unidos, Inglaterra, Francia y la URSS en aliados. Esos partidos dedican entonces su principal esfuerzo a apoyar a los aliados, proclaman una política de unidad nacional, desaconsejan las huelgas obreras porque éstas repercuten negativamente sobre la contribución económica latinoamericana al esfuerzo bélico, propician la creación de fábricas de armas y la militarización de la juventud, celebran pactos con gobernantes de derecha que hasta entonces los habían perseguido y acusan de nazis a quienes sostienen que es necesario seguir luchando contra la penetración norteamericana en América Latina.

Salvo en Chile, donde los obreros comunistas rechazaron de plano la política de "unidad nacional" que querían imponerles los dirigentes del partido, la misma, conocida por "línea Browder" (según el nombre de su principal sostenedor, entonces primer dirigente del Partido Comunista norteamericano), fue aplicada en toda América Latina.

Uno de los principales esfuerzos políticos de las izquierdas radicales de tipo europeo se tradujo en la formación y el triunfo del Frente Popular en Chile, en 1938. Socialistas, comunistas y radicales llevaron al poder a Pedro Aguirre Cerda, dirigente del Partido Radical. El movimiento fue impulsado por distintos sectores sociales: empleados, industriales, obreros, comerciantes y hasta hacendados del sur se pusieron de acuerdo respecto a un moderado plan de reformas. La temprana muerte de Aguirre y la orientación más conservadora de su sucesor, Juan Antonio Ríos, terminaron con el Frente Popular.

Por lo demás, las izquierdas radicales de origen europeo daban lugar a la constitución de pequeños movimientos que tenían el aspecto de cenáculos: anarquistas puros, anarcosindicalistas, anarco-comunistas, trotskistas (que luego se dividirán en partidarios y contrarios del apoyo crítico a la URSS), expulsados del Partido Comunista (unidos en diversos grupos según el motivo que había dado lugar a su expulsión).

Las alternativas de la vida europea proporcionaron también otra fuente de recursos ideológicos, en particular el fascismo. Como hemos señalado, éste es asimilado en sus peores y fundamentales características o, más generalmente, sirve de inspiración a corrientes y actitudes partidarias de una mayor intervención del Estado en la vida económica y contrarias a las grandes potencias de Occidente.

Al lado de estas tendencias de corte intelectual y erudito aparecen movimientos que, luego de ciertos contactos con aquéllas, procuran dar soluciones nacionales y de mayor alcance popular y militan políticamente para lograrlas.

3) *El populismo dirigido*. En los últimos tiempos del período se fue poniendo en evidencia que en ciertas zonas (en particular en la Argentina) las demandas populares habían avanzado más allá de lo que suponían las mismas izquierdas tradicionales, y existía una progresiva conciencia nacionalista y de clase sensible a la aplicación de nuevas formas de propaganda. Fue así como, en Argentina, gracias al empleo de procedimientos que provocaban el rechazo de los sectores más cultos, y haciendo concesiones directas que aumentaron el bienestar de los sectores populares, Perón se transformó en un innovador de la metodología de la acción política. Por

actuar de modo poco racional, fundamentalmente empírico, creando mitos y buscando provocar explosiones de entusiasmo colectivo, y por expresarse simultáneamente en términos radicales y violentos tanto contra los intelectuales como contra el "dominio extranjero y las oligarquías", el peronismo fue denominado a veces fascismo de izquierda. Es posible que la calificación sea excesiva, pero resulta evidente que estos nuevos movimientos populistas buscaban exaltar una adhesión carismática a sus dirigentes y se apoyaban en un mecanismo partidario en el que a los militantes sólo les cabía una participación pasiva.

Perón aceptó, aunque ocultándolo en lo posible, el apoyo de fuertes sectores de la burguesía industrial argentina, o toleró los privilegios indebidos a favor de dirigentes políticos y altos jefes militares, mientras él mismo acumulaba una enorme fortuna personal.

En el caso del peronismo, como en el de otras formas de lo que llamamos el populismo dirigido (o sea, creado a partir de una posición de poder), hubo en último término una explotación interesada de sentimientos colectivos, a los que se pretendió controlar sin darles a las masas una verdadera participación en el manejo de los asuntos públicos y no pasando más allá de una técnica demagógica de acción política, que se mostró incapaz de realizar una labor planificada y efectiva.

Notas

[1] JACQUES LAMBERT, *Amérique Latine. Structures sociales et institutions politiques*, París, 1968 (2a. ed.).

[2] CHARLES WAGLEY y MARVIN HARRIS, *A tipology of Latin American subcultures*, en "American Anthropologist", 3, 1955.

[3] R. VEKEMANS, *Tipología socioeconómica de los países latinoamericanos*, en "Revista Interamericana de Ciencias Sociales", 2, 1963.

BETTY CABEZAS DE G., *América Latina, una múltiple*, Santiago de Chile-Barcelona, 1967.

[4] NACIONES UNIDAS (informe de RAÚL PREBISCH), *El desarrollo económico de América Latina y algunos de sus principales problemas*, 1949.

[5] H.W. SINGER, *Economic progress in the underdeveloped countries*, en "Social Research", marzo de 1949, y *The distribution of gains between investing and borrowing countries*, en "American Economical Review", mayo de 1950.

[6] PIERRE DENIS, *Le Brésil au vingtième siècle*, París, 1910, p. 9.

[7] Cf. JOSÉ E. ITURRIAGA, *La estructura social y cultural de México*, México, 1951, p. 80.

[8] ROLAND T. ELY, *Cuando reinaba Su Majestad el azúcar*, Buenos Aires, 1963, p. 681.

[9] *Ibídem*, p. 691.

[10] JOSÉ E. ITURRIAGA, *op. cit.*, pp. 35 *ss.*

[11] JESÚS SILVA HERZOG, *Breve historia de la revolución mexicana*, México, 1960, t. I, p. 38.

[12] ARCHIVES DU MINISTÈRE DES AFFAIRES ETRANGÈRES DE LA FRANCE (en adelante AMAEF), París, *Correspondance Commerciale de Lima*, vol. 8, fol. 16 *ss.*

[13] F. SEEBER, *Importance économique et financière de la République Argentine*, Buenos Aires, 1888.

[14] AMAEF, *Corr. Comm. de Caracas*, vol. 9, fol. 21 *ss.*

[15] AMAEF, *Corr. Comm. de Guayaquil*, vol. 1, fol. 362 *ss.*

[16] H. HAUSER, *Naissance, vie et mort d'une institution: le travail servil au Brésil*, en "Annales d'Histoire Économique et Sociale", X, p. 309.

[17] AMAEF, *Corr. Comm. de Bahia*, vol. 7, fol. 1 *ss.*

[18] FERNANDO HENRIQUE CARDOSO, *Capitalismo e escravidão no Brasil meridional*, São Paulo, 1962.

[19] Cf. CELSO FURTADO, *Formação econômica do Brasil*, Río, 1959.

[20] AMAEF, *Corr. Comm. de Rio*, vol. 15, fol. 327.

[21] AMAEF, *Corr. Comm. de Rio*, vol. 10, fol. 183.

[22] AMAEF, *Corr. Comm. de Lima*, vol. 17, fol. 146 *ss.*

[23] Cf. G. Beyhaut, R. Cortés Conde, H. Gorostegui y S. Torrado, *Inmigración y desarrollo económico*, Buenos Aires, 1961.

[24] George M. Foster, *Culture and conquest: America's Spanish heritage*, 1960.

[25] M.A. Verbrugghe, *A travers l'isthme de Panama*, París, 1879.

[26] J. Martinet, *L'agriculture au Pérou*, París, 1878.

[27] E. Grandidier, *Voyage dans l'Amérique du Sud - Pérou et Bolivie*, París, 1861.

[28] Charles d'Ursel, *Sud'Amérique*, París, 1879.

[29] Lucio V. Mansilla, *Una excursión a los indios ranqueles*, Buenos Aires, 1870.

[30] C. Skogman, *Viaje de la fragata sueca Eugenia (1851-1853)*, traducción parcial editada en Buenos Aires, 1942.

[31] Aimard, *Le Brésil nouveau*, París, 1886.

[32] Charles Wiener, *Chili et les chiliens*, París, 1888.

[33] *République de l'Équateur*, Exposition Universelle de 1867 (folleto explicativo).

[34] Gilberto Freyre, *Sobrados e mucambos*, Río, 1951.

[35] Juan Bautista Alberdi, *Escritos póstumos*, vol. i, *Estudios económicos*, Buenos Aires, 1895, p. 591.

[36] Cf. Edwin Lieuwen, *Armas y política en América Latina*, Buenos Aires, 1960.

[37] amaef, *Corr. Comm. de Montevideo*, vol. 12, fol. 199 *ss*.

[38] E. Grandidier, *op. cit.*

[39] R.E. Enock, *Republics of South and Central America*, Londres, 1922, p. 10.

[40] J.W. Gantenbein, *The evolution of our Latin American policy*, Nueva York, 1950, pp. 51-52.

[41] Merle Curti, *El desarrollo del pensamiento norteamericano*, Buenos Aires, 1956, pp. 576-577.

[42] amaef, *Corr. Comm. de Montevideo*, vol. 14, fol. 233 *s*.

[43] Merle Curti, *op. cit.*, pp. 576-577.

[44] Acerca de la United Fruit es clásica la obra de Ch. D. Kepner y J.H. Soothill, *The banana empire. A case study in economic imperialism*, Nueva York, 1935.

[45] Cf. Aníbal Pinto Santa Cruz, *Chile, un caso de desarrollo frustrado*, Santiago, 1959.

[46] onu, *Informe preliminar sobre la situación social en el mundo*, Nueva York, 1952.

[47] Los datos acerca de la explotación del estaño en Bolivia han sido tomados, en lo fundamental, de Luis Peñaloza, *Historia económica de Bolivia*, La Paz, 1954, t. ii.

[48] Jacques Lambert, *Os dois Brasis*, São Paulo, 1959.

[49] Jaime Dorselaer y Alfonso Gregory, *La urbanización en América Latina*, Madrid, 1962, t. i, p. 135.

[50] *Ibídem*, pp. 171-173.

[51] Milton Vanger, *José Batlle y Ordóñez of Uruguay, the creator of his times*, Cambridge, Mass., 1963.

[52] José E. Iturriaga, *op. cit.*, t. ii.

[53] GINO GERMANI, *Estructura social de la Argentina*, Buenos Aires, 1955.

[54] LUIS A. COSTA PINTO, *Estructura de clases en proceso de cambio*, en "Desarrollo Económico", Buenos Aires, abril-septiembre de 1963, vol. 3, núms. 1-2.

[55] JOSÉ CARLOS MARIÁTEGUI, *Siete ensayos sobre la realidad peruana*, Santiago, 1955, p. 260.

[56] LEOPOLDO ZEA, *América en la historia*, México, 1957, p. 191.

Bibliografía sucinta

1. PUBLICACIONES PERIÓDICAS

"América Latina". Publicación del Centro Latinoamericano de Investigaciones en Ciencias Sociales.
"Cuadernos Latinoamericanos de Economía Humana". Publicación del Centro Latinoamericano de Economía Humana, Montevideo.
"Desarrollo Económico". Publicación del Instituto de Desarrollo Económico y Social, Buenos Aires.
"El Trimestre Económico", México.
"Estudios Americanos". Publicación de la Escuela de Estudios Hispanoamericanos, Sevilla.
"Hispanic American Historical Review", Baltimore; Durham, N.C.
"Inter-American Economic Affairs", Washington, D.C.
"Jahrbuch für Geschichte von Staat, Wirtschaft und Gesellschaft Lateinamerikas", Köln.
"Journal of Interamerican Studies". Publicación de la School of Inter American Studies, University of Florida.
"Revista Interamericana de Ciencias Sociales". Publicación de la Unión Panamericana, Washington, D.C.
"Revista de Historia de América". Publicación del Instituto Panamericano de Geografía e Historia, México.

2. ESTUDIOS PRINCIPALES

a) Historias generales

ANDERSON IMBERT, E., *Historia de la literatura hispanoamericana*, 2 t., México, 1961.
BAILEY, HELEN MILLER, y NASATIR, ABRAHAM P., *Latin America. The development of its civilization*, 1960.
CRAWFORD, W.R., *A century of Latin American thought*, 2a. ed., Cambridge, Harvard, 1961.
GRIFFIN, C.C., *History of the New World*, México, 1961.
HENRÍQUEZ UREÑA, PEDRO, *Historia de la cultura en la América hispana*, México, 1947.
PEREIRA SALAS, E., *América del Sur: Perú, Bolivia, Paraguay, Argentina y Chile. Período nacional*, México, 1956.

VICENS VIVES, J., *Historia social y económica de España y de América*, Barcelona, 1957.
ZAVALA, SILVIO, *Hispanoamérica septentrional y media. Período colonial*, México, 1953.
ZEA, LEOPOLDO, *Dos etapas del pensamiento en Hispanoamérica: del romanticismo al positivismo*, México, 1949.

b) Estudios comparados

CERECEDA, RAÚL, *Las instituciones políticas en América Latina*, Madrid, 1961.
CORREDOR, BERTA, y TORRES, SERGIO, *Transformación en el mundo rural latinoamericano*, Madrid, 1961.
DEBUYST, FEDERICO, *La población en América Latina*, Madrid, 1961.
DEBUYST, FEDERICO, *Las clases sociales en América Latina*, Madrid, 1962.
DORSELAER, JAIME, y GREGORY, ALFONSO, *La urbanización en América Latina*, 2 t., Madrid, 1962.
FERGUSON, J.H., *El equilibrio racial en América Latina*, Buenos Aires, 1963.
GOZARD, GILLES, *Demain l'Amérique Latine*, París, 1964.
HENRÍQUEZ UREÑA, PEDRO, *Las corrientes literarias en la América hispana*, México.
HIRSCHMAN, ALBERT O., *Estudios sobre política económica en América Latina (en ruta hacia el progreso)*, Madrid, 1964.
HIRSCHMAN, ALBERT O., *Latin American issues*, 1967.
JAHN, JANHEINZ, *Muntu: las culturas neoafricanas*, México, 1963.
JOHNSON, JOHN J., *Political change in Latin America: the emergence of middle sectors*, Stanford, 1958.
JOHNSON, JOHN J., *The military and society in Latin America*, Stanford, 1964.
LANNOY, JUAN LUIS DE, *Los niveles de vida en América Latina*, Madrid, 1963.
LIEUWEN, EDWIN, *Armas y política en América Latina*, Buenos Aires, 1960.
NEARING, SCOTT, y FREEMAN, JOSEPH, *Dollar diplomacy. A study in American imperialism*.
NORMANNO, J.F., *The struggle for South America*, Londres, 1931.
RIPPY, J.F., *British investments in Latin America. 1822-1949*, Minneapolis, 1959.
RIPPY, J.F., *Latin America and the industrial age*, 2a. ed., Nueva York, 1947.
UNIÓN PANAMERICANA, *Sistema de plantaciones en el Nuevo Mundo*, Washington, 1960.

c) Estudios regionales

Brasil

BASTIDE, ROGER, *Sociologie des religions africaines au Brésil*, París, 1960.

CAMARGO, CÁNDIDO PROCOPIO DE, *Aspectos sociológicos del espiritismo en San Pablo*, Madrid, 1961.

CARDOSO, FERNANDO H., *Capitalismo e escravidão no Brasil meridional*, São Paulo, 1962.

CRUZ COSTA, J., *Esbozo de una historia de las ideas en Brasil*, México, 1957.

FREYRE, GILBERTO, *Ordem e progresso*, 2a. ed., Río, 1962.

FREYRE, GILBERTO, *Sobrados e mucambos*, Río, 1951.

FURTADO, CELSO, *Formação econômica do Brasil*, Río, 1959.

BUARQUE DE HOLANDA, SERGIO, *História geral de civilização brasileira*, São Paulo, 1962.

IANNI, OCTAVIO, *As metamorfoses do escravão*, São Paulo, 1962.

JAGUARIBE, HÉLIO, *O nacionalismo na atualidade brasileira*, Río, 1959.

LACOMBE, A. JACOBINO, *Brasil. Período nacional*, México, 1956.

LAMBERT, JACQUES, *Os dois Brasis*, São Paulo, 1959.

MONBEIG, PIERRE, *Pionniers et planteurs de São Paulo*, París, 1952.

MORAZÉ, CHARLES, *Les trois âges du Brésil*, París, 1954.

PRADO, CAIO, *Formação do Brasil contemporâneo*, 4a. ed., São Paulo, 1953.

PRADO, CAIO, *História econômica do Brasil*, 3a. ed., São Paulo, 1953.

SIMONSEN, ROBERTO C., *A evolução industrial do Brasil*, São Paulo, 1939.

SIMONSEN, ROBERTO C., *História econômica do Brasil*, São Paulo, 1937.

VILELA LUZ, NICIA, *Luta pela industrialização do Brasil*, São Paulo, 1961.

Caribe

CARRERA DAMAS, GERMÁN, *Historia de la historiografía venezolana*, Caracas, 1961.

CARRILLO BATALLA, TOMÁS, *El desarrollo del sector manufacturero industrial de la economía venezolana*, Caracas, 1962.

ELY, ROLAND T., *Cuando reinaba Su Majestad el azúcar*, Buenos Aires, 1963.

FRIEDLAENDER, H.E., *Historia económica de Cuba*, La Habana, 1944.

GUERRA Y SÁNCHEZ, RAMIRO, *Azúcar y población en las Antillas*, La Habana, 1927.

KEPNER, CH. D., y SOOTHILL, J.H., *The banana empire. A case study in economic imperialism*, Nueva York, 1935.

LIEUWEN, EDWIN, *Petroleum in Venezuela: a history*, California, 1954.

ORTIZ, FERNANDO, *Contrapunteo cubano del azúcar y el tabaco*, La Habana, 1940.
PARSON, JAMES J., *La colonización antioqueña en el occidente de Colombia*, Bogotá, 1950.
PICÓN SALAS, MARIANO, *Los días de Cipriano Castro. Historia venezolana del 1900*, Caracas, 1953.
PICÓN SALAS, MARIANO, AUGUSTO MIJARES, RAMÓN DÍAZ SÁNCHEZ, EDUARDO ARCILA FARÍAS, JUAN LISCANO, *Venezuela independiente. 1810-1960*, Caracas, 1962.
RUBIN, VERA, *Caribbean studies. A symposium*, 2a. ed., Seattle, 1960.
TOVAR, R.A., *Venezuela, país subdesarrollado*, Caracas, 1963.
VELÁZQUEZ, MARÍA DEL CARMEN, *Centroamérica y Antillas. Período nacional*, México, 1953.

México

CARMONA, FERNANDO, *El drama de América Latina. El caso de México*, México, 1964.
CECEÑA, JOSÉ LUIS, *El capital monopolista y la economía de México*, México, 1963.
COSÍO VILLEGAS, DANIEL, *Historia moderna de México*, 5 vols., México, 1955 y *ss.*
GONZÁLEZ, LUIS, *Fuentes de la historia contemporánea de México, 1911-1950*, México, 1953.
ITURRIAGA, JOSÉ E., *La estructura social y cultural de México*, México, 1951.
MOSK, SANFORD A., *Industrial revolution in Mexico*, California, 1950.
SILVA HERZOG, JESÚS, *Breve historia de la revolución mexicana*, México, 1960.
SILVA HERZOG, JESÚS, *El agrarismo mexicano y la reforma agraria*, México, 1959.

Pacífico

FALS BORDA, ORLANDO, *Campesinos de los Andes*, Bogotá, 1961.
FLUHARTY, VERNON LEE, *Dance of the millions. Military rule and the social revolution in Colombia. 1930-1956.*
JOBET, JULIO CÉSAR, *Ensayo crítico del desarrollo económico y social de Chile*, Santiago, 1955.
LAGOS, RICARDO, *La concentración del poder económico*, Santiago, 1961.
PINTO, ANÍBAL, *Chile, un caso de desarrollo frustrado*, Santiago, 1959.
RAMÍREZ NECOCHEA, HERNÁN, *Balmaceda y la contrarrevolución de 1891*, Santiago, 1958.
RAMÍREZ NECOCHEA, HERNÁN, *Historia del imperialismo en Chile*, Santiago, 1960.
STEWART, WATT, *Henry Meiggs, a yankee Pizarro*, Durham, 1946.

STEWART, WATT, *Chinese bondage in Peru. A history of the Chinese coolies in Peru. 1849-1871*, Durham, 1951.
WISE, GEORGE S., *Caudillo, a portrait of Antonio Guzmán Blanco*, Columbia, 1951.

Río de la Plata

ÁLVAREZ, JUAN, *Estudios sobre las guerras civiles argentinas*, Buenos Aires, 1914.
ARDAO, A., *Espiritualismo y positivismo en el Uruguay*, México, 1950.
ARDAO, A., *Racionalismo y liberalismo en el Uruguay*, Montevideo, 1963.
BURGHIN, MIRON, *The economic aspects of Argentine federalism, 1820-1852*, Harvard, 1946.
FERNS, H.S., *Britain and Argentine in the nineteenth century*, Oxford, 1960.
FERRER, ALDO, *La economía argentina. Las etapas de su desarrollo y problemas actuales*, México, 1963.
GANN, THOMAS F., *Argentina, the United States and Inter-American system. 1880-1914*, Harvard, 1957.
GERMANI, GINO, *Estructura social de la Argentina*, Buenos Aires, 1955.
GILBERTI, HORACIO, *Historia económica de la ganadería argentina*, Buenos Aires, 1954.
GÖRAN, LINDAHL G., *Uruguay's new path. A study in politics during the first Colegiado. 1919-1933*, Estocolmo, 1962.
HALPERÍN DONGHI, TULIO, *El Río de la Plata al comenzar el siglo xix*, Buenos Aires, 1961.
ORTIZ, RICARDO M., *Historia económica argentina*, Buenos Aires, 1955.
PIVEL DEVOTO, JUAN E., *Raíces coloniales de la Revolución Oriental de 1811*, 2a. ed., Montevideo, 1957.
REAL DE AZÚA, CARLOS, *Antología del ensayo uruguayo*, Montevideo, 1960.
ROMERO, JOSÉ LUIS, *Historia de las ideas políticas en Argentina*, 2a. ed., México, 1959.
STREET, JOHN, *Artigas and the emancipation of the Uruguay*, Cambridge, 1959.
VANGER, MILTON, *José Batlle y Ordóñez of Uruguay, the creator of his times. 1902-1907*, Cambridge, Mass., 1963.

APORTES DE OTRAS DISCIPLINAS

BEYHAUT, G., R. CORTÉS CONDE, H. GOROSTEGUI, S. TORRADO, *Inmigración y desarrollo económico*, Buenos Aires, 1961.
CEPAL, *El desarrollo social de América Latina en la postguerra*, Buenos Aires, 1963.

CEPAL (RAÚL PREBISCH), *Hacia una dinámica del desarrollo latinoamericano*, México, 1963.
HOSELITZ, BERT, *Economic growth in Latin America*, Estocolmo, 1960.
JAGUARIBE, HÉLIO, *Desenvolvimento econômico e desenvolvimento político*, Río, 1962.
LAMBERT, DENIS, *Les inflations sud-américaines. Inflation de sous-développement et inflation de croissance*, París, 1959.
MACHADO NETO, A.L., *As ideologias e o desenvolvimento*, Bahía, 1960.
PINTO, ANÍBAL, *Los modelos del subdesarrollo. El impacto del capitalismo en la América Latina*, en "Revista de la Universidad de Buenos Aires", Buenos Aires, 1961.
PREBISCH, RAÚL, *El desarrollo económico de América Latina y algunos de sus principales problemas*, 1949.
TEICHERT, PEDRO C.M., *Economic policy, revolution and industrialization in Latin America*, Mississippi, 1959.
UNESCO, *Aspectos sociales del desarrollo económico de América Latina*, I, 1962; II, 1963.
URQUIDI, VÍCTOR L., *Viabilidad económica de América Latina*, México, 1962.

Índice de ilustraciones

Índice alfabético*

* Elaborado por JAS REUTER.

impreso en litográfica ingramex, s.a. de c.v.
centeno 162-1, col. granjas esmeralda
09810, méxico, d.f.
un mil ejemplares y sobrantes para reposición
31 de agosto de 1995